Obra Completa de C.G. Jung

Volume 17

O desenvolvimento da personalidade

Comissão responsável pela organização do lançamento da Obra Completa de C.G. Jung em português:
Dr. Léon Bonaventure
Dr. Leonardo Boff
Dora Mariana Ribeiro Ferreira da Silva
Dra. Jette Bonaventure

A comissão responsável pela tradução da Obra Completa de C.G. Jung sente-se honrada em expressar seu agradecimento à Fundação Pro Helvetia, de Zurique, pelo apoio recebido.

CIP-Brasil. Catalogação-na-fonte.
Sindicato Nacional dos Editores de Livros, RJ

Jung, Carl Gustav, 1875-1961.

O desenvolvimento da personalidade / Carl Gustav Jung; tradução de Frei Valdemar do Amaral; revisão técnica de Dora Ferreira da Silva. – 14. ed. – Petrópolis. Vozes, 2013.
Título original: Über die Entwicklung der Persönlichkeit.
Bibliografia.

17ª reimpressão, 2024.

ISBN 978-85-326-0741-6
1. Personalidade 2. Psicologia infantil I. Título
CDD-155.25
155.4
CDU – 159.923.2
159.922.7
80.07

C.G. Jung

O desenvolvimento da personalidade

17

Petrópolis

Tradução do original em alemão intitulado
Über die Entwicklung der Persönlichkeit (Band 17)

Editores da edição suíça:
Marianne Niehus-Jung
Dra. Lena Hurwitz-Eisner
Dr. Med. Franz Riklin
Lilly Jung-Merker
Dra. Fil. Elisabeth Rüf

Direitos exclusivos de publicação em língua portuguesa:
1981, Editora Vozes Ltda.
Rua Frei Luís, 100
25689-900 Petrópolis, RJ
www.vozes.com.br
Brasil

Tradução: Frei Valdemar do Amaral, OFM
Revisão técnica: Dora Mariana Ribeiro Ferreira da Silva
Diagramação: AG.SR Desenv. Gráfico
Capa: 2 estúdio gráfico

ISBN 978-85-326-2424-6 (Obra Completa de C.G. Jung)

ISBN 978-85-326-0741-6 (Brasil)
ISBN 3-530-40717-81 (Suíça)

Este livro foi composto e impresso pela Editora Vozes Ltda.

Sumário

Prefácio dos editores suíços

A personalidade como expressão da totalidade do homem foi circunscrita por C.G. Jung como sendo o ideal do adulto, cuja realização consciente por meio da "individuação" representa o marco final do desenvolvimento humano para o período situado além da metade da existência. Jung, em todas as suas últimas obras, dedica atenção especial à compreensão e à descrição desse escopo. No entanto, é fato evidente que o "Eu" se forma e se fortalece na infância e na adolescência. Seria inconcebível ocupar-se alguém com o "processo da individuação", sem considerar devidamente esta fase inicial do desenvolvimento.

O presente volume é uma compilação de trabalhos de Jung sobre a psicologia infantil. A parte mais importante é constituída por três preleções sobre "Psicologia Analítica e Educação". Jung considera que a psicologia dos pais e educadores é de importância decisiva no processo do crescimento e do amadurecimento da criança, sobretudo no caso da criança superdotada. Destaca mesmo como causa importante de distúrbios psíquicos na infância o relacionamento psíquico insuficiente entre os pais. Por isso, pareceu natural incluir-se igualmente a dissertação de Jung "O Matrimônio como Relacionamento Psíquico". Também convinha ligar a problemática da infância à do amadurecimento do adulto (*Selbstwerdung*), e assim incluir ainda o ensaio "Sobre a Formação da Personalidade". É justamente esse ensaio que fornece o título e o tema para este volume.

Existe ainda o preconceito, muito difundido, de que a psicologia de C.G. Jung se refira unicamente à segunda metade da existência ou que seja válida apenas para essa fase da vida; mas os escritos aqui apresentados constituem por si mesmos a refutação de tudo isso. Em uma época em que se questionam os princípios educacionais, qualquer pessoa que tiver de ocupar-se com problemas de educação sairá lucrando se considerar devidamente as contribuições de Jung. Ninguém conseguirá educar os outros, sem antes educar a si próprio; do mesmo modo, ninguém atingirá o amadurecimento pessoal sem a conscientização prévia.

Pela organização dos índices de pessoas e de assuntos, queremos agradecer cordialmente à Sra. Elisabeth Imboden-Stahel e à Sra. Lotte Boesch-Hanhart.

Janeiro de 1972.

Os editores (suíços)

Prefácio da 2ª edição

Este pequeno trabalho permanece sem alterações nesta segunda edição. Ainda que, de fato, desde a primeira publicação destas observações em 1910 até o presente, tenham-se mudado e ampliado as próprias concepções a respeito, mesmo assim, sou de parecer que nem essas modificações posteriores me autorizam a considerar que os pontos de vista apresentados na primeira edição estejam errados, como me vem sendo atribuído de certa parte. Conservam todo o seu valor tanto as observações relatadas como as concepções a respeito delas. Uma concepção jamais pode ser totalmente abrangente, pois sempre está dependendo do ponto de vista adotado. O ponto de vista escolhido para este trabalho é o da psicologia. Naturalmente, este ponto de vista não é o único possível, pode haver outro ainda, ou mesmo outros modos de considerar. Assim, mais de acordo com o espírito da psicologia freudiana, este tratado de psicologia infantil poderia ser considerado do ponto de vista puramente hedonístico; nesse caso, o processo psíquico seria visto como um movimento determinado pelo princípio do prazer. Os motivos seriam então o desejo e a busca daquela atuação da fantasia que proporcionasse o maior prazer e a maior satisfação possíveis. Já em outra abordagem, segundo a proposta de Adler, o mesmo material poderia ser visto à luz do princípio do poder, que seria um modo tão válido em psicologia como o princípio do prazer. Seria possível ainda adotar-se a maneira estritamente lógica de considerar, visando acompanhar o desenvolvimento do processo lógico na criança. E até mesmo seria possível adotar-se o ponto de vista da psicologia da religião, com o intuito de destacar os começos na formação do conceito de Deus. Contentei-me em conservar uma posição intermediária, que mantivesse a linha de simples consideração psicológica das coisas, sem tentar acomodar o material a este ou àquele princípio fundamental, hipotético apenas. Com isso, naturalmente, não pretendo impugnar a possibilidade desses princípios, pois todos eles estão inclusos na natureza humana; apenas um especialista parcial poderia declarar como universalmente válido algum princípio heurístico, que fosse de valor especial para a sua disciplina ou para seu modo pessoal de considerar as coisas. Justamente por existirem vários princípios possíveis, é essencial em psicologia humana jamais tentar conceber as coisas à luz de um único desses princípios, mas sim procurar considerá-las sob diversos aspectos.

A concepção adotada neste livro tem por base a suposição de que o *interesse sexual* desempenha um papel causal no processo da formação do pensamento infantil, que de modo algum poderá ser negligenciado. Este pressuposto, certamente, não deverá encontrar nenhuma oposição mais séria. A posição oposta já teria certamente contra si um número muito grande de fatos bem observados, mesmo sem se tomar em conta que seria extremamente inverossímil dar-se o fato de um instinto, tão importante na psicologia humana, não começar a manifestar-se já na alma infantil, ainda que de forma rudimentar.

Em contrapartida, acentuo neste trabalho que o *pensar* e a elaboração dos conceitos são de grande importância para a solução de conflitos psíquicos. O que segue deveria bastar para esclarecer de uma vez que o interesse sexual incipiente, em sua atuação causal, apenas muito impropriamente tende para um alvo sexual determinado; sua atuação causal se orienta muito mais para o desenvolvimento do pensar. Se assim não fosse, a solução do conflito seria conseguida unicamente pelo fornecimento de um alvo sexual, e não pela ajuda em modificar a concepção intelectual. Mas é justamente este último caso que se dá. Daí será lícito concluir, invertendo a ordem, que a sexualidade infantil não apresenta exatamente a mesma natureza que a sexualidade adulta. A sexualidade adulta jamais aceita uma elaboração de conceito como sucedâneo pleno e equivalente, mas reclama que lhe seja fornecido o alvo sexual real e adequado ao uso da função normal, de acordo com a exigência da natureza. É verdade que a experiência nos mostra que também a sexualidade infantil pode levar à prática sexual real, na forma de masturbação, caso os conflitos não sejam resolvidos. É por meio da formação de concepções intelectuais que a libido encontra o caminho livre e apto para o desenvolvimento, de modo que lhe esteja assegurada sua atuação permanente. Quando o conflito atinge certa intensidade, a falta de formação da concepção intelectual passa a atuar como impedimento, repelindo de volta a libido para os rudimentos da sexualidade; é isto que constitui a causa de esses rudimentos ou germes serem desviados precocemente para um desenvolvimento anormal. Forma-se deste modo uma neurose infantil. Principalmente as crianças bem-dotadas, nas quais as exigências na ordem do pensar começam a desenvolver-se muito cedo devido a esses dotes intelectuais, correm perigo muito sério de descambar para a atividade sexual precoce, provocada pelas repressões pedagógicas de uma curiosidade tida como inconveniente.

Como se deduz desta explanação, não considero a função intelectual como se fosse apenas uma função surgida da perplexidade frente à sexualidade, que, por se ver tolhida em sua atuação na forma de prazer, seja forçada pela necessidade a transformar-se em função intelectual. Meu ponto de vista é que, na verdade, *a sexualidade infantil primordial* já encerra em si tanto os rudimentos da atividade sexual futura como também constitui a matriz em que germinam as funções intelectuais superiores. Em abono disso, tem-se o fato de ser possível resolver os conflitos infantis por meio da formação das concepções intelectuais, como também o fato de que, mesmo na idade adulta, os remanescentes da *sexualidade infantil* constituem a matriz onde germinam importantes funções intelectuais. Mesmo aceitando que também a sexualidade adulta se desenvolve a partir desses *germes polivalentes,* não se pode concluir de modo algum que a sexualidade infantil primordial seja pura e simplesmente *sexualidade.* Por isso, impugno a exatidão do conceito freudiano de que a criança é, por natureza, *um perverso polimorfo.* Trata-se apenas de uma disposição natural *polivalente.* Se quiséssemos proceder segundo o modelo freudiano para a formação de conceitos, então deveríamos, em embriologia, designar a membrana exterior como cérebro, porque dela provém o cérebro, ao longo do processo de formação. Mas, além do cérebro, também se formam a partir dela os órgãos dos sentidos e outras coisas.

Dezembro de 1915.

C.G. Jung

Prefácio da 3ª edição

Já se passaram quase trinta anos desde que este trabalho foi publicado pela primeira vez. Parece, todavia, que esta pequena obra nada perdeu de sua vida própria; continua mesmo a ser procurada sempre de novo pelo público. De certo ponto de vista, certamente, ela não se tornou antiquada, enquanto relata simplesmente o desenrolar de fatos, que podem se repetir por toda a parte, de modo mais ou menos parecido. Esta obra chama ainda a atenção para algo muito importante, tanto na teoria como na prática; trata-se da tendência específica da fantasia infantil de ultrapassar seu próprio mundo real, substituindo pela interpretação "simbólica" o racionalismo das Ciências Naturais. Esta tendência constitui uma manifestação natural e espontânea que, exatamente por isso, não poderá ser reduzida a qualquer repressão. Procurei destacar este ponto no prefácio da segunda edição, e esta observação também nada perdeu de sua atualidade, visto que o mito da "sexualidade infantil polimorfa" ainda vem sendo aceito com muito ardor pela maioria dos especialistas. Dá-se ainda valor exagerado à teoria da repressão, mas, de outra parte, continuam subestimados, se não completamente ignorados, os fenômenos naturais da "transformação da alma". A estes fenômenos dediquei em 1912 um extenso trabalho, do qual não se pode afirmar, até o momento, que já tenha chegado ao conhecimento geral dos psicólogos. Faço votos que esta modesta relação de fatos desperte a reflexão do leitor. No campo da Psicologia podem as teorias ter efeitos extremamente devastadores. Precisamos, com certeza, de alguns pontos de vista teóricos, por causa de seu valor orientador e heurístico, mas devem ser sempre vistos como meros modelos auxiliares, que podem ser abandonados a qualquer momento. É tão pouco ainda o que conhecemos da alma, que se tornaria deveras ridículo acreditar que já estivéssemos em condições de podermos estabelecer teorias gerais. Ainda nem sequer conseguimos determinar o ambiente empírico da fenomenologia psíquica. Nestas circunstâncias, como seria possível sonhar com teorias gerais? A teoria representa, inegavelmente, o melhor escudo para proteger a insuficiência experimental ou a ignorância. As consequências, porém, são lamentáveis: mesquinhez, superficialidade e sectarismo científico.

Pretender rotular os germes polivalentes da criança com a terminologia tirada do estágio de desenvolvimento pleno da sexualidade será, certamente, empreendimento muito duvidoso. Este proceder levará a estender a interpretação sexual a todas as outras disposições infantis; deste modo, o conceito de sexualidade se tornará demasiadamente inflado e nebuloso, enquanto que os fatores espirituais aparecerão apenas como meras deformações do instinto. Tais considerações conduzem a um racionalismo, que se torna incapaz de lidar com a natureza polivalente das disposições infantis, ainda que apenas de maneira aproximada. O fato de a criança já se ocupar com questões que para o adulto têm indubitável tonalidade sexual nem de longe quer significar que a maneira pela qual a criança se ocupa disso também deva ser considerada como sexual. Em estudo prudente e consciencioso dos fenômenos infantis, o emprego da terminologia sexual, no máximo, pode ser tomado como um "modo peculiar de falar" (*façon de parler*). E se isto é oportuno, também é questionável.

Assim, pois, permito que este escrito volte a ser publicado sem nenhuma alteração, apenas com pequenas correções.

Dezembro de 1938.

C.G. Jung

Prefácio da 4ª edição

A leitura dos prefácios das edições anteriores permite concluir que o presente escrito tem de ser considerado como um produto que não deve ser retirado nem da época nem das circunstâncias em que surgiu. Deve conservar a forma de uma experiência única, qual marco miliário ao longo da estrada percorrida pelos conhecimentos em seu lento amadurecer. As observações contidas neste escrito continuarão a despertar o interesse do educador; por isso é que foram incorporadas ao presente volume. Assim como não é permitido tirar do lugar os marcos que indicam as milhas ou os limites, do mesmo modo nada foi mudado nesta obra, desde sua primeira publicação há 35 anos.

Junho de 1945.

C.G. Jung

I

Sobre os conflitos da alma infantil*

Na mesma época em que Freud publicou seus comunicados sobre "Joãozinho"[1], recebi de certo pai, entendido em psicanálise, uma série de observações a respeito de sua filhinha de quatro anos. 1

Essas observações se pareciam em muitos pontos com os comunicados de Freud sobre "Joãozinho", e em outros até os complementavam. Senti-me, pois, quase que obrigado a tornar esse material acessível a um público maior. A incompreensão, para não dizer a indignação que o caso de "Joãozinho" provocou, foi para mim mais um motivo para publicar o material presente que, sem dúvida, não se compara em extensão ao de "Joãozinho". Contudo aqui se encontram certas passagens que podem confirmar o quanto de típico trouxe "Joãozinho". A chamada crítica científica, na medida em que se dignou tomar conhecimento dessas coisas importantes, também desta vez tornou a agir com precipitação, dando mostras de não ter aprendido ainda a examinar primeiro para depois julgar. 2

A menina, que, por sua intuição e vivacidade intelectual, nos forneceu as observações seguintes, é uma criança sadia e bem disposta, de índole um tanto temperamental. Nunca esteve seriamente doente; 3

---

* Publicado pela primeira vez em "Jahrbuch für psychoanalytische und psychopathologische Forschungen II" (Anuário para pesquisas psicanalíticas e psicopatológicas II) – Viena e Leipzig 1910, p. 33-58. [Reimpressão como brochura em 1910 e 1916. Nova edição com o mesmo título, mas com novo prefácio, na Editora Rascher – Zurique 1939. Ligeiramente ampliado e acompanhado dos tratados IV e V deste volume, em "Psychologie und Erziehung" (Psicologia e Educação), na Editora Rascher – Zurique 1946. Nova edição (Paperback) 1970].

1. FREUD, S. *Analyse der Phobie eines fünfjährigen Knaben* (Análise da fobia de um menino de cinco anos). Viena: [s.e.], 1924.

também jamais foram notados nela quaisquer "sintomas" causados pelo sistema nervoso.

4 Interesses sistemáticos mais vivos despertaram nessa criança por volta dos três anos: ela começou a fazer perguntas e a manifestar desejos fantasiosos. Os comunicados a seguir, lamentavelmente, carecem de uma apresentação concatenada, pois constam de pequenas narrações isoladas (*Anekdoten*), que descrevem uma vivência única, extraídas de todo um ciclo de coisas semelhantes; justamente por isso não permitem uma apresentação sistematizada cientificamente, mas apenas a forma novelesca. É um modo de apresentação que ainda não podemos condenar no estado atual de nossa Psicologia, por estarmos ainda muito distantes do ponto em que será possível distinguir com segurança infalível, em todos os casos, entre o típico e o bizarro.

5 Certa vez, quando a menina, à qual daremos o nome de Aninha, contava cerca de três anos, desenrolou-se entre ela e a avó o diálogo seguinte:

Aninha: "Vovó, por que teus olhos são tão murchos?"

Avó: "Porque eu já sou velha".

Aninha: "Mas ficarás jovem de novo, não é?"

Avó: "Não; bem sabes que vou ficar cada vez mais velha, e depois vou morrer".

Aninha: "Está bem, e depois?"

Avó: "Então eu me torno anjo..."

Aninha: "E depois disso, vais ser de novo uma criancinha pequenininha?"

6 Neste diálogo a criança encontra uma ocasião oportuna para resolver provisoriamente um problema. Já há algum tempo vivia perguntando à mãe se algum dia ela não poderia ter também uma boneca viva, uma criancinha, talvez um irmãozinho; a isso seguiam-se normalmente as perguntas acerca da origem dos bebês. Como tais perguntas surgiam apenas de maneira espontânea, e sem despertar atenção, os pais não lhes davam grande importância, mas tão somente as entendiam com a mesma despreocupação com a qual a criança parecia perguntar. Assim, certo dia, lhe deram a explicação jocosa de que os bebês eram trazidos pela cegonha. Aninha, entretanto, já escutara de qualquer modo outra versão um pouco mais séria, a de que as criancinhas

são anjos e moram no céu, mas um dia a cegonha as traz cá para baixo. Parece que esta teoria se converteu no ponto de partida para a atividade pesquisadora da pequena. Na conversa com a avó já se mostra que esta teoria pode ter uma aplicação geral. Por meio dela se resolve de modo mais suave o pensamento aflitivo da morte, como também o enigma sobre a origem dos bebês. Aninha parece dizer a si mesma: Quando uma pessoa morre, ela se torna anjo, e depois se torna criancinha outra vez. Soluções como esta, que conseguem matar pelo menos dois coelhos de uma só cajadada, não só costumam manter-se obstinadamente na Ciência, como também, mesmo em uma criança, não podem ser desfeitas sem provocar certos abalos. Nesta simples concepção se encontram os elementos da teoria da reencarnação, que – segundo consta – continua viva na mente de milhões de pessoas.

7 Na história de "Joãozinho", o ponto crítico surgiu com o nascimento da irmãzinha; o mesmo ocorreu neste caso com *a chegada de um irmãozinho*, quando Aninha já estava quase com quatro anos. Com isso se tornou atual o problema da origem dos bebês, o qual, antes, pouco aparecia. A gravidez da mãe parecia, por ora, ter passado despercebida; pelo menos, não se notou nenhuma manifestação da criança a respeito disso. Mas à noitinha, na véspera do parto, quando já se manifestavam as dores na mãe, achava-se a menina na sala de trabalho com o pai. Este a tomou no colo e lhe perguntou: "Escuta, que é que acharias se hoje à noite ganhasses um irmãozinho?" "Então, eu o mataria" foi a resposta imediata. A expressão "matar" parece muito perigosa, mas, quando bem analisada, é até completamente inofensiva. "Matar" e "morrer" para a mente infantil apenas significam "afastar", de modo ativo ou passivo, como aliás Freud já o havia mostrado várias vezes. Eu mesmo tratei, certa ocasião, de uma mocinha de quinze anos, em cuja análise surgiu repentinamente uma ideia que retornou outras vezes. Era a poesia de Schiller *Lied von der Glocke* (Cantiga do sino). A mocinha ainda nem tinha lido essa poesia, mas apenas a tinha folheado uma vez; somente se recordava de ter lido algo sobre uma "catedral". Não conseguia lembrar-se de mais nada. A passagem é a seguinte:

Da catedral,
Grave e temeroso,
Toca o sino
Um canto fúnebre, etc.

Ai! É a esposa, a querida,
Ai! É *a mãe fiel,*
Que o negro príncipe das sombras
Retira dos braços do esposo, etc.

8 Naturalmente, a filha ama a mãe e nem de longe pensa na morte dela, contudo a situação presente é esta: A filha deve acompanhar a mãe numa viagem de cinco semanas para visitar parentes; no ano anterior, a mãe tinha viajado sozinha, enquanto a filha (filha única e mimada) ficara sozinha em casa, com o pai. Infelizmente, neste ano "a pequena esposa" é "retirada" dos braços do esposo, ao passo que, na verdade, seria preferível para a filhinha que "a mãe fiel" se separasse da filha.

9 "Matar" na boca de uma criança é por isso algo de inofensivo, tanto mais quando se sabe que ela usa a palavra "matar" indiferentemente para todos os modos possíveis de destruição, afastamento, aniquilamento etc. Em todo caso, merece alguma consideração a tendência que aí se manifesta[2].

10 Na manhã seguinte, bem cedo, ocorreu o parto. Depois de terminada a limpeza do quarto e apagados os vestígios de sangue, entrou o pai no quarto onde Aninha ainda dormia. Ela acordou com a entrada dele. O pai lhe deu a notícia da chegada do irmãozinho, e Aninha a acolheu com cara de espanto e de tensão. O pai tomou-a então no colo e a levou para o aposento em que a mãe ficaria durante o resguardo. A pequena lançou primeiro um olhar rápido para a mãe ainda meio pálida, e logo a seguir deixou perceber em seu rosto um misto de acanhamento e desconfiança, como se estivesse pensando: "E agora, que é que vai acontecer?" Aparentemente não demonstrava nenhuma alegria a respeito do recém-nascido, de maneira que os pais se decepcionaram um tanto com este acolhimento tão frio. No decorrer de toda a manhã, a menina se manteve visivelmente afastada da mãe, o que despertou atenção tanto maior, porque ela era sempre muito agarrada à mãe. Mas, em certo momento, quando a mãe estava sozinha, Aninha entrou correndo no quarto, e, enlaçando-a pelo pescoço, murmurou apressadamente: *"Então não ias morrer agora?"*

11 Torna-se então clara para nós uma parte do conflito que havia na alma da criança. A teoria da cegonha nunca tinha pegado direito, mas

2. Cf. com a análise do "Joãozinho".

muito mais a hipótese da reencarnação, segundo a qual uma pessoa morre para que uma criancinha comece a viver. Neste caso, a mãe deveria morrer – e como poderia Aninha nessas condições sentir qualquer alegria por causa do recém-nascido, contra o qual já se insurge o ciúme infantil? Por isso, no momento oportuno, precisa certificar-se se a mãe deve morrer ou não. A mãe não morreu. Este desfecho feliz resultava, porém, em rude golpe para a teoria da reencarnação. E daqui para a frente, como deverá ser explicado o nascimento do irmãozinho, e de modo geral a origem dos bebês? Apenas restava a teoria da cegonha, que, sem dúvida, nunca tinha sido afastada expressamente, mas apenas de modo implícito, ao aceitar a teoria da reencarnação[3]. As tentativas imediatas para chegar a uma conclusão explicativa, infelizmente, permaneceram ocultas aos pais, pois a menina foi mandada para a casa da avó, a fim de passar lá umas semanas. Como se evidenciou através dos relatos da avó, mais de uma vez retornou a conversa sobre a teoria da cegonha, de certo fomentada pela anuência do ambiente.

12 Quando Aninha voltou para a casa dos pais, já no primeiro encontro com a mãe, voltou a portar-se daquela mesma maneira, entre acanhada e desconfiada, como acontecera após o parto. A impressão parecia significativa ao pai e à mãe, apenas não conseguiam interpretá-la. Era muito correto o comportamento da menina em relação ao pequenino. Entrementes, uma freira havia chegado como ama-seca, o que causou uma grande impressão na menina, por causa do hábito religioso. Mas, de início, o efeito foi mais negativo, e até mesmo em grau extremo, pois a menina lhe opunha em tudo a maior resistência. Assim, de modo algum permitia que a ama lhe trocasse a roupa antes de dormir, nem que a levasse para a cama. A origem dessa resistência

3. Aqui cabe propor-se a questão: Em que se baseia, de modo geral, a suposição de que crianças desta idade possam interessar-se por tais teorias? A resposta está no fato de as crianças terem interesse muito intenso por tudo o que acontece ao redor delas e pode ser percebido pelos sentidos. Isto já transparece nas conhecidas e infindáveis perguntas do tipo "Por quê?" a respeito de todas as coisas possíveis. A seguir, convém tirar por uns instantes "os óculos da cultura", quando se pretende compreender a psicologia infantil. O nascimento de uma criança é simplesmente o acontecimento mais importante para qualquer pessoa. Para o pensar civilizado, contudo, perdeu o nascimento muito daquilo que o faz em biologia algo de único e original. O mesmo vale também para a sexualidade em geral. Mas o espírito deve ter conservado em algum lugar aquela apreciação biologicamente correta, que as dezenas de milhares de anos nele deixaram impressa. E que outra coisa se poderia esperar com maior probabilidade do que o fato de que a criança ainda a possui e manifesta, antes que o véu da civilização se estenda sobre o modo primitivo de pensar?

se tornou manifesta pouco depois, por ocasião de uma cena de raiva, ocorrida junto ao berço do irmãozinho. Aninha gritou para a ama: "Ele não é teu irmãozinho, é meu". Mas aos poucos ela acabou se reconciliando com a ama, e até começou a brincar de ama. Queria também uma touca branca e um avental, e passava a "cuidar" ora do irmãozinho, ora de suas bonecas. Em contraste com o proceder habitual de antes, notava-se agora nela, de modo inegável, certo ar tristonho e sonhador. Aninha passava longo tempo sentada embaixo da mesa, e se punha a cantarolar e a rimar longas histórias, que em parte eram incompreensíveis, mas em parte encerravam desejos da fantasia em torno do tema "ama" ("eu sou uma ama da cruz verde"), enquanto, de outra parte, eram sentimentos visivelmente dolorosos, que se debatiam, à procura de alguma maneira de se exprimirem.

13 Neste ponto começamos a encontrar uma novidade importante na vida de Aninha. Surgem divagações, tentativas de poesia, acessos elegíacos. Tudo isto são coisas que normalmente costumamos encontrar apenas em uma fase mais adiantada da vida, precisamente na época em que o adolescente se dispõe a romper os laços que o prendem à família, para ir viver sua vida própria e independente, embora ligado ainda em seu íntimo por sentimentos de pungente saudade do calor encontrado no lar paterno. É nessa época que se começa a criar pela imaginação inventiva aquilo de que se sente falta, com o intuito de compensar a perda inevitável. À primeira vista, poderia parecer paradoxal pretender assemelhar a psicologia de uma criança de quatro anos à da adolescência (puberdade). O parentesco, porém, não depende de idade, mas do modo de atuar (mecanismo). As divagações tristonhas exprimem que uma parte do amor, que antes pertencia a um objeto real, e devia mesmo pertencer a tal objeto, *se introverteu,* isto é, se voltou para dentro, para o próprio sujeito, e aí produz um aumento da atividade imaginativa[4]. Mas donde provém esta

4. Trata-se mesmo de um processo típico. Sempre que a vida esbarra num obstáculo e se torna impossível a adaptação, estanca a transferência da libido para o mundo real, e aparece a introversão. Neste caso, em lugar da atuação sobre o mundo real, aparece uma atividade acentuada da fantasia, que tende a afastar o obstáculo, ainda que por ora o afastamento se realize apenas na fantasia; a partir daí será encontrada a solução acertada com o passar do tempo. Daí provêm igualmente as fantasias sexuais exageradas dos neuróticos, ao tentarem dominar a repressão específica, bem como as fantasias típicas dos gagos, como se possuíssem grandes dotes oratórios. (Que haja em todas essas pessoas determinada expectativa, isso nos evidenciam os estudos muito engenhosos de Adler sobre as deficiências orgânicas).

introversão? Trata-se de uma manifestação própria da idade ou surge ela em consequência de algum conflito?

14 Os acontecimentos que se seguiram nos mostram algo a respeito do problema. Agora, muitas vezes Aninha desobedece à mãe. Mostra-se então teimosa e diz: "Eu vou voltar para a casa da vovó!"

Mãe: "Ficarei triste se fores embora de novo". Aninha: "Ah! Já tens o irmãozinho!"

15 Ao tomar a mãe como alvo, a pequena já demonstrava o que pretendia com a ameaça de ir-se embora outra vez. Evidentemente queria ouvir o que a mãe pensava sobre esse plano, isto é, qual era a atitude da mãe para com ela, se o irmãozinho já não a tinha desalojado inteiramente da afeição materna. Contudo, não se deve dar logo pleno crédito a esse pequeno ardil. A criança podia muito bem ver e sentir que nada de importante lhe havia sido subtraído do amor materno, apesar de existir agora também o irmãozinho. A acusação que faz à mãe, aparentemente por este motivo, carece de justificativa e já se trai a um ouvinte experiente pelo tom um tanto afetado. Entonações semelhantes também ocorrem muitas vezes até em adultos. Essa entonação indisfarçável nem espera ser levada a sério, e por isso volta a manifestar-se com mais reforço ainda. A própria mãe também não precisa levar muito a sério a acusação como tal, pois ela é apenas precursora de novas resistências, que desta vez serão mais fortes. Pouco tempo depois da conversa relatada, ocorreu a cena seguinte:

Mãe: "Escuta, vamos agora até o jardim!"

Aninha: "Estás mentindo; toma cuidado se não disseres a verdade!"

Mãe: "Que ideia é essa? Eu estou dizendo a verdade".

Aninha: "Não! Não estás dizendo a verdade!"

Mãe: "Já vais ver que estou dizendo a verdade; agora vamos ao jardim".

Aninha: "Será verdade? Será mesmo verdade? Não estás mesmo mentindo?"

16 Cenas como essa repetiram-se algumas vezes. Desta vez a entonação era mais forte e insistente, e, além disso, colocava todo o acento na palavra "mentir", o que significa algo de muito importante. Os pais, porém, não o perceberam, e deram, de início, simplesmente muito pouca importância às manifestações espontâneas da criança.

Fizeram apenas o que se considera obrigação geral na educação. É mesmo costume generalizado dar-se pouco valor ao que dizem as crianças; em qualquer fase de idade, são elas consideradas ainda irresponsáveis no tocante às coisas essenciais, enquanto que nas coisas sem importância são treinadas até a perfeição de autômatos. Por trás das resistências se oculta sempre um problema, um conflito. Certamente, em outros tempos e em outras ocasiões escutou-se falar sobre isso; mas é comum que se esqueça de relacionar com as resistências o que já se ouviu falar sobre isso. Assim, noutra ocasião, Aninha apresentou perguntas difíceis à mãe:

Aninha: "Eu gostaria de ser ama-seca quando for grande".

Mãe: "Eu também queria isso quando era criança".

Aninha: "Então, por que não te tornaste uma delas?"

Mãe: "Ora, foi só porque eu me tornei mãe, e assim já tenho filhos para cuidar".

Aninha (pensativa): "Será que eu vou ser uma mulher diferente de ti? Será que vou então morar em outro lugar? Será que então ainda vou conversar contigo?"

17 A resposta dada pela mãe tornou a deixar claro o que a criança havia pretendido com a pergunta[5]. Aninha queria certamente ter também um bebê para "cuidar", assim como a freira e ama-seca tinha um bebê para cuidar. Que a freira tinha o bebê, estava bem claro; do mesmo modo Aninha poderia também ter um bebê quando fosse grande. Mas por que a mãe não se tinha tornado ama-seca de um modo tão claro e visível como a freira? O sentido da questão é esse: Como é que a mãe tem o bebê, uma vez que ela não o conseguiu da

---

5. A concepção, que talvez pareça paradoxal, de reconhecer nas respostas da mãe o objetivo visado pelas perguntas da criança, precisa ainda de esclarecimento. Um dos maiores méritos psicológicos de Freud consiste em ter descoberto que os motivos *conscientes* da vontade são de natureza duvidosa. Como consequência da repressão dos instintos, passou-se a supervalorizar desmesuradamente a importância do pensar consciente na atuação sobre o agir. Freud estabelece como critério psíquico do agir não o motivo consciente, mas o *resultado* do ato (este não é avaliado tanto como efeito físico, mas muito mais em sua importância psíquica). Esta concepção faz o agir aparecer sob um aspecto novo e muito importante do ponto de vista biológico. Dispenso a exemplificação, e me contento em indicar que esta concepção é extremamente valiosa na psicanálise para entender-se tanto a natureza, como a motivação dos fatos.

mesma maneira que a freira? Do mesmo modo que a freira e a ama-seca têm um bebê, Aninha também o poderia ter; mas como é que tudo isso deverá ser no futuro? Aninha ainda não conseguia imaginar como é que ela se tornaria semelhante à mãe quanto ao modo de ter um bebê. É por isso que fez de modo pensativo a pergunta: "Será que eu vou ser uma mulher diferente de ti?" Será que eu serei diferente em tudo? Se a teoria da cegonha nada resolve, se a do morrer também não resolve, então uma das maneiras de se ter um bebê é essa pela qual a ama-seca o conseguiu. Naturalmente, desse mesmo modo ela também poderia ter um bebê; mas e no caso da mãe, que tem bebês sem ser ama-seca? É por isso que, partindo de seu ponto de vista, Aninha pergunta: "Então por que não te tornaste ama-seca?" (O sentido é: Será que ganhaste o bebê de algum modo compreensível?) É típica essa maneira curiosa de formular a pergunta de modo indireto. Poderia estar ligada à falta de clareza na concepção do problema, se é que não se prefira admitir como que uma "indeterminação diplomática", manifestada justamente por evitar a pergunta direta. Mais tarde encontraremos provas para documentar essa possibilidade.

18 Sem dúvida alguma, nos encontramos diante do problema: "Donde é que vem o bebê?" A cegonha não o trouxe, a mãe não morreu, e também a mãe não o ganhou da mesma maneira como a ama-seca o recebeu. Mas Aninha já havia perguntado isso antes, e tinha ouvido do pai que era a cegonha que trazia os bebês. Apesar de tudo, é certo que as coisas não se dão assim, e a respeito disso ela jamais se deixou enganar. Então, tanto o pai como a mãe mentem, e todos os outros também mentem. Com isto já está, pois, esclarecida a razão de sua desconfiança por ocasião do parto e também de suas acusações contra a mãe. Há mais uma coisa que também fica esclarecida: as divagações tristonhas que tentamos reduzir a uma introversão parcial. Compreendemos agora de que objeto real devia ter sido retirado o amor, que, pela perda de objetivo, se tornava introvertido. Era dos *pais* que a queriam *enganar* e não lhe queriam dizer a verdade. (O que será que deve ser, se não se pode dizê-lo? Que é, enfim, o que acontece? É este o sentido das indagações aparentemente casuais que a menina fará dentro em breve. E a resposta que se lhe apresenta tem de ser esta: Por tudo isso somente pode tratar-se de algo que precisa ser conservado oculto, e talvez seja mesmo alguma coisa perigosa.) Tinham falhado também as tentativas para forçar a mãe a falar e desco-

brir a verdade por meio de perguntas (capciosas). Por isso ela apresenta resistência contra a outra resistência que encontra, e deste modo principia a introversão do amor. É de esperar-se, certamente, que a *capacidade de sublimação* ainda esteja muito pouco desenvolvida em uma criança de quatro anos; por isso, o efeito não podia ir muito além de uns poucos sintomas. Seu mundo afetivo (*Gemüt*) tem, pois, de recorrer a outra forma de compensação, isto é, a uma das formas infantis já conhecidas para forçar o amor, das quais a preferida consiste em gritos noturnos e em chamados pela mãe. Isto já havia sido empregado e explorado ardorosamente no primeiro ano de vida. E reaparece agora, apenas mais motivado e guarnecido de impressões recentes, acompanhando o nível da idade.

19 Ocorrera há pouco o *terremoto de Messina,* e à mesa comentou-se sobre os acontecimentos. Aninha se interessou por tudo isso de modo extraordinário, e pedia principalmente à avó que contasse sempre de novo como o chão havia tremido, e as casas ruído, e quantas pessoas haviam perecido. Isto marcava também o aparecimento do *medo* em todas as noites. Ela já não podia ficar sozinha, a mãe tinha de vir ficar com ela, porque senão viria o terremoto, a casa desabaria e a mataria. Mesmo no decorrer do dia, vivia ela a ocupar-se com tais ideias; quando saía a passeio com a mãe não parava de molestá-la com as mesmas perguntas: "Será que a casa ainda estará de pé quando voltarmos?" "Será que papai ainda estará vivo?" "Lá em casa, com certeza não há terremoto?" Ou ao passar por qualquer bloco de pedra no caminho: "Ela também é do terremoto?" Uma casa em obras era para ela a reconstrução de uma casa destruída pelo terremoto. E assim outras coisas mais. Ultimamente acordava gritando durante a noite que o terremoto estava chegando, e que ela já estava escutando o barulho. Ao deitar-se, era preciso que alguém lhe garantisse solenemente que com toda a certeza não viria terremoto nenhum. Foram tentados diversos recursos para tranquilizá-la. Entre outros, foi-lhe explicado que os terremotos somente se dão onde existem vulcões. Mas então era preciso provar-lhe também sempre de novo que as montanhas nas vizinhanças da cidade seguramente não eram vulcões. Aos poucos, esse modo de raciocinar foi arrastando a criança para um enorme desejo de saber, que era fora do normal para a idade dela. Para satisfazer esse desejo, tinham os outros de ir buscar para ela to-

das as gravuras de geologia e os atlas da biblioteca do pai. E ela se punha a procurar, horas a fio, por representações de vulcões e de terremotos, e não parava de perguntar sobre essas coisas.

20 Encontramo-nos aqui diante de uma tentativa muita intensa de sublimação, na qual o medo se transforma em "desejo ardente da ciência", o que nesta fase da vida é certamente muito precoce. Mas quanta criança bem-dotada, ao apresentar exatamente o mesmo problema, não é até estimulada artificialmente nessa sublimação precoce, certamente não para seu proveito! Ao favorecer-se a sublimação nessa idade, o que se faz é apenas promover algo de neurose. A raiz desse desejo ardente da ciência se encontra no *medo,* e o medo é a expressão de uma *libido introvertida,* isto é, de uma *introversão que a partir de agora se tornou neurótica.* Nesta idade isso ainda não é necessário nem favorável ao desenvolvimento da criança. Para onde, enfim, tendia todo esse desejo ardente da ciência, pode-se deduzir de uma série de perguntas que eram feitas quase todos os dias. "Porque S. (uma irmãzinha menor) é mais nova do que eu? Onde é que o pequeno Fritz (o irmãozinho) tinha estado antes? Se estava no céu, então o que é que ele fazia lá? Por que é que ele desceu só agora e não há mais tempo?"

21 Ao perceber esta situação, o pai teve a ideia de pedir que a mãe contasse à menina *a verdade sobre a origem do irmãozinho,* na primeira ocasião que se apresentasse.

22 Ocorreu isso pouco depois, quando Aninha voltou a indagar a respeito da cegonha. Disse-lhe então a mãe que toda essa história da cegonha nem era verdade, mas que o pequeno Fritz tinha crescido dentro do corpo da mãe, assim como as flores também brotam da terra. Primeiro ele era bem pequenino, e depois começou a crescer cada vez mais, do mesmo modo que as plantas crescem. A criança ia escutando atentamente, mas sem demonstrar a menor admiração, e acabou perguntando: "Bem, mas ele saiu assim só por si mesmo?"

Mãe: "Sim".

Aninha: "Mas ele ainda nem sabe andar".

A irmãzinha menor: "Ora, então ele saiu engatinhando".

Aninha (sem dar atenção à resposta da irmã): "Bem, será que ali (mostrando o peito da mãe) existe algum *buraco? Ou será que ele saiu pela boca?* E quem é então que saiu da ama-seca?"

23 De repente Aninha interrompeu-se a si mesma e intercalou: "Não, eu já sei, a cegonha foi buscar o irmãozinho no céu!" Então, antes mesmo que a mãe pudesse responder às perguntas, desistiu do assunto e queria ver de novo as gravuras de vulcões. Decorreu tranquila a noite imediata a essa conversa. O esclarecimento repentino, certamente, desencadeou na criança uma sequência forçada de ideias, manifestada já na grande pressa em fazer as perguntas. Descortinavam-se-lhe perspectivas novas e inesperadas. Com rapidez chegava bem perto do problema principal; daí a pergunta: *"Por onde sai o bebê? Por um buraco no peito ou pela boca?"* Ambas as suposições tendem a fixar-se em teorias estáveis. Existem até mulheres recém-casadas que acreditam na teoria do buraco ou da operação cesariana, o que se julga exprimir uma inocência extraordinariamente grande. Na verdade, porém, nesses casos sempre se trata de alguma atividade sexual na infância, em virtude da qual as vias naturais posteriormente adquiriram má fama; jamais e de modo algum se pretenda ver inocência nisso.

23a Fica-se realmente perplexo, sem poder-se imaginar donde essa criança tenha tirado a ideia absurda de que possa existir um buraco no peito ou de que o nascimento se dê pela boca. E por que não simplesmente por uma das aberturas naturais existentes na parte inferior do ventre, das quais saem coisas todos os dias? A explicação é simples: ainda não se acha muito distante a época em que a nossa pequena desafiava as artes educativas maternas, ao mostrar interesse cada vez mais acentuado pelos dois orifícios de saída, na parte inferior do ventre, bem como pelos respectivos produtos merecedores de atenção, nem sempre correspondendo às exigências do asseio ou da boa educação. Naquela época foi que ela, pela primeira vez, travou conhecimento com as "leis de exceção" referentes a essa região do corpo; e, como criança sensível que era, percebeu imediatamente que ali existia alguma coisa que era "tabu". Portanto, essa região ficava agora excluída de qualquer consideração possível. Esta pequena falha no modo de pensar, com certeza, pode ser relevada em uma criança de quatro anos, tanto mais quando se pensa no grande número de pessoas que, apesar de usarem lentes muito fortes, jamais conseguem enxergar algo de sexualidade em parte nenhuma. Nossa pequena, no entanto, reage com maior docilidade do que a irmãzinha menor, a qual, sem dúvida, realizou algo de muito mais notável no que se refere ao interesse pelos excrementos e pela urina, mas demonstrou também maneiras semelhantes ao comer. Ela qualificava suas extravagâncias como "divertidas"; mas a mãe dizia: "Não, isso não é divertido", e lhe proibia tais brincadeiras. A criança parecia aceitar esses caprichos educacionais, mas em breve despontou sua vingança. Quando, certa vez, foi servido um prato novo na refeição, recusou-se terminantemente a comer como os outros, acrescentando: "Isto não é divertido". Desde então começou a recusar qualquer variedade na comida como "não divertida".

24 A psicologia desse negativismo é típica e fácil de se compreender. A lógica do sentimento é muito simples: "Se vocês acham que minhas artes não são divertidas e me obrigam a deixá-las, então eu também acho que não são divertidas as artes que vocês me apresentam como boas, e não vou aceitá-las". Como todas as compensações infantis desta espécie (tão frequentes), também esta segue o importante princípio infantil: "Bem-feito para vocês agora, se também eu tenho de sofrer!"

25 Após esta divagação, retornemos ao nosso caso. Aninha simplesmente se mostrou dócil e se acomodou de tal modo às exigências culturais que, somente em último lugar, é que pensou na coisa mais simples (pelo menos foi o que disse). As teorias erradas, postas em lugar das verdadeiras, costumam perdurar por anos a fio, até que, a partir de fora, surja bruscamente um esclarecimento. Não é, pois, de admirar que tais teorias, que pais e educadores ajudaram a formar e a desenvolver, venham mais tarde a constituir-se em poderosos determinantes de sintomas na neurose, ou mesmo de delírios na psicose[6]. O que há muitos anos já existiu na alma, continua de qualquer modo a existir nela, ainda que oculto sob compensações que pareçam ser de natureza completamente diferente.

26 Ainda antes de estar terminada a questão "Por onde é que o bebê sai?", já se impõe à força um novo problema: Então da mãe saem filhos, mas o que acontece no caso da ama-seca? Será que dela também saiu alguém? Logo em seguida muda de rumo: "Não, não, a cegonha é que foi buscar o irmãozinho no céu". Mas o que há de tão especial

---

6. Como pude demonstrar em minha *Psicologia da demência precoce* [Cf. Psicogênese das doenças mentais (OC, 3)].

assim no caso de ninguém ter saído da ama-seca? Devemos recordar-nos que Aninha se identificava com a freira e ama-seca, e que planeja tornar-se mais tarde também ama-seca; pois – ela também gostaria de ter um bebê, e do mesmo modo que a ama-seca, ela também poderia tê-lo. Mas agora, quando se sabe que o irmãozinho cresceu dentro do corpo da mãe, como é que fica tudo isso?

27 Esta questão inquietante é afastada rapidamente pelo retorno à teoria da cegonha-anjo, na qual ela propriamente jamais acreditou e que após umas tentativas é abandonada definitivamente. Mas persistem ainda duas questões. Uma é: "Por onde sai o bebê?" A outra é bem mais difícil: "Como é que a mãe tem filhos, mas nem a ama-seca nem as empregadas da casa os têm?" Por certo tempo todas essas questões deixam de ser notadas.

28 No dia seguinte, durante o almoço, Aninha saiu-se, aparentemente sem nenhum conexo, com esta declaração: "Meu irmão está na Itália, e ele tem uma casa feita de pano e de vidro; *essa casa não pode cair*".

29 Como sempre, também desta vez não era possível procurar alguma explicação, pois as resistências ainda eram muito grandes, de modo que Aninha não se deixa fixar por ninguém. Esta única declaração, que parece quase oficiosa, é de grande significado. Há cerca de um trimestre, as duas meninas da casa vinham se entretendo com a fantasia estereotipada de um "irmão crescido", que sabe tudo, pode tudo, tem tudo; que já esteve em todos os lugares onde as crianças ainda não estiveram, e que ainda está lá; que pode fazer tudo o que a elas ainda não é permitido. Cada uma delas tem um tal irmão crescido, que possui vacas grandes, ovelhas, cavalos, cachorros e outras coisas mais[7]. Nem é preciso buscar muito longe a fonte da qual provém esta fantasia. O modelo para tudo isso é o pai, que parece ser como que um irmão da mãe. Também elas devem então ter um "irmão" poderoso assim. Este irmão é até muito corajoso e se acha agora na perigosa Itália, e mora numa casa que não pode desmoronar, e que por isso não cai. Deste modo é como que realizado um desejo muito importante para Aninha: o *terremoto deixou de ser perigoso*. Por isso, tanto o medo como a fo-

---

7. Uma definição primitiva da divindade.

bia deverão desaparecer; *e de fato desapareceram.* A partir daí desaparece todo o medo de terremoto. À noite, em vez de chamar o pai para junto da caminha a fim de espantar o medo, começa a criança a mostrar agora muito maior carinho para com ele, e pede-lhe que a beije. Com o intuito de certificar-se da mudança havida, volta o pai a mostrar à pequena outras gravuras de vulcões e terremotos. Aninha, porém, conserva-se calma e olha com indiferença para as estampas: "Isto são mortos! Já vi isso muitas vezes". Até a fotografia de uma erupção vulcânica não tinha para ela nada mais de atraente. Assim, todo aquele interesse científico desmoronou e desapareceu tão repentinamente como havia surgido. Nos dias que se seguiram ao esclarecimento, tinha Aninha também coisas muito mais importantes para fazer. Ela começava a estender esses conhecimentos recentes a todo o seu ambiente. Foi assim: primeiro, procurou verificar mais uma vez e de modo completo que o pequeno Fritz cresceu dentro da mãe; depois, que ela e a irmãzinha menor também; e o pai, dentro da mãe dele, a mãe dentro da mãe dela, e também as empregadas dentro da mãe de cada uma delas. Perguntando sempre de novo, procurava ver se essa verdade continuava sempre sendo verdade. É que era muito grande a desconfiança que havia despertado na criança; muitas confirmações eram necessárias para dissipar todas as dúvidas. Entrementes aconteceu várias vezes que as duas voltaram com a teoria da cegonha e do anjo; mas agora de maneira pouco digna de crédito, pois se punham como que a cantarolá-la também para as bonecas.

30 Em tudo, aliás, o novo conhecimento se mostrou deveras eficaz, pois a fobia não tornou a aparecer.

31 Apenas uma vez houve ameaça de ser destruída esta certeza. Passados cerca de oito dias, desde que fora dado o esclarecimento, o pai teve de ficar de cama na parte da manhã devido a uma gripe. As crianças, porém, não estavam informadas a respeito disso. Aninha, ao entrar no quarto de dormir dos pais, deu com o pai deitado na cama, coisa a que não estava acostumada. Assumiu uma expressão de espanto muito singular; ficou parada a grande distância da cama e não queria aproximar-se, provavelmente por estar outra vez intimidada e desconfiada. De repente fez esta pergunta, como que explodindo: "Por que estás de cama? Será que também tens uma planta na barriga?"

32 Naturalmente, o pai riu-se, e a acalmou explicando que dentro do pai não podem crescer bebês, que os homens nem sequer podem ter bebês e que isso é só para as mulheres. Com isso a criança readquiriu a confiança que aparentemente perdera. Mas, enquanto parecia calma em seu exterior, os problemas continuavam a agir às ocultas. Alguns dias depois, de novo durante o almoço, contou Aninha: "Esta noite sonhei com a arca de Noé". O pai perguntou-lhe sobre o que havia sonhado a respeito disso, mas ela se esquivou respondendo com puras bobagens. Em tais casos é preciso simplesmente esperar e ficar atento. Como era de esperar-se, após uns minutos, disse ela, dirigindo-se à avó: "Esta noite sonhei com a arca de Noé, e que lá dentro havia muitos bichinhos". Seguiu-se nova pausa. Então, pela terceira vez, recomeçou: *"Esta noite sonhei com a arca de Noé, e que lá dentro havia muitos bichinhos, e que a tampa se abriu, e que os bichinhos caíram todos para fora"*. Quem tem experiência nesses assuntos entende logo a fantasia. Na verdade, essas crianças tinham mesmo uma arca de brinquedo; apenas a abertura e a tampa ficavam no telhado, e não na parte de baixo. De modo delicado se faz no sonho referência ao problema: A história do nascimento pela boca ou pelo peito não está certa, já deixando entrever a ocorrência verdadeira – é por baixo que sai.

33 Passaram-se então várias semanas sem que acontecesse qualquer coisa digna de menção especial. Ocorreu então outro sonho: *"Sonhei com papai e mamãe, e que eles ficaram muito tempo ainda na sala de trabalho do pai, e que nós, crianças, também estávamos lá"*.

34 Num exame superficial apenas se verá nisso o desejo comum de todas as crianças, que é o de ficarem acordadas tanto tempo quanto os pais. Mas, no caso presente, este desejo é realizado, ou melhor, é empregado para mascarar outro desejo muito mais importante: *O de estar presente à noite, quando os pais se encontram a sós*. Naturalmente, tudo se dá de um modo muito inocente. É na *sala de trabalho* do pai, onde a pequena já olhou todos aqueles livros interessantes, e onde saciou aquele grande desejo de saber, cujo sentido profundo era propriamente descobrir a resposta para a pergunta inquietante: Donde veio o irmãozinho? Se as crianças tivessem estado lá, de certo saberiam isso.

35 Poucos dias depois Aninha acordou assustada com um pesadelo e se pôs a gritar: "O terremoto está chegando, a casa já começa a tre-

mer". A mãe vai à caminha dela e procura acalmá-la e confortá-la, explicando que não há nenhum terremoto, que tudo está quieto e que todas as pessoas estão dormindo. Mas Aninha continua, agora em tom insistente: "Sabe, eu queria agora ver a primavera, como brotam todas as florzinhas, e como a campina fica toda coberta de flores – eu queria agora ver também o pequeno Fritz, pois ele tem uma carinha tão querida – que está fazendo papai? – que é que ele está dizendo?" (A mãe diz: "Ele está dormindo, e não está dizendo nada"). E a pequena acrescenta, agora com sorriso irônico: "De certo, ele amanhã vai estar doente outra vez!"

36 Este texto precisa ser lido de trás para a frente. A última frase não deve ser levada muito a sério, pois foi dita em tom de zombaria; na última vez que o pai tinha estado doente, Aninha suspeitou que ele talvez tivesse "uma plantinha na barriga". O sentido da zombaria poderia bem ser esse: Será que amanhã papai vai ter um bebê? Isto, porém, não é dito com seriedade, pois o pai não pode ter bebê, mas apenas a mãe. Logo: É a mãe que amanhã talvez possa ter de novo um bebê; mas donde? – "Que está fazendo o papai?" Aflora aqui, de modo inegável, uma formulação do problema intrincado: Enfim, que é que faz o pai, se ele não dá à luz nenhum bebê? A menina gostaria tanto mesmo que lhe esclarecessem todos os seus problemas. Ela queria saber como o pequeno Fritz veio ao mundo, queria ver como as florzinhas brotam da terra na primavera. São esses os desejos que se ocultam por trás do medo de terremotos.

37 Após o incidente, Aninha dormiu tranquila o resto da noite até a manhã seguinte. De manhã a mãe lhe perguntou: "Que é que tiveste ontem à noite?" A menina tinha esquecido tudo e achava que apenas tinha sonhado: *"Eu sonhei que eu podia fazer o verão, e então alguém jogou um boneco 'Gasparzinho' (Kasperli)* no W.C."*

---

* Cabe aqui uma pequena explicação. A vida de Aninha decorre na Suíça alemã, em que reina um ambiente cultural muito semelhante ao da própria Alemanha: *Kasperli* é a forma suíça do *Kasperle* alemão, que é a figura principal de um "teatrinho de bonecos" muito conhecido e apreciado pelas crianças, o qual não pode faltar nas "festas populares" (quermesses). As diversas figuras de madeira são manejadas por atores que se acham ocultos na parte inferior do palco ou por trás de uma cortina grossa; estes atores imitam também a conversa dos bonecos articulados. O "Gasparzinho" (*Kasperli*) é sempre o herói que nunca pode faltar; dele provém a denominação alemã para o tal teatrinho de bonecos *Kasperletheater* [N.T.].

38 Este estranho sonho tem dois cenários diferentes, separados pela partícula "então". A segunda parte toma o material a partir de um desejo recente, que é o de ter ela um "Gasparzinho" ou um boneco masculino, como a mãe tem um menininho. Alguém atira o "Gasparzinho" no W.C. Em geral são outras coisas o que se deixa cair no W.C. Como a "coisa" cai no W.C., assim é que também deve sair o bebê. Encontramos aqui um paralelo para a teoria do "troço" (*Lumpf*) formulada por "Joãozinho". Quando num mesmo sonho ocorrem cenas diversas, cada uma delas costuma ser uma variante especial da elaboração do mesmo complexo. Também aqui a primeira parte é apenas uma variante do mesmo tema da segunda parte. O que significa "ver a primavera" ou "ver as florzinhas brotarem", já vimos mais acima. Agora sonha Aninha que ela pode fazer o verão, o que significa que ela pode fazer as florinhas brotarem, que ela também pode fazer um bebê. A segunda parte do sonho indica até como isso acontece: É bem assim como se faz para evacuar. Nisto descobrimos o desejo egoísta que se oculta por trás de todos aqueles interesses aparentemente objetivos manifestados no diálogo da noite anterior.

39 Alguns dias mais tarde, recebeu a mãe a visita de uma Senhora, que aguardava o parto para breve. Aparentemente, as duas meninas não deram a mínima atenção a nada. Mas no dia seguinte inventaram um tipo curioso de brincadeira, e tudo sob a orientação de Aninha. Apanharam uns jornais velhos no escritório do pai e os enfiaram por baixo dos vestidos, de modo que era inegável o intuito de imitação. Na noite seguinte teve a menina outro sonho: *"Eu sonhei com uma mulher da cidade, e que ela tinha a barriga muito grande"*. O ator principal no sonho é sempre a própria pessoa que sonha, disfarçado sob uma aparência determinada qualquer. É manifesta a ligação com a brincadeira infantil do dia anterior.

40 Alguns dias mais tarde, Aninha causou enorme surpresa à mãe com a seguinte encenação. Tinha ela enfiado uma boneca embaixo do vestido e começou a puxá-la vagarosamente, de cabeça para baixo, enquanto dizia: "Olha, o bebê está saindo agora, e já acabou de sair todinho". Com isto pretendia Aninha perguntar à mãe: Estás vendo, é assim que eu imagino o parto; e que dizes a respeito disso? Está tudo certo? – Esta brincadeira somente pode ser tomada como pergunta, pois, como veremos mais tarde, a menina ainda necessitava de que lhe dessem uma confirmação oficial a respeito de seu modo de ver.

41 Acontecimentos ocasionais das semanas seguintes acabaram mesmo mostrando que a ruminação dos problemas nem por isso já estava terminada. De fato, após alguns dias, repetiu ela a mesma brincadeira com seu ursinho, o qual assumia para ela a função de uma boneca especialmente querida. Noutra ocasião disse à avó: "Estás vendo, a rosa vai ter um bebê". A avó não atinava direito com o sentido, mas Aninha apontou para o cálice um pouco intumescido: "Estás vendo, aqui já está bem grosso".

42 Quando certo dia Aninha brigou com a irmãzinha, esta lhe gritou com raiva: "Eu te mato". Retrucou Aninha: "Se eu morrer, ficarás sozinha de todo; e então deverás pedir a Deus um bebê vivo". Neste ponto a cena tomou outro rumo. Aninha era agora o anjo, e a irmãzinha devia então ajoelhar-se diante dela e pedir-lhe que lhe desse um bebê vivo. Deste modo Aninha se via como a mãe capaz de dar à luz os filhos.

43 Aconteceu que certo dia apareceram laranjas à mesa como sobremesa. Impaciente, Aninha começou a reclamar uma delas e disse: "Vou pegar uma e engoli-la inteirinha até que chegue à barriga, e depois vou ter um bebê".

44 A propósito disso, quem não se recordará de fábulas em que mulheres sem filhos passam a engravidar após terem comido frutas, peixes ou outras coisas?[8] Deste modo procurava Aninha resolver o problema a respeito de como os bebês propriamente entram no corpo da mãe. E com isso adotou ela uma maneira nova de interrogar, que até agora não fora formulada com tanta precisão. A solução é apresentada na forma de uma *alegoria,* tal como é o específico do pensamento arcaico infantil. (O modo de pensar na forma de alegorias ainda perdura no adulto, na camada imediatamente abaixo da consciência. Os sonhos fazem com que estas alegorias cheguem ao limiar da consciência, do mesmo modo que a *dementia praecox*.) É muito significativo o fato de se encontrarem com grande frequência tais alegorias infantis nas fábulas, tanto nas de origem alemã como nas encontradas em muitos países estrangeiros. As fábulas, ao que parece, são muito infantis e encerram por isso, além de outros significados, também a mitologia desenvolvi-

---

8. Cf. RIKLIN, F. *Wunscherfüllung und Symbolik im Märchen*. Viena: H. Heller, 1908.

da pela criança a respeito dos processos sexuais. Esse encanto que a poesia das fábulas exerce também sobre os adultos, de certo, terá por fundamento o fato de algumas das antigas teorias ainda continuarem vivas em nosso inconsciente. É justamente nesses momentos que se experimenta um sentimento todo próprio e familiar, quando uma parte muito longínqua de nossa juventude entra de novo em vibração, sem atingir o estado consciente, mas apenas como que enviando para a consciência um reflexo de sua intensividade emotiva.

45 O problema sobre como o bebê entra no corpo da mãe é de solução difícil. Tudo o que entra no corpo somente costuma entrar pela boca; daí a suposição de que a mãe deva ter comido algo como uma fruta, que então tenha crescido dentro do corpo. Há, porém, outra dificuldade, que é maior ainda. Já se sabe bem o que a mãe produz, resta saber ainda para que serve o pai. Trata-se de uma velha regra da economia mental. Sempre se procura tornar interdependentes duas coisas desconhecidas ou incógnitas, de modo que a solução para uma delas apresente igualmente a solução para a outra.

46 Muito depressa se firmou na menina a convicção de que o pai também participa de tudo isso, seja como for. A razão principal disso é que, em todo esse problema do surgimento do bebê, ainda continua sem nenhuma solução a questão a respeito de como o bebê entra no corpo da mãe.

47 Que faz o pai? É esta a questão que agora absorve Aninha completamente. Certa manhã entra a menina correndo no quarto de dormir dos pais, enquanto estes ainda estavam se arrumando. Saltou logo na cama do pai, deitou-se de bruços e se pôs a bater com as perninhas, enquanto exclamava: "Não é assim que o papai faz?" Os pais se riram, mas não sabiam que resposta poderiam dar no momento; foi só muito mais tarde que atinaram com o significado possível dessa encenação. É deveras surpreendente a analogia que existe entre este ocorrido e o apresentado por "Joãozinho", no qual o cavalinho esperneava "fazendo barulho" com as patas.

48 Feita esta última proeza, parecia estar completamente acalmado o problema, pelo menos os pais não tiveram ocasião de observar mais nada a respeito dele. Que o problema tenha estacionado exatamente aí, nem é de admirar, pois aí está realmente o ponto mais difícil. Além

disso, consta da experiência geral não serem muitas as crianças que, ainda na idade infantil, consigam ir além desse limite. O problema é quase que difícil demais para a inteligência infantil por lhe faltarem ainda muitos conhecimentos indispensáveis, sem os quais o problema não pode ser resolvido. Nada conhece ainda a criança sobre o esperma, e nada sobre o coito. Assim, uma das saídas possíveis é: A mãe come alguma coisa, pois somente assim algo pode entrar no corpo. Mas o que tem o pai a ver com tudo isso? Não podiam carecer de sentido as comparações frequentes que a menina fazia tanto com respeito à ama-seca como às outras pessoas solteiras. Aninha tinha, pois, de concluir que a existência do pai era de importância. Mas que é que ele faz? Tanto Joãozinho como Aninha imaginam que deva ser alguma coisa com as pernas.

49 Este período de sossego durou cerca de cinco meses, e nele não ocorreram quaisquer sintomas de fobia nem outros indícios de que algum complexo se achasse em desenvolvimento. Pelo final do período começaram a surgir prenúncios de que algo estava para acontecer. Naquele tempo, a família de Aninha morava em uma casa de campo perto de uma lagoa, em que as crianças podiam brincar, quando acompanhadas da mãe. Como Aninha mostrava medo de entrar na água além da altura dos joelhos, o pai resolveu certo dia colocá-la sentada dentro da água; mas isso resultou numa gritaria da parte dela. À noite, ao ir para a cama, perguntou Aninha à mãe: "Não é, o papai queria afogar-me?"

50 Alguns dias depois, ocorre nova gritaria. Aninha tinha ficado tanto tempo parada diante do jardineiro, que ele, por brincadeira, a agarrou e colocou dentro de um buraco que acabava de cavar. Aninha pôs-se a gritar e a chorar clamorosamente, afirmando que o homem queria enterrá-la de verdade.

51 E, ainda por cima disso, voltou a acordar espavorida durante a noite, gritando de medo. A mãe foi, então, ao quarto dela, que ficava logo ao lado, e procurou acalmá-la. Aninha tinha sonhado: *Um trem estava passando lá em cima e caiu.*

52 Nesse particular, temos também o caso da carroça (ou diligência) de "Joãozinho". Estes acontecimentos vêm demonstrar sobejamente que de novo pairam sobre a criança as ameaças do medo. Surgia,

pois, outra vez algum obstáculo no processo da canalização do amor para os pais, e, consequentemente, grande parte desse amor era convertida em medo. A desconfiança agora já não se voltava contra a mãe, mas contra o pai, já que ele devia saber as coisas, mas nunca se havia manifestado sobre isso. Os pensamentos da criança se ocupavam agora em descobrir o que o pai podia estar tramando em segredo ou fazendo. O mistério se apresenta à criança como algo de muito perigoso, de modo que ela devia estar precavida até mesmo para o pior da parte do pai. (Essa mesma atitude infantil de medo com relação ao pai reaparece, mesmo em idade adulta, sobretudo em pacientes de *dementia praecox*, e até de maneira extremamente clara; de modo geral, esta forma de demência, como se agisse de acordo com os princípios psicanalíticos, põe a descoberto muitos processos inconscientes.) Por isso é que Aninha chegou a essa suposição desconcertante de que o pai pretendia afogá-la.

53 Entrementes Aninha ia crescendo um pouco mais, e seu interesse pelo pai assumiu uma tonalidade especial, difícil de descrever. A linguagem não dispõe de palavras para descrever toda essa variante de carinho e curiosidade que reluzia no olhar da criança.

54 Não será certamente por mero acaso que as crianças apareceram com uma brincadeira engraçada. Elas declararam que as duas bonecas maiores eram suas *avós*, e começaram a brincar de "hospital", aproveitando para isso o caramanchão do jardim. Para lá foram transportadas as avós e aí internadas; mas de noite foram deixadas lá, esquecidas e abandonadas. A "avó" faz lembrar agora, apenas de modo desesperado, o "irmão crescido" de antigamente. Parece muito provável que a "avó" esteja apenas substituindo a mãe. É, pois, o modo pelo qual a criança começa a afastar a mãe[9]. Esta intenção lhe foi agora facilitada por ter a mãe dado a ela outra oportunidade de menosprezo.

---

9. A tendência de afastar a mãe mostrou-se ainda em outra ocasião. Numa das brincadeiras, foram as crianças morar ao caramanchão com as bonecas. Lugar importante da casa é naturalmente o banheiro, que de modo algum podia faltar. Escolheram para isso um dos cantos do caramanchão, e começaram a satisfazer ali suas necessidades. A mãe não teve outro recurso a não ser o de pôr fim a essas ilusões, e lhes proibiu qualquer brincadeira desse tipo. Poucos dias depois teve de escutar essa declaração: "Quando mamãe tiver morrido, então brincamos todos os dias no caramanchão, e todos os dias botamos também a roupa de domingo".

55 Ocorreu assim: O jardineiro tinha preparado grande parte do terreno para semear grama. Aninha o ajudou muito prazerosamente nesse trabalho, aparentemente sem nada pressentir do significado profundo desta "brincadeira infantil". Depois de uns quinze dias, punha-se frequentemente a contemplar com alegria a grama que ia brotando. Um belo dia foi para junto da mãe e perguntou: "Dize-me uma coisa, como é que os olhos cresceram na cabeça?"

56 A mãe achou melhor dizer que não sabia. Mas Aninha insistia em indagar. Será que Deus então sabia isso, e o pai também; e por que Deus e o pai sempre sabiam tudo? A mãe lhe disse que ela fosse então procurar o pai e lhe perguntasse como é que os olhos cresciam na cabeça. Passados mais uns dias, a família inteira esteve reunida à hora do chá, e, acabada a refeição, foi cada um saindo para seu lado. Mas o pai se demorou ainda um pouco sentado, a ler o jornal; e Aninha também permaneceu sentada. De repente, dirigindo-se ao pai, perguntou: "Dize uma coisa, como é que os olhos nasceram para dentro da cabeça?"

Pai: "Eles não nasceram entrando na cabeça, mas desde o começo já estavam aí; eles cresceram juntamente com a cabeça".

Aninha: "Então os olhos não foram colocados (plantados)?"

Pai: "Não, eles somente cresceram e fazem parte da cabeça como o nariz também".

Aninha: "E a boca e as orelhas também cresceram assim? E os cabelos também?"

Pai: "Sim, tudo isso cresceu desta maneira".

Aninha: "Mas os cabelos também? Como é que os ratinhos vêm a esse mundo bem peladinhos? Onde é que os pelos estavam antes? Será que a gente tem de botar sementinhas para isso?"

Pai: "Não, bem sabes; é verdade que os pelos nascem de grãozinhos tão pequenos como as sementes, mas eles já estavam antes na pele, e ninguém os semeou".

57 Neste ponto, o pai começou a perceber que estava sendo encostado contra a parede. Suspeitou logo até onde a pequena pretendia chegar. Contudo, achava que não deveria destruir a teoria da semente, encaminhada tão diplomaticamente pela menina, apenas porque

ela a aplicava agora de modo um tanto errado. Se a filhinha a havia descoberto com tanta sorte, ao observar a própria natureza, e se agora falava com uma seriedade tão fora do comum, como poderia ele negar-lhe a devida consideração, que ela como que exigia dele?

58 Aninha (visivelmente decepcionada e colocando tristeza na voz): "Mas, como é que o pequeno Fritz entrou na mamãe? Quem é que fez com que ele ficasse colado lá dentro? E por onde foi que ele saiu?"

59 No meio de toda essa tempestade de perguntas, desencadeada repentinamente, escolheu o pai a última delas para responder por primeiro. Disse-lhe então: "Pensa um pouco, estás vendo de certo que o Fritz é garoto; os garotos se tornam homens e as meninas se tornam mulheres; só as mulheres podem ter filhos, os homens não. Agora, pensa mais um pouco; por onde é que o Fritz deve ter nascido?"

60 Aninha (sorri toda contente e excitada, apontando para seus órgãos sexuais): "Então, foi por aí que ele saiu?"

Pai: "De certo que sim; e, sem dúvida, já tinhas pensado nisso?"

Aninha (apressada, sem dar atenção a essa pergunta): "Mas então como é que o Fritz entrou na mamãe? Alguém o colocou (plantou) lá? Foi colocada lá uma sementinha?"

A essa pergunta extremamente precisa o pai não podia esquivar-se mais. Começou então a explicar à menina, enquanto ela o escutava com a máxima atenção, que a mãe é assim como a terra e o pai como o jardineiro, que o pai dá a sementinha e que é na mãe que ela cresce e se torna um bebezinho. Esta resposta foi extraordinariamente satisfatória para ela. Saiu correndo para junto da mãe e lhe disse gritando: "Papai me contou tudo, agora eu já sei tudo". Mas o que era tudo isso que ela agora sabia, ela não o contou a ninguém.

61 No dia seguinte a menina resolveu aproveitar-se deste novo conhecimento. Procurou a mãe e lhe disse: "Olha só, mamãe; papai me contou como o pequeno Fritz era um anjinho, e que a cegonha foi lá no céu e o trouxe de lá". A mãe, naturalmente muito admirada, respondeu: "Não foi isso que teu pai te disse, tenho toda a certeza". Então a menina desatou a rir e afastou-se correndo.

62 Era, de certo, a vingança da menina. Se a mãe fingia ignorar, ou não sabia mesmo, como é que os olhos crescem na cabeça, então talvez ela nem sequer soubesse como o pequeno Fritz entrara no corpo

dela. Por isso, se podia lográ-la tranquilamente com a velha história da cegonha. Possivelmente ela até acreditava nisso.

63 Agora a criança estava sossegada, porque seus conhecimentos haviam aumentado, e um problema difícil estava resolvido. A maior vantagem para ela consistia em ter atingido um relacionamento mais íntimo com o pai, sem ter sido prejudicada de modo algum em sua independência intelectual. O pai, sem dúvida, continuava um tanto preocupado, pois não lhe parecia bem correto ter entregue a uma criança de quatro anos um segredo, que outros pais ocultavam cuidadosamente. É compreensível que o perturbasse o pensamento sobre o que Aninha iria fazer com esse conhecimento. Mostrar-se-ia ela indiscreta procurando explorar o que sabia? Poderia ela facilmente querer ensinar isso às companheirinhas de brinquedos, ou até mesmo bancar *l'enfant terrible* em relação aos adultos. Mas todos esses temores perderam em breve toda a razão de ser. Jamais e em ocasião alguma ousou Aninha dizer qualquer coisa a respeito disso. O esclarecimento dado conseguiu sossegá-la inteiramente acerca do problema, de modo que ela não voltou a fazer novas perguntas. O inconsciente, todavia, não desistiu do interesse pelo enigma da criação do ser humano. Semanas após tudo isso, Aninha contou um novo sonho. Sonhou que *estava no pomar e que vários jardineiros estavam urinando junto às árvores, e que o pai estava entre eles.*

64 Percebe-se aí o antigo problema ainda sem solução: "Como é que o pai faz isso?"

65 Nessa época havia sido chamado um marceneiro para consertar uma gaveta emperrada. Aninha ficou por perto e pôs-se a observar como ele aplainava a madeira. Durante a noite teve outro sonho: "*O marceneiro estava aplainando os órgãos sexuais dela*".

66 Este sonho pode ser interpretado sem dificuldade no sentido de que Aninha fazia a si mesma a pergunta: Será que dará certo comigo? Ou será que é preciso fazer algo parecido como o que fez o marceneiro, a fim de que dê certo? Esta suposição sugere que o problema continua a sofrer, no momento, nova elaboração no inconsciente, uma vez que alguma coisa nele não está bem clara ainda. Que esta suposição era correta, foi confirmado na primeira oportunidade, que se deu, aliás, somente alguns meses mais tarde, quando Aninha estava quase

para completar cinco anos. Nesse meio-tempo, também a irmãzinha mais nova, Sofia, entrava na idade dessas perguntas. Ela estivera presente naquela ocasião em que Aninha tinha recebido alguns esclarecimentos por causa da fobia dos terremotos. Havia até mesmo feito uma observação muito ajuizada, aparentemente. Na verdade, porém, ela nada havia entendido então do que tinham explicado. Isto se tornou claro pouco tempo depois. Seu comportamento era oscilante: ora se mostrava muito carinhosa com a mãe, de modo a viver agarrada a ela, ora se tornava muito malcriada e irritada. Num desses maus dias quis até virar o berço do irmãozinho. A mãe a repreendeu por isso, e ela desatou num grande berreiro. Repentinamente, durante a choradeira, saiu-se com essa: "Eu nem sei nada ainda de onde é que vêm os bebezinhos". Como convinha, foram-lhe dados nessa ocasião os mesmos esclarecimentos como tempos atrás para a irmã mais velha. Com isso o problema se acalmou aparentemente, por alguns meses. Reapareceram então os dias em que ela andava chorona e mal-humorada. Certa vez, dirigindo-se à mãe, perguntou sem rodeios: "Então o pequeno Fritz esteve na tua barriga?"

Mãe: "Sim".

Sofia: "E fizestes força para ele sair?"

Mãe: "Sim".

Aninha (intervindo): "Mas saiu por baixo, não é?"

67 Emprega a menina aqui um termo infantil, que tanto é usado para o ânus como para os órgãos sexuais.

Sofia: "E então deixaste que ele caísse?"

68 A expressão "deixar cair" provém do grande interesse infantil pelo mecanismo da evacuação, durante a qual se "deixa cair" o bolo fecal no vaso sanitário.

Aninha: "Será que o Fritz era uma coisa assim como que vomitada?"

69 Na tarde anterior Aninha tivera uma pequena perturbação digestiva e havia mesmo *vomitado*.

70 Era, pois, após uma pausa de vários meses, que Sofia havia tomado novo impulso para certificar-se novamente acerca do esclarecimento anterior. O fato de voltar a certificar-se já indica que parecia restarem dúvidas não resolvidas pela explicação dada antes pela mãe.

A julgar pela pergunta feita, a dúvida surgia da explicação insuficiente sobre a natureza do parto. A expressão "fazer força para ele sair" é usada pelas crianças para o ato da defecação. Por aí já se vê qual o rumo que tomará a teoria no caso de Sofia. E a observação seguinte, se o Fritz "tinha caído", mostra então a identificação completa entre o irmãozinho e o excremento, tão completa que atinge as raias do humorístico. Mas deveras estranha era a observação feita por Aninha: se o Fritz havia sido "vomitado". O vomitar ocorrido na véspera deve tê-la impressionado muito. Era a primeira vez que isto lhe acontecia desde os tempos em que era muito criancinha ainda. Isto era também um modo pelo qual as coisas que estão dentro podem sair do corpo; nesse modo ela ainda nem havia pensado seriamente até agora (tinha sido apenas de passagem, quando ela procurava pelas saídas do corpo e tinha indicado a boca). Com esta observação, Aninha se afasta decididamente da teoria do excremento. Mas por que será que ela agora não atinou logo com os órgãos sexuais? Bem, o último sonho dela nos prepara até certo ponto para entendermos os motivos reais. Aninha acha que ainda não entende certas coisas em seu órgão sexual externo; talvez ainda se deva fazer qualquer coisa aí para que "funcione". Pode ser mesmo que nem seja aí. Talvez a semente dos bebês entre no corpo pela boca, como os alimentos; então o bebê sairia como se fosse "vomitado".

71 Continua, pois, ainda misterioso para Aninha o mecanismo pormenorizado do nascimento. Voltou ela agora a receber da mãe a confirmação de que o bebê realmente sai por baixo. Cerca de um mês mais tarde, contou ela repentinamente outro sonho: "*Sonhei que estava no quarto de dormir do tio e da tia. Os dois estavam deitados na cama. Eu retirei a coberta do tio, sentei-me em cima do estômago dele e dei uma volta brincando de cavalinho*"[10].

---

10. A expressão dialetal usada aqui (*uf- und abgjuckt*) não tem correspondente exato em alemão (o autor traduziu por *herumreiten*). O sentido seria o de executar para baixo e para cima um movimento meio rápido.
[Acho que a tradução dada em português "brincar de cavalinho" exprime claramente a ideia do dialeto suíço, pois evoca a ideia de uma brincadeira infantil muito comum, feita geralmente com o pai. O pai segura a criança pelas mãos e a faz montar a cavalo no dorso do pé. Faz então a criança dar saltos imitando o corcovear do cavalinho, enquanto a estimula exclamando: "upa"... "upa"... (N.T.)]

72 Este sonho ocorreu aparentemente sem ligação alguma. Mas, nessa época, as crianças tinham estado de férias por umas semanas. O pai tinha estado ausente vários dias, retido por negócios na cidade. Justamente nesse dia voltou para uma breve visita. Aninha se mostrou especialmente carinhosa com ele. Gracejando perguntou-lhe o pai: "Queres viajar comigo hoje à noitinha para a cidade?" Aninha: "Sim, e então eu poderei dormir contigo na cama?" Logo a seguir se reclinou com toda a meiguice nos braços do pai, exatamente do mesmo modo como a mãe costumava fazer às vezes. Foi alguns momentos depois disso que ela contou o sonho acima. De fato, algum tempo antes, ela havia passado uns dias em casa dessa tia mencionada no sonho[11].Tinha até se alegrado muito por poder fazer essa visita, na esperança de encontrar lá dois priminhos, pelos quais mostrava interesse não fingido. Mas os priminhos não estavam então em casa, e Aninha se sentiu muito decepcionada. Agora, na situação presente, deve existir algo de aparentado com o conteúdo do sonho; de outro modo ele não teria sido evocado tão repentinamente. Parece muito clara a semelhança entre o conteúdo manifesto do sonho e a conversa que Aninha estava tendo com o pai. Esse tio já é um senhor um tanto idoso, e a menina o conhecia apenas de um ou outro encontro raro. No sonho, de acordo com a regra do jogo (*lege artis*), ocorria a substituição do pai. O sonho criava um substitutivo para compensar a decepção havida: logo, ela estava na cama do pai. É aqui que está o *tertium comparationis* (terceiro termo da comparação) com o presente. É por isso que o sonho acode repentinamente à memória. No sonho se repete uma brincadeira que Aninha havia feito muitas vezes na cama (vazia) do pai. Era essa brincadeira de espernear e brincar de cavalinho sobre o colchão. Foi numa dessas brincadeiras que ela perguntou: "Não é assim que o papai faz?" (cf. mais acima). A decepção de ainda há pouco foi que sua pergunta teve a resposta inesperada do pai: "Poderás dormir sozinha no quarto ao lado". Sucedeu então imediatamente a recordação daquele sonho que já lhe servira de consolo para uma decepção erótica. Ao mesmo tempo, este sonho traz um esclarecimento decisivo e importante para toda essa teoria: Isto se dá na cama e por meio dos movimentos rítmicos descritos acima.

---

11. O sonho também já havia ocorrido vários dias antes.

Contudo, se o fato mencionado de sentar-se sobre o estômago do tio tem algo a ver com o vomitar, ainda não é evidente por si só.

73 Terminam aqui as observações que serviram de base para a explanação presente. Aninha já tem agora pouco mais de cinco anos, e já conhece uma série de fatos importantes sobre a sexualidade. Não foi observado nenhum efeito prejudicial desse conhecimento, nem sobre a atitude moral nem sobre o evoluir do caráter. Do ponto de vista terapêutico, porém, foram muito salutares os efeitos, como pudemos ver. De todo o exposto, depreende-se ainda que também a irmãzinha menor precisará de um esclarecimento adaptado a ela, à medida que seu problema for aparecendo. Enquanto o problema não atingir o grau adequado de amadurecimento, parece ser inútil qualquer esclarecimento dado.

74 Pessoalmente, não sou partidário do esclarecimento sexual das crianças na escola, nem mesmo de qualquer esclarecimento generalizado e indiscriminado. Por isso, não me considero capacitado a dar neste ponto um conselho positivo e de valor geral. Mas o material apresentado me leva a tirar uma *única* conclusão certa. É preciso que se tomem as crianças assim como elas são de verdade, e não como gostaríamos que fossem. Então cumpre, na educação, seguir as linhas naturais do desenvolvimento, sem ater-se a prescrições já caducas.

Acréscimo

75 Como já mencionei no prefácio, houve mudanças consideráveis nas concepções desde que foi publicada a primeira edição desta obra. Há nestas observações sobretudo um ponto que não recebeu a consideração que merece. Trata-se do fato de as crianças, apesar do esclarecimento recebido, continuarem a demonstrar tendência manifesta em darem preferência a alguma explicação fantasiosa. Contra a minha expectativa, venho notando que, desde que publiquei este meu trabalho, se multiplicam os casos de as crianças continuarem a preferir qualquer teoria fantasiosa. Neste sentido disponho mesmo de observações acima de toda a dúvida, feitas por diversos outros pais a respeito de seus filhos. Uma menina de quatro anos, filha de um amigo meu, que é avesso a fazer segredos inúteis na educação, ainda no

ano passado ajudou a mãe a enfeitar a árvore de Natal. Mas para este ano já declarou à mãe: "Aquilo era *fingimento* no ano passado. Este ano nem quero estar perto. Podes até fechar a porta a chave".

76 Em consequência destas observações e de outras semelhantes, veio-me o pensamento se justamente a explicação fantasiosa ou mitológica, a preferida pela criança, não seria por isso mesmo mais indicada do que a fornecida pela ciência natural. Esta última, apesar de corresponder aos fatos reais, encerra em si a ameaça de fechar de modo definitivo as portas da fantasia. No caso relatado acima, as portas da fantasia não foram definitivamente fechadas, porque a fantasia simplesmente pôs de lado a explicação da ciência.

77 Será que o esclarecimento causou prejuízo às crianças? Nada disso pôde ser observado. Essas crianças se desenvolveram de modo sadio e normal. Os problemas que surgiram em determinada época foram resolvidos e, ao que parece, passaram até inteiramente para um plano secundário, o que se deve, talvez, aos múltiplos interesses externos despertados pela entrada na escola e a outros semelhantes. A atividade da fantasia não foi prejudicada no mínimo; também não enveredou por algum caminho que de qualquer modo pudesse ser tido como anormal. Todos os comentários e observações, mesmo os de natureza mais delicada, sempre têm sido apresentados de modo franco e livre de mistério.

78 Sou, por isso, do parecer de que foi justamente a explanação franca, ainda que feita um tanto cedo, o agente capaz de descarregar a fantasia infantil, impedindo que ela assumisse no tocante a essas coisas alguma atitude secreta e incorreta, o que apenas teria sido um empecilho para o desenvolvimento espontâneo do pensamento. Mas, de outra parte, o fato de a fantasia infantil ter conseguido suplantar a explicação correta, a mim parece ser uma advertência importante no sentido de que o pensamento, em seu desenvolvimento espontâneo, tem uma necessidade imperiosa de emancipar-se da realidade dos fatos e construir seu mundo próprio.

79 É, pois, minha opinião que não se deve dar à criança explicação errada, a qual apenas seria fonte de desconfiança; mas também não acho aconselhável insistir demais em que a criança aceite a explicação correta. A razão é que esta exigência tola de consequência lógica

simplesmente abafará o desenvolvimento livre do pensamento e forçará a criança a assumir uma concepção de tal forma concreta que excluirá qualquer possibilidade de desenvolvimento ulterior. A par do que é biológico, também o que é espiritual tem direitos inalienáveis. Certamente não pode ser mero acaso o fato de povos primitivos, mesmo em idade adulta, fazerem afirmações inteiramente fantásticas acerca de processos sexuais bem conhecidos, como, por exemplo, que o coito não tem nada a ver com a gravidez. Julgava-se lícito concluir daí que essas pessoas nem sequer conheciam este relacionamento entre os dois fatos. Mas novas investigações vieram lançar nova luz sobre isso. Esses povos sabem perfeitamente que entre os *animais* o acasalamento produz a prenhez. Mas este relacionamento é negado apenas a respeito dos *seres humanos*. Não é que a realidade talvez seja ignorada, mas é que isso é apenas *negado*, justamente porque é preferida a explicação mitológica, visto ser ela que libertou os homens da realidade concreta dos sentidos. Não será difícil entrever nestes fatos, observados em diversos povos, os começos da *abstração*, que é tão importante para a cultura. Temos, pois, toda a razão de admitir que o mesmo vale para a psicologia infantil. Se certos grupos indígenas sul-americanos se consideram papagaios vermelhos, e isso de modo real e verdadeiro, com exclusão expressa de uma concepção figurada, este fato não tem a mínima ligação com qualquer repressão sexual de "ordem moral". A razão disso deve ser procurada nas leis inatas e imutáveis da função do pensar, que consistem na independência e na emancipação da realidade concreta apresentada pelos sentidos. Deve-se, pois, atribuir à função do pensar um princípio distinto da sexualidade. Apenas nos germes polivalentes infantis é que este princípio conflui com a sexualidade durante suas primeiras manifestações. A pretensão de reduzir o pensar a uma variedade do sexualismo tacanho entra em conflito aberto com os princípios fundamentais da psicologia humana.

II

Introdução à obra de Frances G. Wickes

"Análise da alma infantil"*

80 Este livro não pretende apresentar teoria, mas experiência. É justamente isso que lhe confere um valor muito especial para quem se interessar pela verdadeira psicologia infantil. Não chegaremos a compreender nem a psicologia da criança nem a do adulto, enquanto as considerarmos apenas como assunto subjetivo do indivíduo, pois o mais importante é seu caráter de relacionamento com os outros. Seja como for, começamos a lidar com esse relacionamento a partir da vida mental infantil, em seu aspecto mais acessível e de maior valor prático. A criança se encontra de tal modo ligada e unida à atitude psíquica dos pais, que não é de causar espanto se a maioria das perturbações nervosas verificadas na infância devam sua origem a algo de perturbado na atmosfera psíquica dos pais. Ao apresentar uma série de exemplos importantes, este livro procura mostrar como pode ser prejudicial à criança a influência dos pais. Certamente não haverá

---

* Os primeiros três parágrafos e meio deste tratado foram publicados de início como introdução ao livro de WICKES, F. G. *The Inner World of Childhood.* Nova York, 1927. [Por ocasião da edição alemã do livro *Analyse der Kinderseele* (Julius Hoffmann Verlag. Stuttgart, 1931) foi que C.G. Jung desenvolveu a introdução e lhe deu a extensão atual. A obra reapareceu em 1969 na editora Rascher, de Zurique, em nova tradução e em forma de brochura.

Frances G. Wickes trabalhou por muitos anos na América como psicóloga escolar. O material colhido nos diversos casos tomou para ela novo significado ao ser examinado à luz das teorias de C.G. Jung, ao mesmo tempo que serviu para comprovar e ampliar essas teorias.]

nenhum pai ou mãe que, ao ler este capítulo, não perceba as verdades alarmantes que apresenta. *Exempla docent* – o exemplo é o melhor dos mestres! Isto se verifica aqui como uma verdade, que já há muito é conhecida e que ao mesmo tempo é inexorável. Neste sentido o que importa não são palavras boas e sábias, mas tão somente o agir e a vida real dos pais. Também não está resolvido o assunto se os pais apenas procuram viver de acordo com os valores morais geralmente aceitos, porque o cumprimento de costumes e leis pode servir igualmente para encobrir uma mentira de tal modo sutil que, por isso mesmo, escape à percepção de outras pessoas. Desta forma conseguimos talvez evitar qualquer crítica e, possivelmente, enganar-nos a nós mesmos a respeito de nossa probidade, que é tão manifesta em nossa própria opinião. Mas, um tanto abaixo do nível mediano e comum da consciência, faz-se ouvir debilmente uma voz a dizer-nos: "Alguma coisa deve estar errada". Neste particular pouco importa se nosso julgamento de estarmos certos tem a aprovação da opinião pública ou do código de costumes morais. Certos casos apresentados no livro comprovam claramente que existe uma lei terrível, uma lei que paira acima dos costumes morais humanos e acima dos conceitos de direito – uma lei que não se deixa enganar.

81 A par do problema da influência do meio, o livro também destaca certos fatores psíquicos que parecem estar ligados mais a valores irracionais da alma infantil. Estes fatores podem tornar-se objeto de exames científicos, ao passo que os valores espirituais, as propriedades da alma, são inacessíveis a um tratamento meramente intelectual. Também de nada adianta que alguém tenha concepções céticas a respeito disso – a natureza pouco se importa com as nossas opiniões. Ao lidarmos com a alma humana, somente nos acercaremos dela se passarmos para o "chão" que lhe é próprio. É isso que devemos fazer sempre que nos encontrarmos diante dos problemas reais da vida que ameaçam subjugar-nos.

82 Alegro-me com o fato de a autora não temer franquear seu trabalho à crítica intelectual. Experiência verdadeira não teme objeções justas nem injustas, pois mantém sempre a posição mais forte.

83 Esse livro não se apresenta como trabalho científico; entretanto, é científico até mesmo em sentido mais elevado, porque fornece o quadro verdadeiro das dificuldades que realmente ocorrem na edu-

cação. Merece séria consideração por parte de todos os que devem ocupar-se com as crianças, seja por vocação, seja por dever. Interessará também àqueles que, movidos apenas pelo desejo de saber, procuram alargar o alcance de seus conhecimentos sobre o surgimento da consciência humana, mesmo sem estarem presos a obrigações ou inclinações pedagógicas. Se bem que para o médico e para o educador versado em psicologia muitas das observações e das opiniões contidas nesse livro não apresentem nada de fundamentalmente novo, contudo o leitor ávido de saber encontrará aqui e acolá certos casos mais raros, capazes de despertar a reflexão crítica, assim como casos e fatos que a autora, em sua orientação essencialmente prática, não acompanha nem em suas origens profundas nem em suas consequências teóricas. Que opinião, por exemplo, formará o leitor atento acerca do fato obscuro, mas inegável, da identificação do estado psíquico da criança com o inconsciente dos pais? A intuição nos leva a ver aí um campo repleto de possibilidades que nem podemos avaliar, um problema parecido com um monstro de muitas cabeças. Contudo, esse problema interessa tanto ao médico como ao biólogo, e também ao filósofo. Para quem estudou e conhece a psicologia de povos primitivos parece manifesto existir uma relação entre o conceito de "identidade" e o que Lévy-Bruhl designa como *participation mystique* (participação mística). É fato curioso que muitos etnólogos ainda se recusem a aceitar esta concepção genial; a culpa disso talvez deva ser procurada sobretudo na escolha pouco feliz do termo *mystique*. A palavra "místico" nos dá como que a ideia de uma morada de todos os espíritos imundos, ainda que originariamente não tenha sido esse o conteúdo do conceito, o qual foi rebaixado a tal ponto justamente pelo uso impuro de todo o mundo. Nesta identidade não há nada de "místico", como também não é absolutamente místico o metabolismo existente entre a mãe e o embrião. Esta identidade provém essencialmente do estado de inconsciência em que se encontra a criança pequena, fato que é conhecido de todos. O mesmo tipo de relacionamento se dá no homem primitivo: ele é tão carente de consciência como a criança. A falta de consciência é que origina a indiferenciação. Ainda não existe o "eu" claramente diferenciado do resto das coisas, mas tudo o que existe são acontecimentos ou ocorrências, que tanto podem pertencer a mim como a qualquer outro. É suficiente que alguém se sinta afetado ou tocado por isso. A extraordinária força contagiante das reações emocionais já se encarrega de que todos os que porventura se encontrem por perto sejam igualmente envolvidos. Quanto mais débil é a consciência do "eu", tanto menos importa considerar quem propriamente foi afetado, e igualmente tanto menos está o indivíduo em condição de proteger-se contra o contágio geral. Esta proteção apenas poderia ser atuante se alguém fosse capaz de dizer: "Tu é que estás excitado ou furioso, e não eu, pois eu não sou tu". Esta é a situação da criança na família. Ela se sente atingida na mesma medida e do mesmo modo que todo o grupo.

84 A conclusão importante que daí surge para todo aquele que se interessa pelo conhecimento teórico é que, por via de regra, as reações mais fortes sobre as crianças não provêm do estado consciente dos pais, mas de seu fundo inconsciente. Para toda a pessoa de responsabilidade moral, que ao mesmo tempo é pai ou mãe, representa este fato um problema de certo modo amedrontador. Cada um logo compreende: aquilo que conseguimos controlar mais ou menos, isto é, a consciência e seu conteúdo, é, no entanto, apesar de todo nosso esforço, ineficiente quando comparado com os efeitos incontroláveis do fundo psíquico. Sobrevêm a qualquer pessoa um sentimento de extrema incerteza moral, quando se começa a refletir seriamente sobre o fato da existência de atuações inconscientes. Como então se poderá proteger as crianças contra os efeitos provenientes de si próprio, quando falha tanto a vontade consciente como o esforço consciente? Indubitavelmente será de grande utilidade para os pais saberem considerar os sintomas de seu filho à luz dos seus próprios problemas e conflitos. É dever dos pais proceder assim. Neste particular, a responsabilidade dos pais se estende até onde eles têm o poder de ordenar a própria vida de tal maneira que ela não represente nenhum dano para os filhos. Em geral se acentua muito pouco quão importante é para a criança a vida que os pais levam, pois o que atua sobre a criança são os fatos e não as palavras. Por isso deverão os pais estar sempre conscientes de que eles próprios, em determinados casos, constituem a fonte primária e principal para as neuroses de seus filhos.

85 Apesar de tudo, não convém exagerar em demasia a importância deste fato das atuações inconscientes, apesar de ele constituir algo de perigosamente satisfatório para a necessidade que nosso espírito tem de exigir sempre uma causa. Também não se deve exagerar a impor-

tância das causas. Existem causas certamente, mas a alma não é também nenhum mecanismo que deva reagir necessária e regularmente a cada estímulo específico. Também aqui, como em outros pontos da prática psicológica, se constata o fato de que numa família de vários filhos apenas um ou outro deles reage no sentido de uma identidade marcante em relação ao inconsciente dos pais, enquanto os demais nada manifestam. É a disposição específica de cada indivíduo que desempenha aqui o papel quase decisivo. Por isso costuma o psicólogo bem informado em biologia apelar para o fato da hereditariedade orgânica, e está inclinado a considerar como fator explicativo muito mais a totalidade da massa hereditária genealógica do que a causalidade psíquica momentânea. Este ponto de vista, ainda que de modo geral seja satisfatório, infelizmente se mostra insuficiente em qualquer caso concreto por não oferecer nada de prático ao tratamento psíquico do caso dado. É também verdade que existe uma causalidade psíquica entre pais e filhos, não obstante todas as leis da hereditariedade. Na verdade, o ponto de vista da hereditariedade, apesar de inegavelmente justificada, leva o interesse educacional ou terapêutico a descurar de modo mais pernicioso o fato prático da influência dos pais; ao mesmo tempo induz a que se considere geralmente de modo mais ou menos fatalístico a massa hereditária, de cujo evoluir não é possível escapar.

86 Para pais e educadores seria de uma parte omissão grave deixar de considerar a causalidade psíquica, mas de outra seria erro pernicioso atribuir a este fato a culpa de tudo. Em cada caso influem os dois fatores, sem que um deles precise excluir o outro.

87 Via de regra, o fator que atua psiquicamente de um modo mais intenso sobre a criança é a vida que os pais ou antepassados não viveram (pois se trata de fenômeno psicológico atávico do pecado original). Esta afirmação poderia parecer algo de sumário e artificial sem esta restrição: essa parte da vida a que nos referimos seria aquela que os pais poderiam ter vivido se não a tivessem ocultado mediante subterfúgios mais ou menos gastos. Trata-se pois de uma parte da vida que – numa expressão inequívoca – foi abafada talvez com uma mentira piedosa. É isto que abriga os germes mais virulentos.

É plenamente oportuna a exortação da autora para que se chegue ao conhecimento claro de si mesmo. Entretanto, é a natureza de cada caso que deverá decidir quanto de culpa terá de ser realmente atribuído aos pais. Jamais se deverá esquecer que se trata aqui do "pecado original", certamente um pecado contra a vida e não uma falta contra a moral construída pelos homens. Por isso, os pais por sua vez deverão ser vistos como filhos dos avós. A maldição dos átridas não é nenhum palavreado oco. 88

Igualmente se evite incorrer no erro de supor que a espécie e a intensidade da reação infantil dependa simplesmente da singularidade dos problemas paternos. Muitas vezes esse problema atua mais como simples catalisador a desencadear reações que podem ser explicadas de modo melhor a partir da massa hereditária do que quando se considera a causalidade psíquica. 89

Essa atuação como causa, que os problemas dos pais têm sobre a alma da criança, estaria mal interpretada se alguém pretendesse considerá-la sempre de modo excessivamente pessoal, como se fosse um caso de moral. Na maior parte das vezes trata-se muito mais de uma índole moral (*ethos*) marcada pelo destino e que se situa além do que é possível à capacidade humana consciente. Tendências proletárias encontradas em descendentes de linhagens antigas e nobres, manifestações criminosas surgidas em filhos de pais honrados e excelentes, inércia e preguiça passional notada em descendentes de pessoas bem-sucedidas e enérgicas, tudo isto não é apenas uma parte da vida que não foi vivida por decisão consciente, mas também compensações do destino, uma espécie de função da índole moral (*ethos*), que cuida de abaixar o que é alto demais e de levantar o que é demasiado baixo. Contra isso de nada adianta nem a educação nem a psicoterapia. Se estas duas forem usadas de acordo com a sã razão, poderão apenas contribuir para que seja concluída devidamente a tarefa vital imposta pela índole moral (*ethos*). Trata-se de uma culpa impessoal dos pais, pela qual o filho também deverá pagar de modo igualmente impessoal. 90

A influência dos pais pode também converter-se em problema moral, sempre que se tratar de condicionamentos que na verdade poderiam ser mudados de fato pelos pais, mas que não são tocados por displicência grosseira, timidez neurótica ou convencionalismo sem al- 91 ma. Nisto pode caber aos pais muitas vezes grave responsabilidade. E em faltas contra a natureza não adianta alegar a desculpa de ignorância.

92 A ignorância atua como culpa.

93 Outro problema que o livro de Wickes propõe ao leitor que reflete é a questão seguinte:

A psicologia do estado de "identidade", que precede à consciência do "eu", mostra o que a criança é graças a seus pais. O que constitui, porém, a individualidade distinta da dos pais, isso não será possível explicar pela relação de causalidade com os pais. Na verdade quase seria possível estabelecer a tese de que os verdadeiros geradores das crianças não são seus pais, mas muito mais seus avós e bisavós, enfim toda a sua árvore genealógica. É essa ascendência genealógica que determina a individualidade da criança de maneira mais eficiente do que propriamente os pais imediatos, que o são apenas de modo quase que fortuito. Por isso também a verdadeira individualidade psíquica da criança é algo de novo em relação aos pais, e não pode ser deduzida da psique deles. Ela é uma combinação de fatores coletivos, os quais na psique dos pais se encontram apenas potencialmente presentes, e em geral nem são observáveis. Não apenas o corpo da criança, mas também sua alma, provêm da série dos antepassados, no sentido de que ela pode ser distinguida individualmente da alma coletiva da humanidade.

94 A alma infantil, antes da etapa da consciência do "eu", de modo algum se acha vazia ou sem conteúdo. Apenas surge a linguagem, já existe também a consciência, a qual passa a exercer uma repressão interna sobre os fatores coletivos anteriores, por meio de seus conteúdos da atualidade e por suas recordações. Que tais conteúdos coletivos estejam presentes na criança que ainda não atingiu a consciência do "eu", é fato demonstrado por provas abundantes. Com referência a isso têm importância máxima os sonhos ocorridos em crianças de três ou quatro anos, entre os quais se encontram alguns que em tal grau são mitológicos e prenhes de sentido, que qualquer um seria tentado a considerá-los como sonhos de adultos, se não constasse certamente quem os sonhou. Trata-se aqui, pois, dos últimos vestígios de uma alma coletiva em desaparecimento, que, ao sonhar, repete os eternos conteúdos primordiais da alma da humanidade. É desta fase que provêm certos temores infantis, pressentimentos obscuros e

não infantis, que, ao serem descobertos novamente em etapas posteriores da vida, constituem o fundamento da crença na reencarnação. Dessa esfera nascem também os conhecimentos e as clarezas que deram origem ao provérbio: "Crianças e loucos dizem a verdade!"

95 Por estar espalhada por toda a parte a alma coletiva, que ainda está muito próxima da criança pequena, esta percebe não apenas os condicionamentos mais profundos dos pais, mas também em um âmbito mais extenso o bem e o mal existentes nas profundezas da alma humana. A alma inconsciente da criança possui uma extensão incalculável e, da mesma forma, uma idade incalculável. Mesmo sendo pai e mãe com todas as honras – contudo por trás do desejo de voltar a ser criança, ou por trás dos sonhos angustiosos da criança, está oculto algo mais que o mero prazer do berço ou educação errada.

96 Entre povos primitivos existe frequentemente a crença de que a alma da criança é um espírito de antepassado que se encarnou; por isso é perigoso castigar as crianças, o que seria uma ofensa ao antepassado. Esta crença não é mais do que uma formulação mais intuitiva dos conceitos acima expostos.

97 A imensidão pré-consciente da alma infantil desaparece ou continua a existir com ela. Por isso os vestígios da alma infantil constituem no adulto tanto o que ele tem de melhor como o que tem de pior. Em todo o caso, são esses vestígios que formam o espírito diretor (*spiritus rector*) oculto de nossos feitos ou fatos mais importantes, quer estejamos conscientes disso ou não. São eles que, no tabuleiro de xadrez de nossa vida, conseguem dar às figuras humanas sem importância a dignidade de rei ou de peão; são eles que fazem um pobre coitado, filho de pai casual, transformar-se em tirano dominador de povos, como também elevam uma infeliz, filha de mãe involuntária, ao esplendor de uma deusa do destino. É que por trás de cada pai determinado está sempre a figura eterna do pai, e por trás da atuação passageira de uma mãe real se encontra a figura mágica da mãe absoluta. Esses arquétipos da alma coletiva, cujo poder se acha glorificado nas obras imortais da arte ou nas ardentes profissões de fé das religiões, são também as potências que dominam a alma infantil pré-consciente e, ao serem projetadas, conferem aos pais humanos um fascínio que muitas vezes atinge quase o infinito em grandeza. Daí provém

aquela explicação causal das neuroses, que em Freud se cristalizou em sistema: o complexo de Édipo. Por isso, mesmo em etapas posteriores da vida, ainda que as imagens dos pais tenham sido analisadas criticamente, corrigidas e reduzidas a dimensões humanas, contudo continuam essas imagens a atuar aparentemente como potências divinas. Se o pai humano tivesse realmente esse poder sinistro, certamente os filhos deveriam matar seus pais, ou, melhor ainda, deveriam desistir de tornar-se pais também. Na verdade que homem moralmente consciente poderia suportar essa responsabilidade imensa? Muito melhor seria então deixar esse poder excessivo ao divino, onde ele sempre esteve, antes de ser "esclarecido" (*aufgeklärt*).

III

A importância da Psicologia Analítica para a Educação*

É com certa hesitação que, diante dos Senhores, assumo a tarefa de mostrar, nesta breve conferência, os conexos existentes entre os dados da psicologia analítica e os problemas da educação. Primeiramente se trata de um campo vasto e abrangente da experiência humana, que não é possível descrever com umas poucas teses sobrecarregadas de conteúdo. Em segundo lugar, no que tange à psicologia analítica, cumpre dizer que se trata tanto de um método como de um modo de conceber. Não se pode pressupor nem que ela seja conhecida de todos, nem que possa ser aplicada com facilidade aos problemas da educação. Seria quase indispensável apresentar antes uma introdução histórica sobre o desenvolvimento dessa recente ciência psicológica, pois com isso poderemos compreender várias coisas que se nos afigurariam de difícil compreensão se hoje nos fossem propostas diretamente. 98

Surgida inicialmente das experiências do hipnotismo, a psicanálise, segundo a entende Freud, era um método especificamente médico destinado a explorar as causas psíquicas das perturbações nervo- 99

---

* Conferência pronunciada no Congresso Internacional para Educação em Territet-Montreux, 1923. Publicada pela primeira vez em: *Contributions to Analitical Psychology*. Kegan Paul, Londres, e Harcourt Brace, Nova York, 1928. [A redação original alemã foi publicada pela primeira vez na Edição de Estudos pela editora Walter, Olten, 1971, como tratado único do volume *Der Einzelne in der Gesellschaft* (O indivíduo na sociedade)].

sas funcionais (e portanto não orgânicas), e em especial as causas sexuais dessas perturbações. Ao mesmo tempo tornou-se um método de tratamento, ao admitir-se a hipótese de que a conscientização das causas sexuais teria um efeito curativo decisivo. A escola freudiana ainda concebe hoje em dia a psicanálise nesse sentido e se recusa a admitir outra fonte causadora de perturbações nervosas que não seja a sexual. De início me baseei nesse método e nessa teoria, mas com o passar dos anos comecei a desenvolver o conceito de psicologia analítica, com a finalidade de exprimir o fato de que a pesquisa psicológica já tinha abandonado a moldura acanhada de uma técnica de tratamento médico, com toda a sua limitação provinda de certos pressupostos teóricos, transferindo-se para o campo mais geral da psicologia do homem normal. Portanto, ao me dirigir aos Senhores e expor o relacionamento entre a psicologia analítica e a educação, deixo de considerar a análise freudiana. Como ela é apenas uma psicologia das ramificações do instinto sexual na psique, tão somente seria justificado mencioná-la se nosso propósito fosse o de falar exclusivamente sobre a psicologia sexual da criança. Quero evitar de propósito a falsa aparência de que eu, de algum modo qualquer, esteja aprovando aquelas opiniões, segundo as quais deva ser explicado, a partir dos germes ainda imaturos da função sexual, o relacionamento da criança com os pais, com o professor, com os irmãos e companheiros. Estas opiniões, que certamente não lhes devem ser desconhecidas, são, de acordo com a minha convicção, uma generalização precipitada e restrita a um único aspecto, que já causou muitas das mais absurdas interpretações. Quando surgem na criança manifestações doentias que justifiquem uma explicação por parte da psicologia sexual, nestes casos se deve responsabilizar não tanto a psicologia própria da criança, mas muito mais a psicologia dos pais, perturbada na esfera sexual. A criança tem uma psique extremamente influenciável e dependente, que se movimenta por completo no âmbito nebuloso da psique dos pais, do qual só relativamente tarde consegue libertar-se.

100 Procurarei agora expor brevemente aos Senhores os pontos de vista fundamentais da psicologia analítica, que devem ser tomados em conta no julgamento da psique infantil e especialmente da criança em idade escolar. Certamente os Senhores não estarão esperando que eu esteja em condições de apresentar-lhes uma série de conselhos

e sugestões de aplicação prática imediata. O que lhes posso transmitir é apenas uma compreensão mais aprofundada das leis gerais que orientam o desenvolvimento psíquico da criança. Devo, pois, contentar-me com a esperança de que os Senhores consigam por esta minha exposição ter uma ideia do misterioso processo de formação da capacidade humana mais elevada. A grande responsabilidade que lhes está confiada como educadores da geração futura guardar-vos-á de tirar conclusões apressadas. Muitas vezes é preciso que certos pontos de vista nos acompanhem por longo tempo em nossas reflexões, até que compreendamos em que lugar de nosso trabalho prático possam ser aplicados com vantagem. O conhecimento psíquico mais aprofundado, por parte do professor, não deveria jamais ser descarregado diretamente sobre o aluno, como lamentavelmente talvez aconteça. Tal conhecimento deve em primeiro lugar ajudar o professor a conseguir uma atitude mais compreensiva em relação à vida psíquica da criança. Este conhecimento está destinado às pessoas adultas e não às crianças, que por enquanto necessitam apenas de coisas elementares.

Uma das conquistas mais importantes da psicologia analítica é sem dúvida o conhecimento da estrutura biológica da alma. Não será fácil explicar em poucas palavras o que nos custou muitos anos para descobrir. Por isso preciso começar agora um pouco adiante, para depois poder retornar à alma infantil em especial. 101

Os Senhores de certo sabem que até o presente a psicologia, assim como vem sendo representada pela escola de Wundt, é exclusivamente uma psicologia da consciência normal, como se a alma constasse somente de fenômenos da consciência. Contudo, a psicologia médica, principalmente a francesa, logo se viu forçada a admitir fenômenos psíquicos inconscientes. Hoje em dia aceitamos que a consciência consta apenas daquele conjunto de imagens que estão associadas diretamente ao "eu". Acham-se ligados ao "eu" os conteúdos psíquicos dotados de certa intensidade. Os demais conteúdos, porém, que não conseguem adquirir a intensidade necessária, ou que já a perderam, são subliminares e pertencem à esfera do inconsciente. O inconsciente, em vista de sua extensão indeterminável, poderia talvez ser comparado ao mar, e o consciente seria apenas uma ilha que se erguesse sobre o mar. Mas devemos parar aí na comparação, pois a relação entre o consciente e o inconsciente é essencialmente diversa da que existe entre a ilha e 102 o mar. Não há mesmo nenhuma relação estável, mas reina uma troca contínua e um deslocamento constante dos conteúdos. Tanto o consciente como o inconsciente não representam algo de estável e permanente, mas cada um é algo de vivo, que está em contínua atuação recíproca sobre o outro. Conteúdos conscientes acabam mergulhando no inconsciente quando perdem sua intensidade ou atualidade. A este processo denominamos esquecer. A partir do inconsciente emergem novas imagens e tendências que penetram na consciência; falamos de ideias súbitas e impulsos. O inconsciente é como a terra do jardim, da qual brota a consciência. A consciência se desenvolve a partir de certos começos, e não surge logo como algo de completo e acabado.

103 É na criança que se dá esse desenvolvimento da consciência. Nos primeiros anos de vida quase não se verifica consciência alguma, apesar de que já muito cedo seja evidente a existência de processos psíquicos. Mas esses processos não estão relacionados a nenhum "eu", não têm um centro e por isso carecem de continuidade, sem a qual é impossível a consciência. Provém daí o fato da criança também não ter memória no sentido usual, apesar da plasticidade e receptividade para as impressões, de que está dotado seu órgão psíquico. Somente quando a criança começa a dizer "eu" é que tem começo a continuidade da consciência, já perceptível, mas por enquanto ainda muitas vezes interrompida. Nesses intervalos se intercalam numerosos períodos de inconsciência. Durante os primeiros anos de vida percebe-se claramente na criança como a consciência se vai formando por um agrupamento gradual de fragmentos. Este processo propriamente nunca cessa no decurso da vida inteira. A partir, porém, da pós-puberdade torna-se cada vez mais lento, e desde então é sempre mais raro que novas partes da esfera inconsciente venham juntar-se à consciência. É importante o período que vai do nascimento até o término da puberdade psíquica, que para o homem, em nosso clima e em nossa raça (Suíça), pode estender-se até os vinte e cinco anos, e na mulher termina antes, aos dezenove ou vinte anos; justamente nesse período ocorre o maior e mais intenso desenvolvimento da consciência. Este desenvolvimento estabelece vínculos fortes entre o "eu" e os processos psíquicos até então inconscientes, e também os separa nitidamente do inconsciente. Deste modo emerge a consciência a partir do inconsciente, como uma nova ilha aflora sobre a superfície do

mar. Pela educação e formação das crianças procuramos auxiliar este processo. A escola é apenas um meio que procura apoiar de modo apropriado o processo de formação da consciência. Sob esse aspecto, cultura é a consciência no grau mais alto possível.

104 Perguntando agora o que iria acontecer se não tivéssemos escolas e se deixássemos as crianças entregues a si mesmas, deveríamos então responder: As crianças continuariam inconscientes em grau muito maior. E o que notaríamos de especial nesse estado de coisas? Seria um estado primitivo, o que significa que quando tais crianças chegassem à idade adulta não passariam de primitivos, apesar de toda a inteligência natural de que dispõem; seriam apenas "selvagens", como qualquer membro de uma tribo inteligente de negros ou de índios. De maneira nenhuma seriam meros bobos, mas apenas inteligentes por instinto; seriam ignorantes e, por isso, inconscientes quanto a si e quanto ao mundo. Começariam sua vida em estado de cultura consideravelmente inferior e em muito pouca coisa se distinguiriam das raças primitivas. De certo modo foi possível observar tal decaída para um nível inferior pelo que sucedeu aos imigrantes espanhóis e portugueses na América do Sul, como aos bôeres holandeses na África. A possibilidade de retrocesso à etapa primitiva se baseia no fato de a mesma lei biogenética valer não apenas para o desenvolvimento do corpo, mas também para o da alma.

105 De acordo com essa lei, repete-se, como é sabido, a história evolutiva da espécie no desenvolvimento embrionário do indivíduo. Assim, o homem percorre, até certo grau, durante a existência embrionária, as formas anatômicas do passado longínquo. A mesma lei vale também para o desenvolvimento psíquico do homem. Segundo essa lei, a criança se desenvolve a partir de um estado inicial inconsciente e semelhante ao do animal, até atingir a consciência: primeiro a consciência primitiva e, a seguir, gradativamente, a consciência civilizada.

106 O estado inconsciente de si mesmo, que se estende pelos dois ou três primeiros anos de vida, pode ser comparado ao estado psíquico animal. É o estado em que o indivíduo se acha como que inteiramente fundido com as condições do meio ambiente. Do mesmo modo que a criança, durante a fase embrionária, quase não passa de uma parte do corpo materno, do qual depende completamente, assim também de

modo semelhante a psique da primeira infância, até certo ponto, é apenas parte da psique materna e, logo depois, também da psique paterna, em consequência da atuação comum dos pais. Daí provém o fato de que as perturbações nervosas e psíquicas infantis, até muito além da idade escolar, por assim dizer, se devem exclusivamente a perturbações na esfera psíquica dos pais. Dificuldades no relacionamento dos pais entre si se refletem infalivelmente na psique da criança, podendo produzir nela perturbações até mesmo doentias. Também o conteúdo dos sonhos das crianças pequenas se refere frequentemente muito mais aos pais do que a ela mesma. [Há muito tempo pude observar alguns sonhos extremamente curiosos surgidos na primeira infância, como por exemplo os primeiros sonhos de que os pacientes tinham lembrança. Eram "grandes sonhos", cujo conteúdo muitas vezes não era de modo nenhum infantil, de maneira que me convenci imediatamente de que poderiam ser explicados por meio da psicologia dos pais. Entre eles havia o caso de um menino, cujos sonhos refletiam todo o problema erótico e religioso do pai. Este não se lembrava de nenhum sonho desse tipo, de modo que por algum tempo analisei o pai através dos sonhos do filho. Por fim começou o pai também a sonhar, e então terminaram os sonhos do filho. Mais tarde tornou-se claro para mim que os sonhos estranhos de crianças pequenas são completamente autênticos, pois encerram arquétipos, os quais constituem a razão de seu cunho aparentemente adulto[1].]

107 Ocorre certa mudança logo que a criança começa a desenvolver a consciência do próprio "eu", o que fica documentado exteriormente, entre outras coisas, por começar ela a dizer "eu". Normalmente ocorre esta mudança entre três e cinco anos de idade, mas pode dar-se também antes. A partir desse momento, podemos dizer que já existe uma *psique individual*. Mas a psique individual costuma atingir uma relativa independência apenas após a puberdade, enquanto que até aí continua sen-

---

1. O texto entre colchetes provém da redação inglesa, levemente ampliado, e foi vertido para o alemão pelos editores. [As tentativas de levar C.G. Jung a publicar outros escritos acerca de sua coleção de sonhos infantis não tiveram resultado por falta de tempo da parte dele. No entanto, ele dirigiu quatro seminários sobre sonhos infantis, durante os anos de 1935 e 1940, na Eidgenössische Technische Hochschule (Escola Técnica Superior Confederada) em Zurique, cujos protocolos deverão ser publicados mais tarde.]

do, em grau elevado, joguete dos impulsos e das condições ambientais. Falando-se, pois, de uma criança antes da puberdade, poder-se-ia afirmar que, do ponto de vista psíquico, ela propriamente ainda nem existe. Certamente, quando a criança de seis anos entra na escola, ainda é, em todo o sentido, apenas um produto dos pais; é dotada, sem dúvida, de uma consciência do "eu" em estado embrionário, mas de maneira alguma é capaz de afirmar sua personalidade, seja como for. É certo que somos tentados a considerar mormente as crianças esquisitas ou cabeçudas, as indóceis ou as difíceis de educar, como se fossem especialmente dotadas de individualidade ou de vontade própria. Mas é puro engano. Em tais casos deveríamos sempre examinar o ambiente doméstico e o relacionamento psíquico dos pais, e, nestes, quase sem exceção, haveríamos de encontrar as únicas e verdadeiras razões que explicassem as dificuldades dos filhos. O modo de ser perturbador dessas crianças é muito menos expressão do interior delas mesmas do que reflexo das influências perturbadoras dos pais. O médico, ao ter de tratar de um distúrbio nervoso em criança dessa idade, agirá corretamente se procurar que primeiro os pais da criança sejam submetidos a um tratamento [a fim de chamar-lhes seriamente a atenção para seu estado psíquico, a saber: seus problemas, a maneira como vivem ou deixam de viver, as suas aspirações que foram realizadas ou descuidadas, a atmosfera reinante na família e os métodos educacionais empregados. Todo esse condicionamento psíquico tem influência extremamente profunda na criança. Nos primeiros anos vive a criança da "participação mística" (*participation mystique*) com os pais. Podemos verificar reiteradamente como a criança reage prontamente a quaisquer desenvolvimentos importantes que ocorram na psique dos pais. Acho desnecessário dizer que tanto os pais como os filhos estão inconscientes a respeito do que está acontecendo. Como são contagiantes os complexos dos pais, deduz-se dos efeitos que suas singularidades produzem nos filhos. Mesmo que os pais façam esforços constantes e eficientes para se dominarem, de modo que um adulto nem sequer perceba o mínimo vestígio de um complexo adulto, os filhos, contudo, de qualquer maneira serão afetados por ele. Recordo-me do caso ilustrativo de três meninas, filhas de mãe devotada ao extremo. Ao entrarem na puberdade, acabaram confessando mutuamente, muito envergonhadas, que por anos a fio tinham tido sonhos horríveis sobre a mãe. Sonhavam que ela era uma bruxa ou um animal perigoso, e não conseguiam entender isso de maneira alguma, pois a mãe era amorosa e se sacrificava por elas. Anos mais tarde a mãe passou a sofrer de doença mental e nos acessos de loucura se punha a andar de quatro como um lobisomem e a imitar o grunhido dos porcos, o ladrar dos cães e o rosnar dos ursos[2]]. Os exemplos que aqui apresento aos Senhores mostram uma aproximação extraordinária entre os hábitos psíquicos existentes nos membros da mesma família, chegando quase à identidade.

107a Isto é uma expressão da identidade primitiva, da qual apenas lentamente se vai libertando a consciência individual. Nessa luta pela independência a escola desempenha papel muito importante por ser o primeiro ambiente que a criança encontra fora da família. Os companheiros substituem os irmãos, o professor o pai, e a professora a mãe. É muito importante que o professor esteja consciente desse seu papel. Sua tarefa não consiste apenas em meter na cabeça das crianças certa quantidade de ensinamentos, mas também em influir sobre as crianças, em favor de sua personalidade total. Esta atuação sobre a personalidade, no mínimo, é tão importante como a atividade docente, se não até mais importante, pelo menos em certos casos. Se é falta de sorte da criança não encontrar uma verdadeira família em casa, de outro lado também é perigoso para a criança estar presa demais à família. A ligação muito forte aos pais constitui impedimento direto para a acomodação futura no mundo. O adolescente está destinado para o mundo, e não para continuar a ser sempre apenas filho de seus pais. Lamentavelmente há muitíssimos pais que persistem em considerar os filhos sempre como crianças, porque eles próprios não querem nem envelhecer, nem renunciar à autoridade e ao poder de pais. Agindo deste modo, exercem sobre os filhos influência altamente desastrosa por tirar-lhes todas as ocasiões de assumirem responsabilidade individual. Este método prejudicial ou produz pessoas sem independência própria ou indivíduos que forçam a conquista da própria independência por caminhos escusos. Em contrapartida, há também outros pais que, por causa de sua própria fraqueza, são incapazes de opor à criança aquela autoridade da qual precisará mais tarde para

---

2. O manuscrito e a tradução inglesa trazem a anotação de que o autor, nesta parte da exposição, fez uma demonstração referente à experiência associativa (cf. OC, 2) em forma livre. – Para este texto em colchete cf. nota 1.

adaptar-se corretamente ao mundo. Como personalidade, tem pois o professor tarefa difícil, porque se não deve exercer a autoridade de modo que subjugue, também precisa apresentar justamente aquela dose de autoridade que compete à pessoa adulta e entendida perante a criança. Tal atitude não pode ser obtida artificialmente, mesmo com toda a boa vontade, mas somente se realiza de modo natural, à medida que o professor procura simplesmente cumprir seu dever como homem e cidadão. É preciso que ele mesmo seja uma pessoa correta e sadia; o bom exemplo é o melhor método de ensino. Por mais perfeito que seja o método, de nada adiantará se a pessoa que o executa não se encontrar acima dele em virtude do valor de sua personalidade. O caso seria diferente se o importante fosse apenas meter as matérias de ensino metodicamente na cabeça das crianças. Isso representaria, no máximo, a metade da importância da escola. A outra metade é a verdadeira educação psíquica, que só pode ser transmitida pela personalidade do professor. A finalidade desta educação é conduzir a criança para o mundo mais amplo e desta forma completar a educação dada pelos pais. A educação por parte dos pais, por mais cuidadosa que seja, não deixará de ser um tanto parcial, pois o meio ambiente continua sempre o mesmo. A escola, porém, é a primeira parte do grande mundo real; ela procura ir ao encontro da criança para ajudá-la a desprender-se, até certo ponto, do ambiente da casa paterna. A criança tem naturalmente frente ao professor o modo de adaptação aprendido do pai; projeta sobre ele a imagem paterna, como se diz em linguagem técnica, demonstrando a tendência de identificar a personalidade do professor com a imagem do pai. Por isso o professor precisa abrir sua personalidade à criança ou, ao menos, dar a oportunidade de que ela mesma encontre este acesso. Desde que o relacionamento pessoal entre a criança e o professor seja bom, pouca importância terá se o método didático corresponde ou não às exigências mais modernas. O êxito do ensino não depende do método. De acordo com a verdadeira finalidade da escola, o mais importante não é abarrotar de conhecimentos a cabeça das crianças, mas sim contribuir para que elas possam tornar-se adultos de verdade. O que importa não é o grau de saber com que a criança termina a escola, mas se a escola conseguiu ou não libertar o jovem ser humano de sua identidade com a família e torná-lo consciente de si próprio. Sem esta consciência de si mesmo, a pessoa jamais saberá o que deseja de verdade, mas continuará sempre na dependência da família e apenas procurará imitar os outros, experimentando o sentimento de estar sendo desconhecida e oprimida pelos outros.

108 No que disse até agora procurei transmitir aos Senhores uma reflexão geral sobre a alma infantil, de acordo com o ponto de vista da psicologia analítica. Durante esse trabalho permanecemos apenas na superfície dos fenômenos psíquicos. Com o emprego de certos métodos de pesquisa, desenvolvidos pela psicologia analítica, ser-nos-á dado penetrar muito mais fundo nesses fenômenos. Mas o emprego prático desses métodos em geral não é da competência do professor; devemos até desaconselhar terminantemente que alguém tente fazer uso deles por diletantismo, ou até por mero divertimento. Certamente seria de desejar que os professores tivessem conhecimento desses métodos; mas esse conhecimento seria desejável não no sentido de ser aplicado na educação das crianças, mas no de ser aproveitado para a própria educação do professor. A educação do próprio professor, porém, reverterá indiretamente em benefício das crianças.

109 Talvez os Senhores se admirem de que eu esteja falando da educação dos educadores. Devo declarar-lhes que, de acordo com a minha opinião, ninguém, absolutamente ninguém, está com sua educação terminada ao deixar a escola, ainda que conclua o curso superior. Deveríamos ter não apenas cursos de formação ulterior para os adolescentes, mas precisaríamos de cursos de educação ulterior também para os adultos. Costumamos educar as pessoas apenas até o ponto de poderem ganhar a vida e casar-se. Com isto se dá por terminada a educação, como se as pessoas já estivessem completamente prontas e preparadas para a vida. Desse modo se abandona ao critério e à ignorância do indivíduo a solução de todos os problemas futuros e complicados da vida. Cabe única e exclusivamente à falta de educação dos adultos a culpa de tantos casamentos desajustados e infelizes, assim como inúmeras decepções na vida profissional; todos esses adultos vivem muitas vezes na mais completa ignorância das coisas principais da vida. Chega-se até mesmo a pensar que os maus modos infantis parecem ser propriedades imutáveis do caráter, ao ocorrerem na idade adulta, quando as pessoas já deveriam ter terminado sua educação e há muito ultrapassaram a idade própria de ainda poderem ser educadas. Trata-se aqui, porém, de um grande engano. Também o

adulto é educável, e pode mesmo constituir objeto muito grato da arte da educação individual. Apenas não podem ser aplicados ao adulto os mesmos métodos empregados para as crianças. O adulto já perdeu a plasticidade extraordinária da psique infantil e não pode mais ser atingido em grau tão elevado por influências esquematizadas vindas de fora, pois dispõe de vontade própria, de convicções próprias e de uma autoconsciência mais ou menos pronta e orientada. Acresce que a criança, durante seu desenvolvimento psíquico, deve percorrer as etapas da série de seus antepassados e apenas pode ser educada até ter atingido mais ou menos a etapa moderna da cultura e da consciência. O adulto, porém, já se encontra nesta etapa e se considera portador da cultura atual. Por isso se sente muito pouco inclinado a reconhecer um educador que lhe seja superior, tal como a criança. É também importante que não o aceite, pois de outra forma recairia facilmente num estado infantil de dependência.

110 O método educacional apropriado ao adulto não pode ser o direto, mas apenas o indireto, que consiste em fornecer-lhe os conhecimentos psicológicos que lhe possibilitem educar-se a si próprio. Não podemos esperar tal tarefa da criança, mas devemos esperá-la da parte de um adulto, sobretudo ao tratar-se de um educador. O educador não pode contentar-se em ser o portador da cultura apenas de modo passivo, mas deve também desenvolver ativamente a cultura, e isto por meio da educação de si próprio. Sua cultura não deve jamais estacionar, pois de outro modo começará a corrigir nas crianças os defeitos que não corrigiu em si mesmo.

111 Se agora passo a expor aos Senhores alguma coisa sobre os métodos de pesquisa da psicologia analítica, gostaria que ficasse claro que o faço para mostrar-lhes a possibilidade da educação ulterior de si mesmo. Torno a acentuar que seria inteiramente errado pretender usar tais métodos diretamente na criança. Para que seja possível a educação de si mesmo, exige-se o autoconhecimento como fundamento indispensável. Esse autoconhecimento é conseguido tanto pela observação crítica e pelo julgamento dos próprios atos como também pelo julgamento de nossas ações por parte dos outros. O julgamento de si mesmo, contudo, é facilmente sujeito aos próprios preconceitos, enquanto que o julgamento por parte de outros pode estar errado, ou nem sequer é aceito. Seja como for, o autoconhecimento

haurido dessas duas fontes é cheio de falhas e confuso, como em geral todos os julgamentos humanos, os quais raramente são isentos de um falseamento provindo do desejo ou do temor. Será que existe um critério objetivo que nos diga como é que realmente somos? Algo semelhante a um termômetro, que apresenta a um doente, de modo incontestável, o fato de estar realmente com 39,5°C de febre? No que se refere ao corpo não duvidamos da existência de critérios objetivos. Se, por exemplo, temos a convicção de que podemos comer morango sem sentir nenhum mal, como aliás acontece a quase todo o mundo, assim mesmo nosso corpo poderá reagir, provocando eventualmente uma erupção cutânea desagradável; este fato, desde que verificado, ensinar-nos-ia que não suportamos morango, apesar de nossa convicção em contrário.

112 No tocante ao psíquico, porém, tudo se nos afigura como voluntário e sujeito ao nosso arbítrio. Este preconceito universal provém do fato de confundirmos frequentemente o psíquico com a consciência. Contudo, há inúmeros processos psíquicos, e até muito importantes, que são inconscientes ou conscientes apenas por via indireta. Sobre o que é inconsciente nada podemos conhecer diretamente, mas certos efeitos do inconsciente atingem nossa consciência e assim chegam ao nosso conhecimento. Desde que na consciência tudo se nos apresenta como voluntário, com certeza não encontramos aí, aparentemente, nenhum critério objetivo para o conhecimento de nós mesmos. Mas, apesar disso, há um critério que nos permite chegar ao conhecimento da verdade sobre nós mesmos, porque ele é independente do desejo e do temor e, como produto da própria natureza, é incapaz de iludir-nos. Esta averiguação objetiva, nós a encontramos num produto da atividade psíquica, ao qual só em último lugar atribuiríamos tal relevância. Trata-se do *sonho*.

113 Que é então o sonho? O sonho é um produto da atividade psíquica inconsciente durante o sono. Enquanto dormimos, nossa alma deixa de estar sujeita à nossa vontade consciente, e isso em grau elevado. Com o resto mínimo de consciência que ainda conservamos durante o sonhar, apenas podemos perceber o que ocorre; não dispomos, porém, da capacidade de dirigir o desenrolar dessa atividade conforme nosso desejo ou nossa intenção; e, por isso mesmo, nos achamos privados da possibilidade de nos iludir. O sonho é um processo automático,

que se fundamenta na atividade independente provinda do inconsciente e que não está sujeito à nossa vontade, do mesmo modo que o processo fisiológico da digestão. Trata-se, pois, de um processo psíquico absolutamente objetivo, de cuja natureza podemos tirar conclusões objetivas a respeito do estado psíquico realmente existente.

114 Mesmo concedendo tudo isso, os Senhores haveriam de perguntar: Como, afinal de contas, será possível tirar uma conclusão digna de crédito, a partir do emaranhado casual e confuso das representações contidas no sonho? Em resposta, direi primeiramente que o sonho parece ser confuso e fortuito, mas, se o examinarmos melhor, logo descobriremos um conexo interno muito marcante das imagens oníricas entre si, como também entre elas e os conteúdos da consciência desperta. Chegou-se a esta descoberta por um processo relativamente muito simples. Basta para isso dividir a sequência do sonho em suas fases e imagens, e depois procurar reunir cuidadosamente a cada parte do sonho todas as ideias espontâneas que nos vierem à mente. Realizado esse trabalho, logo perceberemos um relacionamento extraordinariamente íntimo entre as imagens oníricas e as coisas que durante a vigília nos ocupam interiormente. Contudo, logo de início não nos parece muito claro o modo pelo qual esse conexo deva ser entendido. Ao recolhermos as ideias espontâneas, realizamos apenas a parte preparatória da análise do sonho, parte certamente importantíssima. Chegamos assim ao chamado *contexto* da imagem onírica, o qual nos desvenda todos os variados relacionamentos entre o sonho e os conteúdos da consciência, e isso mostra também como o sonho se acha ligado a todas as tendências da personalidade do modo mais íntimo possível.

115 Depois de termos esclarecido até esse ponto todos os aspectos do sonho, poderemos passar para a segunda parte da nossa tarefa, que é a *interpretação* do material de que dispomos. Como acontece geralmente no campo científico, também aqui devemos proceder, tanto quanto possível, livres de preconceitos. Devemos como que deixar o material falar por si mesmo. Em muitíssimos casos é suficiente olhar para a imagem onírica e para o material recolhido a fim de poder-se ao menos suspeitar qual é o significado do sonho. Nestes casos não se requer nenhum raciocínio especial para obtermos o significado do sonho. Em outros casos torna-se indispensável um trabalho laborioso

de interpretação, em que precisamos valer-nos da experiência científica. Lamento não poder fazer agora uma incursão no tema certamente amplo do simbolismo do sonho. A respeito disso já foram escritos grossos volumes. No tratamento psíquico não podemos dispensar a experiência acumulada nesses livros, mesmo que haja casos, como já disse, nos quais basta o uso da sã razão.

116 Para dar-lhes uma ilustração prática a respeito do que afirmei, pretendo apresentar-lhes o caso de um sonho, acompanhado de sua interpretação.

117 Quem sonhou foi um senhor, de formação acadêmica, de aproximadamente cinquenta anos. Eu apenas o conhecia de um ou outro contato social, e, quando conversávamos casualmente sobre o assunto, ele gostava de aludir com ironia ao charlatanismo de interpretar sonhos. Certa vez em que tornamos a encontrar-nos, ele perguntou-me se eu ainda continuava a interpretar sonhos. Em ocasiões como essa, eu costumava afirmar, como o fiz então, que ele certamente tinha concepções muito errôneas a respeito da natureza dos sonhos. Respondeu-me ele que tinha tido há pouco um sonho, e que eu o devia interpretar. Concordei, e então ele me contou o seguinte sonho: *Ele se achava sozinho, prestes a escalar uma montanha muito alta e muito íngreme, que tinha à sua frente. No início a subida foi muito cansativa; mas, a partir de certo momento, quanto mais alto ia subindo, tanto mais se sentia atraído pelo cume da montanha. Subia cada vez mais depressa, e aos poucos entrou em uma espécie de êxtase. Parecia-lhe agora subir voando e, ao atingir o cume, sentiu-se como se tivesse perdido completamente o peso, e se elevou aos ares, acima do cume da montanha.* Aí ele acordou.

118 Queria então saber minha opinião a respeito desse sonho. Eu sabia que ele não era apenas um alpinista experiente, mas que tinha grande entusiasmo pelas escaladas. Por isso não me admirei de encontrar confirmada mais uma vez a velha regra de que o sonho costuma exprimir-se na própria linguagem do sonhador. Como sabia que ele dava grande importância ao alpinismo, pedi-lhe que me fosse contando alguma coisa a respeito das escaladas de montanhas. Ele concordou prontamente e pôs-se a contar que gostava especialmente de escalar sozinho, sem guia, porque o perigo o atraía extraordinariamente. Falou também de umas escaladas muito perigosas; sua ousadia me pare-

ceu muito impressionante. Em meu íntimo eu me admirava, sem saber o que poderia levá-lo a procurar, aparentemente com prazer especial, tais situações cheias de perigo. Ele deve ter pensado em coisa semelhante, pois acrescentou, tornando-se mais sério, que não temia o perigo, pois a morte nas montanhas seria para ele uma coisa linda. Essa observação projetava sobre o sonho uma luz muito significativa. Evidentemente ele estava procurando o perigo, talvez pelo motivo inconfessável de suicidar-se. Mas por que estaria procurando a morte? Devia haver motivos especiais para isso. Intercalei, por isso, a observação de que um homem de sua posição não deveria expor-se a tais perigos. Replicou-me imediatamente, em tom muito decidido, que não haveria de desistir das montanhas, que *precisava* ir para lá, para longe da cidade, para fora da família. Não valia a pena viver sempre em casa. Com isso se abria um caminho de acesso aos motivos mais íntimos de sua paixão. Fiquei sabendo que seu casamento tinha fracassado e que nada o prendia ao lar. Também parecia que já estava mais ou menos entediado com suas atividades profissionais. Assim estava explicada a enorme paixão pelas montanhas: elas significavam para ele a libertação da existência que se tornara insuportável.

Assim ficava esclarecido o sonho dele. Como ainda tinha certo apego à vida, o começo da escalada foi cansativo. Quanto mais, porém, se entregava à paixão que tinha, tanto mais ela o arrastava e até lhe dava asas aos pés. Finalmente a paixão o arrasta acima de si mesmo, seu corpo perde todo o peso, e se eleva acima da montanha, penetrando no vazio do ar. Evidentemente isto indica a morte nas montanhas. 119

Após um intervalo de silêncio ele disse repentinamente: "Até agora falamos apenas sobre outras coisas. O que o Senhor pretendia era interpretar o sonho. Que acha a respeito?" Disse-lhe sinceramente qual era a minha opinião, que ele buscava a morte nas montanhas e que, por ter essa atitude, corria o maior perigo de encontrar de fato a morte. 120

Respondeu-me a rir-se: "É pura bobagem. Ao contrário, o que procuro é a recreação nas montanhas". 121

Foi em vão que tentei esclarecer-lhe a seriedade da situação. Meio ano mais tarde, ao escalar um pico extremamente perigoso, caiu literalmente no vácuo, sobre o guia que se achava mais abaixo, e o arrastou consigo para a morte. 122

123 Por meio deste sonho podem os Senhores perceber qual é, em si, a função do sonho. Ele retrata certas tendências da personalidade, as quais são fundamentais e de importância vital. Seu significado pode ter importância para a vida toda ou apenas para um dado momento. A respeito dessas coisas faz o sonho uma constatação objetiva, sem importar-se com os desejos conscientes e as convicções da pessoa. Se refletirem sobre o sonho acima, os Senhores passarão a dar-me razão: em certas circunstâncias, é de importância incalculável para a vida consciente que se considere devidamente o sonho, mesmo que não se trate de um caso de vida ou morte.

124 Que vantagem moral para seu modo de viver aquele homem poderia ter tirado do sonho; por exemplo, reconhecer sua perigosa falta de moderação!

125 Eis a razão pela qual nós, os médicos da alma, recorremos à arte antiquíssima de interpretar os sonhos. Temos de educar os adultos, que já não se deixam conduzir pela autoridade, como as crianças. Além disso a trajetória da vida é tão individual que certamente nenhum conselheiro, por mais competente que fosse, poder-lhes-ia prescrever o único caminho certo. Por isso devemos fazer com que a própria alma da pessoa venha a falar, a fim de que esta compreenda, a partir de seu próprio íntimo, qual é a sua situação verdadeira.

126 Espero que tenha facultado aos Senhores penetrarem de certo modo no conjunto de ideias da psicologia analítica, pelo menos na medida em que isto é possível dentro das limitações impostas por uma conferência. Dar-me-ei por plenamente satisfeito se os Senhores puderem encontrar no que lhes acabo de oferecer algum estímulo que lhes seja proveitoso em sua atividade profissional.

IV

Psicologia Analítica e Educação*

Prefácio da 3ª edição

Estas conferências foram proferidas pela primeira vez em Londres e em língua inglesa, no mês de maio de 1924; posteriormente foram traduzidas para o alemão. Essa impressão ocorreu numa época em que eu pouco permanecia em casa, em consequência de viagens extensas que fiz; vi-me, pois, obrigado a realizar grande parte do trabalho no tempo mais breve possível. Para esta nova edição a situação foi mais favorável, permitindo-me efetuar a atualização e correção necessárias, assim como a reformulação do texto. Muita coisa, considerada atual naquela época, podia agora ser omitida e substituída por algo melhor. De modo geral, a extensão da obra permaneceu a mesma.

Junho de 1945.

C.G. Jung

***

---

* Três conferências, proferidas no Congresso Internacional de Educação em Londres, 1924. Publicadas pela primeira vez como Analytische Psychologie und Erziehung (Psicologia analítica e educação). Kampmann, Heidelberg 1926 [Nova edição na editora Rascher, Zurique, 1936. Revistas e ampliadas como Psychologie und Erziehung (Psicologia e educação), em conjunto com os tratados I e V deste volume. Rascher 1946. Reedição (cartonada) 1970].

I

Minhas Senhoras e meus Senhores!

127 A Psicologia é uma das ciências mais recentes. Entretanto, o termo psicologia, como os Senhores sabem, já existia muito tempo antes, mas era apenas o título de um determinado capítulo da filosofia; nesse capítulo procurava o filósofo, de acordo com as premissas da filosofia professada, estabelecer mais ou menos as leis acerca daquilo que ele considerava ser a alma humana. Do meu tempo de jovem estudante guardo a recordação de um professor que afirmava ser pouco o que se sabia a respeito da verdadeira natureza dos processos psíquicos, enquanto outro ensinava categoricamente o que a alma devia ser. Se os Senhores estudarem os inícios da psicologia moderna e empírica, certamente ficarão impressionados com a luta que os primeiros pesquisadores tiveram de enfrentar contra o modo de pensar escolástico, que então dominava de modo absoluto. No domínio da filosofia, o pensamento era fortemente influenciado pela teologia (a "rainha das ciências") e mostrava uma tendência dedutiva muito pronunciada. Dominavam então pressupostos ingênuos e idealistas, que desencadearam a reação, pela própria natureza do assunto. Surgiu, pois, a época do materialismo do século XIX, de cujo modo de encarar as coisas não conseguimos libertar-nos completamente, até hoje. O sucesso do princípio proposto pelo empirismo era tão inegável que a irradiação dessa vitória chegou a produzir uma filosofia materialista, na verdade muito mais uma reação psicológica do que talvez uma teoria científica legítima. A visão materialista do mundo é uma reação exagerada contra o idealismo medieval e representa algo muito diferente da verdadeira natureza do empirismo.

128 Naturalmente, foi nesse estado de coisas, em que predominava a concepção materialista, que surgiu a psicologia moderna e experimental. Era uma psicologia fisiológica, estabelecida completamente em base experimental, que considerava o processo psíquico exclusivamente a partir de fora e do ponto de vista de suas manifestações fisiológicas. Tal estado de coisas era mais ou menos satisfatório enquanto a psicologia continuava pertencendo ao domínio da filosofia ou ao das ciências naturais. Enquanto a psicologia se restringia ao laboratório psicológico, podia continuar a ser puramente experimen-

tal e considerar o processo psíquico unicamente de fora. Em substituição à antiga psicologia dogmática, tinha-se então uma psicologia nova, mas que em seus começos não deixava ainda de ser filosófica. Mas o sossego do laboratório acadêmico logo foi perturbado pela exigência dos que necessitavam da psicologia para uso prático. Estes invasores eram os médicos. Tanto o neurólogo como o psiquiatra ocupavam-se com as perturbações psíquicas e sentiam a necessidade de uma psicologia aplicável na prática como altamente imperiosa. À margem do desenvolvimento da psicologia acadêmica, já tinham os médicos encontrado uma via de acesso para o espírito humano e para o tratamento psíquico de suas perturbações. Cuidou disso o *hipnotismo,* que se havia desenvolvido a partir daquilo que no fim do século XVIII era conhecido por "mesmerismo" e no início do século XIX passou a ser chamado de "magnetismo animal". O desenvolvimento do hipnotismo, por parte de Charcot, Ltébault e Bernheim, conduziu à medicina psicológica, representada por Pierre Janet. Outro discípulo de Charcot, chamado Freud[1], principiou a usar o método do hipnotismo em Viena, do mesmo modo que Janet, mas logo enveredou por outro caminho. Enquanto Janet se ocupava principalmente com o aspecto descritivo, procurou Freud ir mais longe e penetrar naquilo que a ciência médica da época não considerava importante para a pesquisa, isto é, as fantasias mórbidas dos pacientes e a atuação que exerciam na esfera inconsciente do espírito. Seria injusto pretender afirmar que Janet não tivesse percebido o fato da existência do inconsciente. Ocorreu justamente o contrário. Constitui grande mérito para Janet ter chamado a atenção para a existência e a importância de processos inconscientes na estrutura psicológica das perturbações nervosas e psíquicas. O mérito de Freud não foi a descoberta da existência da atividade inconsciente, mas sim o ter desvendado a verdadeira natureza dessa atividade e, sobretudo, ter elaborado um método prático para a exploração do inconsciente. Independentemente de Freud, aproximei-me do problema da criação de uma psicologia prática por dois lados distintos. Parti da psicopatologia experimental, procurando empregar principalmente o método da associação,

1. Freud também traduziu para o alemão a obra de BERNHEIM. *Die Suggestion und ihre Heilwirkung.* Leipzig: F. Deuticke, 1888.

como também parti da pesquisa da personalidade[2]. Enquanto Freud tomou por campo especial de suas pesquisas[3] as fantasias mórbidas dos pacientes, negligenciadas até então, dirigi toda a minha atenção para as causas das perturbações inconscientes surgidas no decurso das experiências de associação. Até então tanto as fantasias do histérico, como as perturbações ocorridas nas experiências de associação, eram consideradas como desprovidas de valor e sentido, como manifestações inteiramente fortuitas, ou, mais brevemente, como *materia vilis*. Fui eu que descobri que essas perturbações provinham de processos inconscientes, os quais fazem parte *dos* complexos de carga emotiva[4] tal como os denominei. Depois que, por assim dizer, acabei descobrindo o mesmo mecanismo psíquico que Freud havia encontrado, era muito natural que por vários anos passasse a ser seu discípulo e colaborador. Mas sempre tendo reconhecido a verdade de suas conclusões, desde que se baseassem em fatos, todavia não ocultei minhas dúvidas sobre a validade de seus pontos de vista teóricos. Seu deplorável dogmatismo foi o motivo principal que me levou a separar-me dele e seguir meu próprio caminho. Minha consciência científica não me permitia dar apoio a uma convicção que tornava dogma uma explicação apenas parcial das experiências.

129 O mérito de Freud de modo algum é insignificante. Quanto à descoberta do inconsciente como etiologia e estrutura das neuroses e psicoses, partilha ele o mérito com alguns outros. A meu ver, seu mérito principal e extraordinário está na descoberta de um método para explorar o inconsciente e especialmente os sonhos. Como pioneiro, tentou corajosamente abrir as portas secretas do sonho. Que este tem significado e que é possível chegar-se a compreendê-lo, esta é talvez a

---

2. Cf. minha dissertação *Zur Psychologie und Pathologie sogenannter occulter Phänomene* (Contribuições à psicologia e à patologia dos chamados fenômenos ocultos) [OC, 1].

3. Cf. *Sammlung kleiner Schriften zur Neurosenlehre* (Coleção de pequenos tratados acerca da teoria das neuroses). Leipzig/Viena: [s.e.], 1909.

4. Os resultados de meus colaboradores e de minhas próprias experiências estão contidos nos dois volumes de *Diagnostische Assoziationsstudien* (Estudos de associação para fins diagnósticos). A chamada *teoria dos complexos* encontrou uso na psicopatologia da esquizofrenia; cf. *Über die Psychologie der Dementia praecox* (Sobre a psicologia da demência precoce) [OC, 3, 1968]. Uma exposição sobre ela se encontra na minha dissertação *Allgemeines zur Komplextheorie* (Generalidades sobre a teoria dos complexos) [OC, 8, 1967].

parte mais importante e mais valiosa das pesquisas de Freud. De nenhum modo gostaria de diminuir-lhe os méritos, mas também sinto ser minha obrigação reconhecer o trabalho de todos aqueles que enfrentaram com coragem o grande problema da medicina psicológica e conseguiram lançar as bases, sem as quais nem Freud nem eu mesmo teríamos sido capazes de realizar nossa tarefa. Merecem, pois, nossa gratidão Pierre Janet, Auguste Forel, Théodore Flournoy, Morton Prince, Eugen Bleuler, sempre e onde quer que falemos dos começos da nova psicologia médica.

130 Os trabalhos de Freud demonstraram que as neuroses funcionais têm sua causa fundamental em *conteúdos inconscientes* e que a natureza desses conteúdos nos permite compreender como se originou a doença. O valor desta descoberta é tão grande como o da descoberta do agente específico da tuberculose e de outras doenças contagiosas. Além disso, paralelamente à importância terapêutica da psicologia analítica, teve também a psicologia das pessoas normais um enriquecimento enorme. É que a compreensão dos sonhos nos permite uma visão quase ilimitada sobre o processo de formação da consciência, a partir das profundezas mais remotas e sombrias do inconsciente. Mais ainda, o emprego prático do método analítico nos capacitou a analisar e distinguir no comportamento do indivíduo normal funções e atitudes típicas. Ao passo que a psicanálise, por ser psicologia médica, apenas se ocupa com os casos anormais e por isso deverá ficar reservada aos médicos, a psicologia do sonho e do comportamento humano será de interesse geral principalmente para as pessoas que se dediquem à educação. De fato seria muito interessante que o pedagogo levasse também em conta os resultados da psicologia analítica, desde que estivesse realmente interessado em conhecer a natureza psíquica de seus educandos. Mas em tudo isso pressupõe-se uma boa dose de psicopatologia, pois, se não é difícil compreender a criança normal, é bem mais trabalhoso lidar com a anormal. Anormalidade e doença não se acham muito distantes entre si. Por isso, do mesmo modo que se espera que o educador bem preparado tenha certo conhecimento das doenças próprias da infância, também se deve esperar que esteja informado sobre os distúrbios psíquicos comuns.

131 Há cinco grupos principais de perturbações psíquicas em crianças:

A criança psiquicamente deficiente. O caso mais frequente é a imbecilidade, que se caracteriza sobretudo pelo baixo índice de inteligência e pela incapacidade generalizada de compreender as coisas.

132 O tipo que mais chama a atenção é o da criança fleumática, vagarosa, obtusa e abobada. Entre esses casos ocorrem também alguns em que a grande pobreza da inteligência é compensada pela riqueza do coração; e tais crianças demonstram lealdade, apego, devotamento, são merecedoras de plena confiança e capazes de se dedicarem com grande sacrifício próprio. Um tipo mais raro e mais difícil de imbecilidade é o da criança que se excita e se irrita facilmente. A incapacidade intelectual é tão indiscutível como no tipo anterior, mas se manifesta muitas vezes apenas em sentido determinado.

133 Destas formas inatas e praticamente incuráveis, ainda que não sejam incapazes de alguma educação, devemos distinguir a criança apenas retardada em seu desenvolvimento psíquico. O desenvolvimento delas é muito lento, e em certos períodos quase imperceptível. É necessário muitas vezes o diagnóstico de um psiquiatra experiente e bem formado para se ter certeza se é caso de idiotia ou não. Do ponto de vista afetivo, tais crianças reagem frequentemente como imbecis. Certa vez me consultaram acerca do caso de um menino de seis anos que tinha violentos ataques de cólera, durante os quais destruía os brinquedos e ameaçava os pais e a governanta de maneira quase perigosa; além disso "não queria falar", como os pais supunham. Era um garoto pequeno, bem nutrido, mas desconfiado, maldoso, teimoso e renitente. Era evidentemente idiota, e simplesmente *não podia* falar, porque nunca o havia aprendido. Mas sua idiotia não era tão grave que justificasse a ausência da fala. O comportamento geral indicava uma neurose. Sempre que uma criança pequena manifeste os sintomas de neurose, não se deveria perder muito tempo na pesquisa de seu inconsciente. A pesquisa deveria ser iniciada em outro lugar, a saber, na própria mãe, pois de acordo com a regra geral os pais são quase sempre os autores diretos da neurose da criança, ou pelo menos fatores importantes. Assim, nesse caso, constatei que a criança era o único garoto entre sete meninas. A mãe era uma mulher ambiciosa e voluntariosa, que se sentiu ofendida quando lhe disse que o filho não era normal. Nega-

va-se propositadamente a reconhecer o defeito do menino. Ele *tinha* simplesmente de ser inteligente – e se não podia ser, era porque não queria, por má vontade e por teimosia maldosa. Como era de esperar, o menino não aprendia absolutamente nada, muito menos do que teria sido capaz de assimilar, se tivesse tido a sorte de ter uma mãe mais razoável. Além disso, ele reagia obedecendo ao máximo à orientação para a qual a ambição da mãe o impelia, isto é, a ser maldoso e teimoso. Pelo fato de sentir-se totalmente incompreendido e isolado em si mesmo foi que, por puro desespero, se originaram seus acessos de cólera. Já ocorreu que, em circunstâncias semelhantes, um rapazinho de catorze anos, num acesso de cólera, matou o padrasto a machadadas – também dele estavam a exigir demais.

134 O desenvolvimento psíquico retardado ocorre não poucas vezes entre os primeiros filhos ou entre crianças, cujos pais se distanciaram, um do outro, por causa de desentendimentos psíquicos; costuma também ser consequência de doenças da mãe durante a gestação, de um parto excessivamente demorado, de alguma deformação do crânio ou de uma hemorragia durante o parto. Se tais crianças não forem estragadas pelos educadores ambiciosos, conseguem ainda, com o correr dos anos, adquirir em muitos casos um amadurecimento relativo da mente, ainda que um pouco mais tarde do que seus colegas.

135 O segundo grupo se refere à *criança moralmente deficiente*. Nos casos de idiotia moral, a perturbação pode ser de nascença ou surgida por danos em alguma parte do cérebro em consequência de ferimento ou doenças. Esses casos são incuráveis. Tais casos evoluem ocasionalmente para o crime e constituem os germes infantis do criminoso consuetudinário.

136 É preciso distinguir cuidadosamente entre esse grupo e a criança que estacionou em seu desenvolvimento moral, a qual forma o *tipo de autoerotismo doentio*. Estes casos apresentam uma cota quase sinistra de egocentrismo, frieza de sentimento, falta de seriedade, desumanidade, falsidade, atividade sexual precoce etc. Tais casos ocorrem com frequência entre filhos ilegítimos e crianças adotadas, que jamais ou apenas de modo incompleto gozaram da felicidade de sentir-se envolvidas pelo ambiente psíquico de pais verdadeiros. Estas crianças padecem realmente de uma ausência quase orgânica de algu-

ma coisa, de que toda a criança precisa necessariamente para viver, isto é, da atenção dos pais, sobretudo da mãe, que exerce um efeito psíquico "alimentador". Devido a essa circunstância, os filhos ilegítimos estão sempre em perigo psíquico, ora maior ora menor; nesses casos é o lado moral que sofre em primeiro lugar e em maior grau. Algumas crianças conseguem adaptar-se aos pais adotivos, mas nem todas. As que não o conseguem, desenvolvem uma atitude altamente egocêntrica, sem compaixão e sem consideração alguma; são levadas a isso pela finalidade inconsciente de darem a si próprias aquilo que não receberam da parte dos pais. Esses casos nem sempre são incuráveis. Pude observar um menino que com apenas cinco anos violentou uma irmãzinha de quatro anos, aos nove tentou matar o pai, mas aos dezoito anos conseguiu normalidade satisfatória, apesar do diagnóstico de "idiotia moral incurável". Se esta falta de um freio moral, que muitas vezes conduz a tais aventuras, se achar unida a uma boa inteligência e se ainda não ocorreu a ruptura completa com a sociedade, então é possível que tais pessoas, por seu próprio juízo, renunciem à criminalidade que poderiam praticar. Mas, apesar de tudo, é preciso ter sempre em conta que a razão representa apenas uma parede divisória muito frágil que os conserva separados do que é doentio.

137 O terceiro grupo é o da *criança epiléptica*. Tais casos, infelizmente, não são muito raros. É fácil realmente distinguir o acesso manifestamente epiléptico, mas o assim chamado *petit mal* (pequeno mal) é na realidade um estado muito obscuro e complicado, porque não existem acessos visíveis. No entanto, ocorrem alterações específicas na consciência, geralmente invisíveis, as quais constituem uma transição para aquela maneira psíquica de ser que caracteriza o epiléptico. É próprio do epiléptico distinguir-se por excitabilidade, crueldade, cobiça, sentimentalismo meloso, busca doentia de justiça, egoísmo e um mundo restrito de interesses. Naturalmente, não poderia expor aqui todas as formas variadas do estado epiléptico. Contudo, para ilustrar o quadro dos sintomas, vou apresentar-lhes o caso de um menino, que aos sete anos começou a tornar-se esquisito. A primeira coisa notada era que ele às vezes desaparecia; iam encontrá-lo então escondido no sótão ou num canto escuro do assoalho. Não conseguiam dele nenhuma explicação do motivo por que havia fugido e se escondido. Às vezes parava repentinamente de brincar e ia

esconder o rosto no colo da mãe. Nos primeiros tempos isto ocorria tão raramente que ninguém notava esse comportamento estranho; mas quando ele começou a fazer o mesmo na escola, abandonando a carteira e correndo para o professor, seus pais e parentes começaram a inquietar-se. Ninguém, contudo, imaginava a possibilidade de uma doença séria. Acontecia ocasionalmente ficar alguns segundos parado e desligado no meio de um jogo, ou até mesmo no meio de uma frase, sem poder depois dar nenhuma explicação ou mesmo, ao que parece, sem ter conhecimento dessa ausência. Aos poucos seu gênio foi-se tornando um tanto desagradável e irritável. Ocasionalmente chegava a ter acessos de furor; foi numa dessas ocasiões que certa vez jogou uma tesoura em sua irmã menor, e com tal força que lhe furou o osso do crânio logo acima dos olhos, quase a matando. Como os pais não pensaram em procurar um psiquiatra, continuava o caso sem ser reconhecido como tal; e o menino passou a ser tratado como maldoso. Aos doze anos deu-se o primeiro acesso epiléptico, que pôde ser verificado objetivamente, e só então é que sua doença foi entendida. Apesar das grandes dificuldades encontradas, consegui arrancar algo do menino: aos seis anos se sentira de repente tomado de medo diante de um ser desconhecido. Quando sozinho, tinha a impressão de que alguém estava presente. Mais tarde, percebeu o vulto de um homem pequeno, barbudo, que jamais vira antes, mas cujos traços fisionômicos podia descrever com todas as particularidades. Este homem apareceu-lhe certa vez de repente e o amedrontou de tal maneira que ele correu e foi esconder-se. Foi difícil conseguir que me explicasse por que o tal homem era tão medonho. O menino estava visivelmente perturbado com algo que considerava um segredo horrível. Precisei de muitas horas até conquistar-lhe a simpatia, para que ele me contasse tudo. Disse-me, então: "Este homem tentava me entregar uma coisa horrorosa. Não posso dizer o que era, mas era terrível. Ele ia chegando cada vez mais perto e insistia sempre que eu aceitasse a coisa. Mas eu ficava tão amedrontado que sempre fugia e não pegava naquilo". Enquanto o menino ia contando isso, ficou pálido e começou a tremer de medo. Quando, enfim, consegui acalmá-lo, disse-me então: "Esse homem tentava me *entregar uma culpa*". "Mas que culpa?", perguntei. Então o menino se ergueu, olhou desconfiado em torno de si, e disse quase cochichando: "Crime de morte". Havia de fato ocorrido, quando ele tinha oito anos, o incidente em que quase matara a irmãzinha, como referi acima. Mais tarde continuaram os acessos de medo, mas a visão era outra. O homem horrível deixou de aparecer, tratava-se agora da imagem de uma freira, uma espécie de enfermeira, primeiro com o rosto velado, mas pouco depois com o rosto descoberto, pálida como a morte e com um aspecto extremamente assustador. Entre os sete e os oito anos ele foi perseguido por essa figura e cessaram os acessos de cólera, apesar do aumento da irritabilidade; mas, em substituição, começaram a ocorrer os acessos manifestamente epilépticos. A visão da freira indicava evidentemente uma transformação em doença manifesta da tendência criminosa incompatível, simbolizada pelo homem barbudo[5].

138 Tais casos às vezes são mais funcionais do que orgânicos, de modo que ainda é possível fazer-se alguma coisa por meio de um tratamento psíquico. É esta a razão pela qual apresentei tantos pormenores neste caso. O caso mostra o que se passa na alma da criança como que por trás dos bastidores.

139 As *crianças neuróticas* formam o quarto grupo. A descrição da abundância de sintomas e de formas de neurose infantil ultrapassaria o âmbito de uma preleção. Encontra-se aí tudo o que vai desde o mau comportamento exacerbado, até os ataques e estados declaradamente histéricos. Os sintomas podem ser aparentemente somáticos, como febre histérica ou temperatura anormalmente baixa, espasmos, paralisias, dores, perturbações digestivas etc.; ou assumir aspecto psíquico ou moral, sob a forma de excitação ou depressão, mentiras, perversões sexuais, furtos etc. Observei o caso de uma menina muito nova, que desde os primeiros anos padecia de uma constipação extremamente desagradável. Já tinha sido submetida a todos os tratamentos somáticos que se possa imaginar. Mas tudo em vão, porque o médico deixou de considerar um fator importante na vida da criança, a saber, a mãe dela. Quando vi a mãe, compreendi imediatamente que era a verdadeira causa da doença da menina. Propus-lhe que se submetesse a um tratamento, e ao mesmo tempo aconselhei-a a deixar a

---

5. É interessante notar como o crime de morte, existente em estado subliminar, que procurava unir-se ao paciente em idade adulta (homem de barba) foi compensado pela doença (enfermeira). A doença como que o protegeu do crime.

criança entregue a outra pessoa. Quando outra pessoa passou a cuidar da criança, no dia imediato desapareceu a perturbação digestiva. A solução deste problema foi até muito simples. Esta menina era a caçulinha, a queridinha de uma mãe neurótica. A mãe projetava nela as suas próprias fobias e a tinha envolvido ansiosamente de tantos cuidados que a criança não podia sair desse estado de tensão permanente: e tal estado, como se sabe, não é favorável às funções digestivas.

140 O quinto grupo é constituído pelas diversas formas de *psicose*. Ainda que tais casos não sejam frequentes em crianças, já podem, contudo, surgir as primeiras fases desse desenvolvimento psíquico doentio, que mais tarde, após a puberdade, conduz à esquizofrenia, numa de suas várias formas. Tais crianças geralmente mostram um comportamento estranho e esquisito; são incompreensíveis, a miúdo inacessíveis, exageradamente sensíveis, fechadas em si mesmas, completamente anormais em seus sentimentos: ou embrutecidas, ou extremamente emotivas diante de causas sem nenhuma importância.

141 Observei o caso de um rapazinho de uns quinze anos, no qual a atividade sexual havia surgido espontaneamente e antes do tempo, e isto de modo bastante inquietador, por perturbar o sono e o estado geral da saúde. A perturbação teve início por ocasião de um baile, quando uma moça o recusou. Ele zangou-se muito e foi-se embora. Tendo voltado para casa, quis estudar as lições escolares, mas isso foi impossível, porque se sentia tomado de uma emoção indescritível, que crescia sem parar. Era um misto de medo, raiva e desespero, que se apossou dele de modo crescente, até que saiu em disparada para o jardim e se pôs a rolar no chão, em estado quase inconsciente. Após algumas horas, a emoção serenou. Trata-se aqui de emoção tipicamente patológica, que é característica de crianças portadoras de tara hereditária. Entre os ascendentes desse rapaz havia vários casos de esquizofrenia.

142 Na minha opinião, é indispensável que o educador, disposto a seguir os princípios da psicologia analítica, preste muita atenção à psicopatologia infantil e aos perigos de tais estados. Lamentavelmente existem muitos livros de psicanálise que deixam no leitor a impressão de que sua aplicação é muito simples e que se obtêm logo os melhores resultados. Contudo, o psiquiatra competente não pode partilhar dessas opiniões superficiais. Deve precaver as pessoas contra as

tentativas ineficientes e levianas de analisar as crianças. É indubitavelmente de grande proveito para o educador conhecer o que a psicologia moderna oferece para a compreensão da mente infantil. Mas quem pretenda aplicar esses métodos em crianças precisa conhecer a fundo os estados doentios com que irá lidar. De minha parte devo confessar que não compreendo como alguém possa ter a ousadia de analisar as crianças, sem possuir conhecimentos especializados e sem valer-se de aconselhamento por parte de um médico.

143 Além disso, analisar crianças é um empreendimento muito difícil e especial; trabalha-se em condições muito diversas das existentes na análise de adultos. A criança tem uma psicologia singular. Assim como o seu corpo, durante a vida embrionária, é uma parte do corpo materno, também sua mente, por muitos anos, constitui parte da atmosfera psíquica dos pais. Este fato esclarece de pronto por que muitas das neuroses infantis são muito mais sintomas das condições psíquicas reinantes entre os pais do que propriamente doença genuína da criança. Apenas em parte a criança tem psicologia própria; em relação à maior parte ainda depende da vida psíquica dos pais. Tal dependência é normal, e perturbá-la se torna prejudicial ao crescimento natural da mente infantil. Por isso é compreensível que o esclarecimento das questões sexuais, dado precocemente e de modo indevido, poderá ter influência prejudicial no relacionamento da criança para com os pais. Tais efeitos são inevitáveis quando se toma por base a tese de que o relacionamento entre pais e filhos é de natureza sexual.

144 Não se justifica também a tendência de atribuir ao chamado complexo de Édipo a importância de um fato que atue como causa. O complexo de Édipo é apenas um sintoma. Do mesmo modo que um apego muito forte a uma pessoa ou a uma coisa pode ser chamado de “casamento”, e do mesmo modo pelo qual o espírito primitivo procura exprimir muitas coisas por meio de uma metáfora de cunho sexual, assim também a concepção sexualista costuma designar a tendência regressiva da criança como “desejo incestuoso para com a mãe”. Mas tudo isso não passa de figura de expressão ou metáfora. O termo incesto tem sentido preciso e designa uma coisa determinada; geralmente só pode ser usado para o adulto que seja psiquicamente incapaz de relacionar sua sexualidade com o objeto adequado. Mas é

um erro empregar o mesmo termo para indicar as dificuldades no desenvolvimento da consciência infantil.

145 Tal verificação não exclui, porém, a existência de amadurecimento sexual precoce. Mas esses casos constituem exceções declaradamente anormais, e nada autoriza o médico a estender para o campo da psicologia normal os conceitos da patologia. Não se concebe que o ruborizar-se possa ser tido como doença cutânea, ou que a alegria seja considerada acesso de loucura; do mesmo modo, também a crueldade não precisa ser necessariamente sadismo, nem o prazer necessariamente volúpia, nem a firmeza necessariamente recalque sexual, e assim por diante.

146 Ao estudar a história da mente humana, impõe-se-nos sempre de novo a impressão de ser um fato real que o desenvolvimento do espírito se acha sempre unido a um alargamento do âmbito da consciência, e que cada passo adiante representa uma conquista extremamente repleta de dor e de esforço. Poder-se-ia quase afirmar que nada é mais odioso para o homem do que renunciar a uma parte do seu inconsciente, por menor que ela seja. O homem sente um temor profundo diante do desconhecido. Basta perguntar isso às pessoas que têm a tarefa de promover ideias novas. Se até o adulto, considerado como maduro, teme o desconhecido, por que então não deveria hesitar uma criança em dar um passo à frente, em direção do desconhecido? O horror à novidade (*horror novi*) é uma das propriedades do homem primitivo que mais visivelmente despertam nossa atenção. Até certo ponto isto constitui um impedimento normal. Como o apegar-se demasiadamente aos pais é desnatural e doentio, assim também o medo excessivo diante do desconhecido é igualmente doentio. Por isso não se tem o direito de tirar a conclusão parcial de que a demora em progredir seja necessariamente uma dependência sexual em relação aos pais. Pode tratar-se perfeitamente de um recuar para saltar melhor. Até mesmo nos casos de as crianças manifestarem sintomas sexuais, quando, em outras palavras, a tendência incestuosa é francamente visível, eu aconselharia ainda a fazer um exame prévio e cuidadoso a respeito da psique dos pais. Pode-se deparar então com coisas espantosas, por exemplo, com um pai que está inconscientemente apaixonado pela filha, ou com uma mãe que inconscientemente namora o filho. Em ambos os casos os pais acabam transferindo

para os filhos, por pura imaginação, seu próprio psiquismo de adultos, e tudo isso inteiramente acobertado pelo inconsciente. Os filhos, por seu turno, reagem inconscientemente e começam a agir de acordo com o papel que lhes é atribuído. Por sua própria natureza os filhos não fariam isso, se não tivessem sido forçados inconscientemente, pela atitude dos pais, a desempenhar papel tão raro e desnatural.

147 Gostaria de descrever um desses casos. Trata-se de uma família de quatro filhos, dois rapazes e duas moças. Os quatro filhos eram neuróticos. As meninas já apresentavam sintomas neuróticos antes da puberdade. Procurarei evitar minúcias e descreverei apenas em traços gerais a sorte dessa família.

148 A filha mais velha, aos vinte anos, noivou com um jovem de boa educação e formação acadêmica, que em todo o sentido parecia a pessoa adequada. Enquanto o casamento, por motivos externos, ia sendo um tanto adiado, começou ela, como que hipnotizada, um relacionamento com um dos funcionários do negócio do pai. Ela parecia gostar do noivo, mas com ele se mostrava demasiado pudica e nem lhe permitia um beijo, enquanto que com o outro ia muito longe, sem nenhuma hesitação. Era extremamente simplória e infantil, mas de modo inconsciente no começo. De repente como que acordou e tomou consciência do que estava fazendo, extremamente horrorizada consigo mesma. Teve um colapso psíquico e foi acometida de histeria por espaço de quatro anos. Nessa ocasião havia cortado todo o relacionamento, tanto com o funcionário como com o noivo, sem dar a ninguém qualquer satisfação por seu modo de proceder.

149 A outra filha casou-se sem nenhuma dificuldade aparente, mas com um homem de nível intelectual inferior. Era frígida e não teve filhos. Já no primeiro ano de casada apaixonou-se violentamente por um amigo do marido e manteve relações amorosas com ele, por anos a fio.

150 O filho mais velho, na verdade um jovem bem-dotado, começou a mostrar os primeiros sinais de indecisão neurótica quando devia decidir-se por uma vocação. Optou, enfim, pelo estudo de química. Apenas havia iniciado o estudo, começou a sentir saudades tão intensas que deixou a universidade e voltou para casa junto da mãe. Caiu então em um curioso estado de confusão mental, com alucinações. Após umas seis semanas tal estado desapareceu e ele resolveu estudar medicina. Conseguiu prestar os exames finais. Apenas noivara, já lhe

surgiram dúvidas se a escolha tinha sido bem-feita; apareceram manifestações de ansiedade, e o noivado foi desfeito. Logo em seguida foi acometido de grave perturbação mental, que durou vários meses.

151 O outro filho é um neurótico do tipo psicastênico. Inimigo das mulheres, parece esperar seriamente a vida de velho solteirão; mas apega-se à mãe de maneira sentimental ao extremo.

152 Como médico atendi a esses quatro filhos da família. A história de cada um dos casos apontava de modo indubitável para um mistério na pessoa da mãe. O que consegui apurar foi isto: A mãe era uma mulher bem-dotada e de índole vivaz, mas tinha recebido na adolescência uma educação muito rígida, extremamente parcial e tola. Usando de máximo rigor para consigo mesma e de considerável firmeza de vontade, havia conseguido conservar por toda a vida os princípios que lhe haviam sido incutidos, não admitindo exceção alguma. Mas, pouco tempo depois de casada, veio a conhecer um amigo do marido, por quem se apaixonou, de modo a não restar dúvidas. Não duvidou também de que esse amor era correspondido. Mas, como tal estado não se enquadrava em seus princípios morais, não admitia sua existência. Portava-se como se nada de excepcional houvesse em sua vida, e conseguiu representar esse papel por mais de vinte anos, até a morte do marido, sem dizer-lhe uma palavra a respeito. O relacionamento com o marido foi sempre correto, mas um pouco distante. Mais tarde ela veio a sofrer de melancolia periódica.

153 É natural que um estado desses crie infalivelmente na família uma atmosfera de grande pressão, e não há nada que influa mais nos filhos do que esse fundo de coisas ocultas e jamais reveladas. Fatos como esses têm efeito altamente contagioso sobre a atitude dos filhos. As filhas imitaram inconscientemente a atitude da mãe[6]; quanto aos filhos lhe serviram de compensação, ao ficarem presos a ela como uma espécie de amantes inconscientes e sobrecompensando este amor inconsciente pela recusa consciente das outras mulheres.

154 Pode-se imaginar que na prática não é tão fácil tratar de um caso como esse. O tratamento deveria ter começado pela mãe, ou mais

6. Cf. meu escrito *Die psychologischen Aspekte des Mutterarchetypus* (Os aspectos psicológicos do arquétipo da mãe) [OC, 9/1]. Cf. tb. *Seele und Erde* (Alma e terra) [OC, 10].

exatamente pelo relacionamento entre o pai e a mãe. Sou de parecer que a conscientização completa de toda essa situação e de suas implicações teria produzido efeito salutar. A conscientização impede os efeitos prejudiciais provenientes do fato de a pessoa não declarar ou não admitir em pensamento ou não refletir sobre o objeto doloroso; ou resumindo, em termos técnicos: impede os efeitos do recalque ou repressão de um conteúdo penoso. Ainda que pareça que a pessoa se torne mais torturada pela conscientização do mal, em compensação seu sofrimento passa a ter sentido e se refere a um mal verdadeiro. O recalque, entretanto, tem apenas a vantagem aparente de descarregar a consciência psíquica da preocupação e a mente da fadiga; em lugar disso, porém, surge um sofrimento indireto por causa de um mal não verdadeiro, isto é, uma neurose. O sofrimento neurótico é um logro inconsciente e não tem mérito moral como o sofrimento por coisas verdadeiras. A causa recalcada do sofrimento, além da neurose, tem ainda outros efeitos: irradia-se de modo misterioso pelo ambiente e afeta também os filhos, caso existam. Deste modo são transmitidos muitas vezes por várias gerações os estados neuróticos, à semelhança da maldição dos atridas. A infecção dos filhos se dá por via indireta, fazendo com que eles assumam uma atitude em relação ao estado de espírito dos pais: ou reagem em defesa própria por meio de um protesto mudo (às vezes, porém, até bem alto), ou se tornam vítimas de uma coação interna de imitação, que os paralisa psiquicamente. Tanto num caso como no outro, os filhos se veem obrigados a fazer, a sentir e a viver aquilo que *eles próprios* não são, mas sim seus pais. Quanto mais "impressionantes" forem os pais e quanto menos quiserem assumir seus próprios problemas (muitas vezes pensando diretamente no bem dos filhos!), por um tempo mais longo e de modo mais intenso terão os filhos de carregar o peso da vida que seus pais não viveram, como que forçados a realizar aquilo que eles recalcaram e mantiveram inconsciente. O que importa não é que os pais devam ser perfeitos, a fim de não causarem danos aos filhos. Caso fossem realmente perfeitos, isto seria catastrófico para os filhos, pois neste caso não restaria a estes outra coisa senão o sentirem-se moralmente inferiores; a não ser que preferissem ultrapassar os pais, empregando os mesmos meios que eles, isto é, imitando-os. Mas este último recurso apenas adia a prestação de contas, no máximo até a terceira geração.

Os problemas recalcados e os sofrimentos que foram deste modo poupados fraudulentamente na vida produzem um veneno secreto, que penetra na alma dos filhos, mesmo através das paredes mais grossas do silêncio ou do reboco mais duro aplicado sobre os sepulcros, porque passa através de tudo isso como que deslizando de maneira fraudulenta e sobreposta. A criança se acha verdadeiramente sem recurso algum e, à semelhança da cera que retrata a imagem impressa pelo sinete, está exposta à influência psíquica dos pais, que a marcam com tudo o que for ilusão, falta de sinceridade, fingimento, timidez covarde, procura egoísta de comodismo, sentimento de autossuficiência moral. A única coisa que pode preservar a criança desses danos desnaturais é a atitude sincera dos pais diante dos problemas da vida. Eles devem esforçar-se com toda a sinceridade no sentido de aceitar esses problemas como tarefa a cumprir, procurando iluminá-los com todo o cuidado justamente nos recantos mais obscuros. O erro dos pais estaria em fugir das dificuldades da vida por meio de manobras enganadoras e por tentativas artificiais de levar tudo para o inconsciente. Seria de grande proveito revelar o segredo e abrir-se com uma pessoa capaz de compreender a situação. Se isso não for possível, por motivos externos ou internos, será apenas um agravamento sem constituir desvantagens; ao contrário, pode ser até vantajoso, pois então a pessoa se vê obrigada a dar conta sozinha da tarefa mais difícil. Confissões públicas, como existem no Exército da Salvação e alhures, podem ser sumamente eficazes para uma pessoa simples, que o faça do fundo de sua alma (*ex profundis*). É verdade que tais almas não existem nos salões elegantes e tais confissões não se dão neles, por mais indiscretas que sejam. É sabido que se pode usar a confissão para enganar-se a si próprio. Quanto mais inteligente e culto for alguém, tanto mais refinado é o modo que emprega para mentir a si mesmo. Nenhuma pessoa dotada de alguma inteligência pode considerar-se a si própria apenas como santa ou pecadora. Seriam duas mentiras conscientes. Dessa forma calaria por timidez suas qualidades morais, lembrada por um lado só de sua pecaminosidade abissal, mas também, por outro lado, de seu humilde e louvável conhecimento desse estado de coisas desesperador. Tudo o que Blumhardt respondeu a um conhecido meu, mais velho do que ele, após ouvir sua confissão contrita, foi o seguinte: "Achas mesmo que Deus se interessará por essa tua sujeira?" É que certamente percebera a astúcia que torna tão recomendável a confissão de salão.

155 Não é importante que os pais nunca cometam erros – isso seria impossível para seres humanos – mas que os reconheçam como erros. Não é a vida que deve ser detida, mas a nossa inconsciência; primeiramente, a do educador, isto é, a própria, pois cada um é educador de seu próximo tanto para o bem como para o mal. Os homens estão, pois, unidos entre si por laços morais, de modo que o condutor encaminha os conduzidos, e os conduzidos tentam o condutor.

II

Minhas Senhoras e meus Senhores!

156 A psicologia científica foi inicialmente apenas psicologia fisiológica ou então um amontoado, bem pouco orgânico, de fatos isolados e de funções. Certamente a hipótese de Freud, ainda que parcial, foi assim mesmo um avanço libertador para a criação de uma psicologia das conexões psíquicas. Sua obra é precisamente uma psicologia das ramificações do instinto sexual na alma humana. Não obstante a importância inegável da sexualidade, contudo não se pode admitir que toda e qualquer coisa dependa desse instinto. Tal hipótese de amplíssimo emprego atua de início à maneira de uma ilusão ótica: ela borra tudo o que é de outra cor, e se passa a enxergar tudo vermelho. É por isso de grande importância o fato de Adler, o primeiro discípulo de Freud, ter estabelecido uma hipótese completamente diferente e que apresenta a mesma amplitude de utilização. Os freudianos têm por costume deixar de mencionar os méritos de Adler, por fazerem de sua própria hipótese sexual uma crença fanática. Mas fanatismo é sempre uma compensação para dúvidas ocultas. Perseguições religiosas ocorrem apenas onde existem hereges. Não existe no homem nenhum instinto que não seja mantido em equilíbrio por outro instinto. A sexualidade existiria completamente desimpedida no homem, se não houvesse também um fator equilibrante na forma de um instinto de igual importância, destinado a atuar em oposição a qualquer funcionamento do instinto sexual que se torne exagerado e por isso mesmo destruidor. A estrutura psíquica não é unipolar. Assim como a sexualidade é um poder que inunda o homem de impulsos dominado-

res, do mesmo modo existe nele um poder de autoafirmação, que o auxilia a resistir a qualquer espécie de explosão emocional. Pode-se observar este fato até mesmo entre os povos primitivos, para os quais há um grande número de limitações estritas não apenas com referência à sexualidade, mas também a outros instintos, e isso independentemente dos dez mandamentos e dos princípios aprendidos na doutrina para a preparação da confirmação protestante. Toda a limitação cega do instinto sexual provém do instinto de autodefesa e de autoafirmação, conforme o sentido geral da hipótese de Adler. Lamentavelmente, este também vai longe demais e, ao negligenciar quase completamente o ponto de vista de Freud, recai no mesmo erro de parcialidade e exagero. Sua psicologia é a psicologia de todas as tendências de autoafirmação. Concedo que uma verdade parcial tenha a vantagem da simplicidade, mas bem diferente é a questão de se ela pode ser considerada como uma hipótese deveras suficiente. Deveríamos ser capazes de ver que na alma muita coisa de fato depende da sexualidade, ou talvez tudo; mas em outras épocas é pouco o que dela depende, e então quase tudo se encontra sob o domínio da autoafirmação ou do instinto de poder. O erro de Freud como também o de Adler consiste em admitirem a atuação contínua de um e mesmo instinto, como se o instinto fosse um componente químico, sempre presente e sempre em igual quantidade, como os dois átomos de hidrogênio na molécula de água. Se tal fosse o caso, o homem seria essencialmente sexual segundo Freud e essencialmente autoafirmativo segundo Adler. Mas o homem não pode ser as duas coisas ao mesmo tempo. Cada um sabe que os instintos variam de intensidade. Em certa época pode dominar a sexualidade, em outra a autoafirmação, em outra ainda qualquer dos instintos. É este um fato muito simples que os dois pesquisadores deixaram de considerar. Quando domina a sexualidade, tudo se acha sexualizado, porque então tudo expressa a intenção sexual ou está a seu serviço. Quando a fome domina, tudo deve ser explicado praticamente a partir deste ângulo. Por que dizemos: “Não levem a sério, ele está hoje num mau dia”? Simplesmente, porque sabemos que às vezes até o mau humor é capaz de alterar completamente o estado psíquico do homem. Isto poderá ocorrer com facilidade maior quando se tratar de instintos poderosos. Poderemos assim com facilidade reunir Freud e Adler, desde que tenhamos o cuidado de não considerar a alma como um sistema rígido e imutável, mas como algo que vai acontecendo, algo de móvel e fluente, que se altera constantemente, como as imagens de um calidoscópio, pela atuação alternada de instintos diferentes. Pode suceder então que tenhamos de explicar uma pessoa na base de Freud até o casamento, e depois na base de Adler[7], o que o bom-senso normal já fazia há muito tempo. Tal combinação, entretanto, nos deixa em situação bastante incômoda. Ao invés de alegrar-nos com a certeza aparente de uma verdade simples, sentimo-nos como que atirados a um oceano ilimitado, em que as condições se alteram sem parar, deslocando o pobre indivíduo desamparado de um lugar para outro. Mas a vida da alma em eterna mudança representa uma verdade mais grandiosa, ainda que incômoda, do que a rigidez segura de um único ponto de vista. Realmente, isto não torna mais simples a psicologia. Estamos, no entanto, livres do pesadelo de "nada mais que", que atua como linha diretriz (*leitmotiv*) em qualquer teoria parcial.

157 Desde que a discussão entra no campo dos instintos, as coisas se tornam terrivelmente confusas e complicadas. Como devemos distinguir os instintos entre si? Quantos instintos existem? Que são, enfim, os instintos? Acaba-se recaindo na biologia, e tudo se torna mais confuso do que antes. Eu aconselharia que nos limitássemos ao campo psicológico, sem tentar formular nenhuma hipótese sobre a natureza do fenômeno biológico subjacente. Talvez raie em futuro remoto aquele dia, no qual o biólogo, e não apenas ele mas também o fisiologista, estenderão a mão ao psicólogo no ponto em que se encontrarem dentro do túnel aberto na montanha do desconhecido, que eles começaram a cavar, partindo de lados opostos[8]. Por ora precisamos aprender a tornar-nos um pouco mais modestos diante dos fatos psíquicos. Em vez de pretendermos saber com exatidão que certas coisas não são "nada mais que" sexualidade ou vontade de poder, deveríamos procurar considerá-las do ponto de vista de seu valor como fenômeno. Consideremos, por exemplo, a religião. Será que a ciência pode estar tão certa de que não existe algo que possa ser tido

---

7. Ou para citar um filósofo: "Antes do jantar sou kantiano, depois sou nietzscheano."

8. Tentativas muito promissoras nesse sentido se encontram na excelente obra de WYSS, W.H. von. *Psychophysiologische Probleme in der Medizin* (Problemas psicofisiológicos na medicina). Basel: [s.e.], 1944.

como "instinto religioso"? Devemos realmente admitir que o fenômeno religioso é sempre uma função secundária fundamentada no recalque da sexualidade? Poderá alguém indicar-nos aqueles povos ou aquelas raças normais, que se acham livres de recalques tão insensatos? Mas se ninguém é capaz de indicar a raça ou mesmo as tribos, completamente isentas de fenômenos religiosos, então eu não sei realmente donde se tira a justificativa para a hipótese de que o fenômeno religioso não é genuíno, mas mero recalque da sexualidade. E, além do mais, não nos apresenta a História muitos casos, em que a sexualidade constitui até parte integrante do acontecimento religioso? O mesmo vale para a arte, que se pretende igualmente derivar do recalque sexual, sem levar em conta que até os animais têm instintos estéticos e artísticos. O exagero ridículo e quase doentio do ponto de vista sexual já é por si um sintoma de perturbação espiritual da época presente; isto se deve principalmente ao fato de nosso tempo não ter a compreensão correta da sexualidade[9]. Quando um instinto é subestimado, a consequência imediata é que depois será superestimado de maneira anormal. E quanto mais injusta tiver sido a subestima, tanto mais doentia será a superestima posterior. Na realidade, nenhuma condenação moral poderia tornar a sexualidade tão odiada como a obscenidade e a assombrosa falta de gosto proveniente de sua superestima. A grosseria intelectual da interpretação sexualista torna impossível avaliar corretamente a sexualidade. Provavelmente, contra as intenções de Freud, uma certa literatura surgida nas suas pegadas se encarrega de continuar de modo eficacíssimo o trabalho de recalque. Antes de Freud nada devia ser sexual, agora é como se tudo se tornasse de repente "nada mais que" sexual.

158 Se a psicoterapia se ocupa tanto com a sexualidade, isto provém em parte da hipótese de que a ligação com a imagem dos pais é de natureza sexual, e em parte também pelo fato de que em muitos pacientes predominam fantasias sexuais ou, pelo menos, que podem ser consideradas como tais. A doutrina de Freud procura explicar tudo isso à sua maneira sexual, com a finalidade de libertar o paciente des-

---

9. *Sigmund Freud als kulturhistorische Erscheinung* (Sigmund Freud como acontecimento histórico-cultural) [OC, 15].

sa ligação com a imagem dos pais, entendida como sexual, para reconduzi-lo à chamada vida normal. Essa doutrina usa visivelmente a linguagem do próprio paciente[10], o que constitui uma vantagem inicial em certos casos; mas no decurso dos acontecimentos se transforma em desvantagem, porque tanto a linguagem como a conceituação de cunho sexualista retêm o problema nesse nível, no qual o dito problema se havia revelado insolúvel. Mas os pais não são apenas "objetos sexuais ou de prazer", dos quais a gente possa livrar-se; na verdade são – ou representam – potências vitais que acompanham o filho pelas veredas tortuosas da vida como fatores favoráveis ou perigosos, e de cuja influência mesmo o adulto consegue libertar-se apenas de modo limitado, quer tenha sido analisado ou não. Pai e mãe serão substituídos, de um modo ou de outro, por algo correspondente, quando alguém conseguir libertar-se deles. Essa libertação só ocorre quando alguém consegue passar para a etapa seguinte. Em substituição ao pai entra, por exemplo, o médico, fenômeno que Freud designou como "transferência". Em lugar da mãe entra a sabedoria da doutrina. O grande modelo ideal da Idade Média era a substituição da família pela comunidade da Igreja. Em tempos mais recentes surgiram modelos leigos para tomar o lugar da organização espiritual da sociedade, pois a permanência indefinida na família tem consequências psíquicas muito desfavoráveis; por isso já na etapa do primitivismo existe a iniciação, a qual visa tornar impossível essa permanência. O homem tem necessidade de uma sociedade mais ampla do que a família, em cujo círculo, demasiado estreito e constringente, acaba definhando espiritual e moralmente. Se alguém estiver demasiadamente apegado aos pais, simplesmente transmitirá, à família que fundar, o mesmo tipo de ligação, no caso de conseguir fundar uma família; deste modo criará para seus filhos um ambiente psíquico tão lastimável como o que ele próprio talvez tenha tido.

159 A situação psíquica de fazer parte de uma organização leiga, de qualquer natureza que seja, jamais poderá satisfazer completamente as exigências de ordem moral e afetiva, que em tempos anteriores es-

---

10. De acordo com a doutrina, onde isto não ocorre, é devido a "resistências" por parte do paciente.

tavam voltadas para os pais. Além disso, de modo algum será proveitoso para as organizações leigas terem em seu meio membros que lhes façam tais exigências. Vê-se isto, de modo bastante claro, nas expectativas descabidas que nutrem para com o pai-Estado os que se acham na situação de minoridade psíquica. E para onde conduzem tais desejos confusos, mostram aqueles países em que os chefes de governo conseguiram usurpar os poderes paternos por meio de hábeis manipulações das esperanças infantis da massa sugestionável. Daí resulta que o empobrecimento espiritual, o aparvalhamento e a degeneração moral vêm substituir o entusiasmo anterior em estabelecer metas espirituais e morais, gerando deste modo a psicose das massas, que somente poderá terminar em catástrofe. Nem sequer o sentido biológico da vida humana pode ser realizado devidamente, se é apenas isto o que se propõe aos homens. Pouco importa como um mestre míope e doutrinário queira conceber a essência da cultura, pois permanece firmemente o fato de que existe o espírito como criador da cultura. Este espírito é um espírito vivo e não apenas um intelecto que raciocina a seu modo. Por isso emprega esse espírito um simbolismo religioso que vai além do intelecto. Onde faltar esse simbolismo religioso, ou onde ele for vítima da incompreensão, as coisas não correrão bem. Faltando a orientação para as verdades religiosas, não existirá mais nada que possa libertar o homem de sua ligação biológica original com a família. O homem transmitirá então ao resto do mundo seus princípios infantis não corrigidos; desse modo encontrará um pai que não o encaminha, mas o desencaminha. Por mais importante que seja para o homem ganhar o seu sustento e, na medida do possível, fundar também sua família, contudo nada terá conseguido com isso se não realizar o sentido de sua vida. Nem ao menos estará capacitado para educar corretamente os filhos, descurando até o ideal inegável da biologia: o de cuidar da própria prole. Uma meta espiritual, que aponte para além do homem meramente natural e de sua existência terrena, é exigência incondicional para a saúde da alma; pois isto é como o tal ponto de apoio reclamado por Arquimedes, absolutamente necessário para que a Terra possa ser movida do seu lugar, e, neste caso, para que o estado natural do homem possa ser transformado em estado cultural.

160 Nossa psicologia considera o homem tanto no seu estado natural como no estado modificado pela cultura; em consequência disto, ao explicar os fatos deve ter sempre em mira os dois pontos de vista, tanto o biológico como o espiritual. Como psicologia médica, somente pode tomar em consideração o homem completo. Pelo fato do médico receber formação exclusivamente orientada para as ciências naturais e estar habituado a considerar "natural" qualquer coisa que aconteça, então é facilmente compreensível que também tente encarar o fenômeno psíquico apenas do ponto de vista biológico. Com efeito, este modo de considerar as coisas tem grande valor heurístico e fornece conhecimentos que tinham permanecido ocultos ao longo dos séculos precedentes. Graças a esta atitude empírica e fenomenológica conhecemos hoje muitos fatos realmente existentes; sabemos o que ocorre e como ocorre, em oposição a épocas anteriores em que quase sempre apenas se formulavam teses sobre coisas desconhecidas. Será mesmo difícil exagerar a importância do método que as ciências naturais e biológicas empregam para formular suas questões; foi unicamente esse método que aguçou o olhar do psiquiatra para enxergar o que realmente existe e lhe permitiu chegar mais perto da realidade por meio da descrição correspondente. Contudo, a evidência aparente de empregar tal método também no mundo psíquico não é de maneira alguma tão clara. Muito pelo contrário. Não existe nenhum outro campo experimental em que a visão do real se encontre tão turvada como na percepção que nosso mundo psíquico deve ter a respeito de si mesmo. Em nosso mundo psíquico (pouco importando se a observação se refere à própria pessoa ou a outra), surgem muito mais do que em qualquer outra parte, e mesmo com maior facilidade e destemor, toda sorte de preconceitos, de interpretações errôneas, de juízos dependentes do humor momentâneo, de idiossincrasias e de projeções. Em nenhum outro campo ocorre que o observador perturbe tanto o experimento como na psicologia. Por isso pode-se quase afirmar que jamais será possível estabelecer um número suficiente de fatos reais, porque o experimento psíquico é assunto muito delicado e, além disso, se encontra ainda exposto a inúmeras influências perturbadoras.

161 Também não poderia deixar de mencionar que, ao contrário do que ocorre nos outros campos das ciências naturais, nas quais um processo físico é observado por um processo psíquico, no caso da psi-

cologia é a psique que se observa a si mesma, diretamente no sujeito e indiretamente em outra pessoa. Seria oportuno lembrar aqui a história da trança do barão de Münchhausen*, e com isto surge a dúvida se é mesmo possível qualquer conhecimento psíquico. Também neste particular o médico se sente satisfeito por estar solidário com as ciências naturais. Ele não se sente obrigado a filosofar, mas se alegra por ter um conhecimento vivo do *interior do psíquico.* Em outras palavras: a psique certamente não pode conhecer nada além da psique (isto seria por certo o caso do barão de Münchhausen!), mas é bem possível que dois estranhos se encontrem no interior do psíquico. Não saberão jamais o que cada um é em si, mas apenas o que cada um parece ser para o outro. Aliás, em todas as outras ciências naturais, a indagação a respeito do "que é" costuma receber como resposta algum conhecimento *acerca disso,* a saber: uma reconstrução psíquica do processo físico. Mas como poderia ser reproduzido o próprio processo psíquico, e em que outro meio? Em outras palavras: não existe conhecimento *acerca do* psíquico, mas apenas *no* psíquico.

162 Quando pois o psicólogo médico reflete o psíquico no psíquico, enquadra-se decerto no âmbito da ciência natural, por empregar o método empírico e fenomenológico. Contudo, se distingue, por princípio, da ciência natural, por efetuar a reconstrução (conhecimento e explicação) não em um meio de outra natureza, mas em um meio de natureza igual. A ciência natural reúne dois mundos, o físico e o psíquico. A psicologia apenas realiza isso enquanto considerada como psicofisiologia. Por princípio, porém, como psicologia "pura", explica "o desconhecido por algo mais desconhecido ainda" (*ignotum per ignotius*), pois ela apenas pode reconstruir o processo observado recorrendo ao próprio meio de que consta o processo. A situação seria um tanto semelhante à do físico que não dispusesse de nenhum outro recurso senão o de repetir o processo físico (com todas as variantes possíveis), portanto sem a utilização de uma "teoria".

---

* O barão de Münchhausen é um militar alemão que no século XVIII combateu a serviço dos russos contra os turcos. Dele se contam as façanhas mais incríveis e lendárias, relatadas no livro *As aventuras do barão de Münchhausen.* A alusão feita aqui por Jung parece ser àquela aventura em que o barão, tendo caído num poço, conseguiu sair de lá puxando-se a si mesmo pela própria trança [N.T.].

Todo o processo psíquico, na medida em que pode ser observado como tal, já constitui em si uma "teoria", isto é, uma *visão ou concepção* (*Anschauung*), e a reconstrução desse processo, no melhor dos casos, não passa de uma *variante da mesma visão ou concepção*. Se a reconstrução não for exatamente isso, então deverá significar uma tentativa de compensação (melhora, censura etc.) ou uma polêmica (crítica científica do mesmo); nos dois casos será sempre uma eliminação do processo que deve ser reconstruído. Este modo de proceder no domínio psicológico é tão científico como a paleontologia do século XVIII, que interpretava a salamandra gigante (*Andrias Scheuchzeri*) como sendo um homem que se afogara no dilúvio. Este problema se torna crítico quando se trata de um conteúdo difícil de entender, como imagens oníricas, delírios e coisas semelhantes. Neste caso deverá a interpretação estar precavida contra o emprego de quaisquer outros pontos de vista que não sejam os indicados manifestamente pelo conteúdo. Se alguém sonha com um leão, a interpretação correta somente pode estar orientada para o leão, isto é, será essencialmente uma *ampliação* dessa imagem. Tomar outra coisa seria uma concepção inadequada e errada, pois a imagem do "leão" constitui por si só uma concepção inequívoca e suficientemente positiva. Quando Freud afirma que o sonho significa coisa diversa da que apresenta, o que faz é "criar uma polêmica" entre essa sua concepção e a concepção que o sonho tem de si próprio como fenômeno natural e espontâneo; por isso essa polêmica é inválida. A interpretação responsável do ponto de vista científico, isto é, a que se movimenta ao longo da linha da imagem a ser interpretada, não fica sendo apenas uma tautologia, mas amplia o sentido para formar uma concepção mais geral (ampliação). Mesmo uma concepção matemática do psíquico, caso isso fosse possível, não poderia ser outra coisa que uma ampliação do seu sentido, expressa algebricamente. A psicofísica de Fechner é neste ponto um exemplo do oposto, isto é, não passa de uma acrobacia em que alguém tenta saltar por cima da própria cabeça.

163 Neste ponto decisivo a psicologia se encontra situada além da ciência natural. Partilha com ela o mesmo método da observação e da averiguação empírica dos fatos. Falta-lhe, porém, o tal ponto reclamado por Arquimedes, situado no exterior, e por isso também a possibilidade de medição objetiva. Quanto a isso, a psicologia está em

desvantagem indiscutível perante a ciência natural. Em situação análoga se encontra, no momento, apenas a física atômica, em cujos domínios o processo a observar é modificado pela observação. Como a física deve referir suas medições aos objetos, vê-se forçada a fazer distinção entre os meios de observação e o observador[11], pelo que as categorias de tempo, espaço e causalidade se tornam relativas.

164 Este encontro singular entre a física atômica e a psicologia constitui uma vantagem inapreciável para a psicologia, por fornecer-nos ao menos uma leve esperança da possibilidade de existir para ela o tal ponto de apoio reclamado por Arquimedes. O mundo atômico microscópico apresenta traços, cuja afinidade em relação ao psíquico chamou a atenção dos próprios físicos[12]. Daí decorre, como parece, ao menos a insinuação de que seja possível a "reconstrução" do processo psíquico em outro meio, isto é, na microfísica da matéria. No entanto, mesmo atualmente, ninguém poderia, nem de longe sequer, indicar o aspecto de tal reconstrução. Evidentemente essa reconstrução somente poderá ser efetuada pela própria natureza, ou talvez se possa mesmo supor que isso já está acontecendo continuamente, do mesmo modo pelo qual a psique percebe o mundo físico. A situação atual da psicologia em relação à ciência natural não é completamente desesperadora, mesmo que ainda se ache fora do alcance do conhecimento atual como já foi dito.

165 A psicologia pode reclamar para si o direito de ser também uma *ciência do espírito*. Todas as ciências do espírito têm seu campo de atuação dentro do psíquico, se considerarmos este último conceito dentro da limitação com que o toma a ciência da natureza. A partir desse ponto de vista da ciência da natureza, o "espírito" é um *fenô-*

---

11. Agradeço esta formulação à gentileza do Sr. Prof. Markus Fierz.

12. Cf. para isso a compilação da bibliografia até 1935 na obra de MEIER, C.A. *Moderne Physik – Moderne Psychologie* (Física moderna – Psicologia moderna). Chamo especialmente a atenção para a dissertação de Niels Bohr (In: *Die Naturwissenschaften* – As ciências naturais – 16, 245, 1928 e 17, 483, 1929). Após essa data veja-se especialmente JORDAN, P. *Die Physik des 20. Jahrhunderts; Positivistische Bemerkungen über die paraphysischen Erscheinungen* (A Física do século XX; Observações positivistas sobre os fenômenos parafísicos) p. 3s. Cf. tb. *Anschauliche Quantentheorie* (Teoria quântica intuitiva), p. 271s.; e *Die Physik und das Geheimnis des organischen Lebens* (A Física e o segredo da vida orgânica), p. 114s.

meno psíquico[13]. Mas também como ciência do espírito a psicologia desempenha papel de exceção. O direito, a história, a filosofia, a teologia, etc., todas essas ciências estão caracterizadas e delimitadas entre si pelo objeto próprio de cada uma delas. Esse objeto é a região do espírito delimitada por um conceito; tal região, por seu turno, representa, do ponto de vista fenomenológico, um produto psíquico. A psicologia era considerada antigamente como uma disciplina da filosofia; hoje, tornou-se uma ciência da natureza, e seu objeto não é nenhum produto do espírito, mas um fenômeno natural: o fenômeno psíquico. Este fenômeno, como tal, faz parte dos fenômenos elementares da natureza orgânica; a natureza orgânica e a anorgânica formam como que as duas metades em que dividimos o nosso mundo. A psique, como qualquer forma natural, é um dado irracional. A psique parece mesmo constituir um caso especial do fenômeno da vida. Com o corpo vivo partilha a psique da capacidade de produzir estruturas significativas e orientadas para uma finalidade, por meio das quais consegue reproduzir-se e desenvolver-se. E assim como a vida enche por si mesma a Terra com formas de animais e plantas, do mesmo modo cria a psique um mundo ainda maior, que é a consciência, ou melhor, o conhecimento do universo.

166 A psicologia moderna e empírica pertence às ciências da natureza, quando considerada do ponto de vista do objeto e do método; mas faz parte das ciências do espírito, quando considerada do ponto de vista de seu modo explicativo[14]. Por causa dessa "ambivalência" ou dessa duplicidade de caminhos já foram apresentadas dúvidas a respeito de seu caráter científico; essas dúvidas se referem, de uma parte, à sua *ambivalência,* e, de outra parte, à sua *arbitrariedade,* como a denominam. No tocante a este último aspecto, não se deve esquecer que há pessoas que consideram todos os processos psíquicos puras arbitrariedades. Têm elas a convicção implícita de que tudo aquilo

---

13. Cf. minha dissertação Geist und Leben (Espírito e vida § 601-648) [*A natureza da psique* (OC, 8/2)].

14. Cf. WOLFF, T. "Einführung in die Grundlagen der komplexen Psychologie" (Introdução aos fundamentos da psicologia complexa). In: WOLFF, T. *Studien zu C.G. Jungs Psychologie* (*Estudos a respeito da psicologia de C.G. Jung*). Zurique: Daimon-Verlag, 1959.

que pensam, sentem, querem etc., é produzido por sua vontade, sendo por isso arbitrário. Imaginam que são elas que produzem seu pensar e seu querer porque não há nenhum outro sujeito dessas atividades, segundo acham. Parece-lhes impossível admitir que a atividade psíquica também possa ser exercida sem o sujeito (neste caso: sem o próprio "eu"). Não conseguem imaginar que certo conteúdo psíquico, que elas julgam produzir em dado caso, também possa ser considerado como preexistente e parecer muito mais o produto de si mesmo ou de alguma outra vontade diversa do próprio "eu".

167 Trata-se aqui de uma ilusão, tão apreciada quanto difundida, a favor do "eu". O francês gosta de dizer: *J'ai fait un rêve* (eu fiz um sonho), quando de fato o sonho é exatamente aquele conteúdo psíquico a respeito do qual não se tem o mínimo direito de afirmar que alguém o possa querer, intencionar ou fazer. Inversamente, no domínio da língua alemã, que possui o saboroso termo *Einfall*[15], ninguém poderá atribuir a si mesmo, como mérito seu, alguma "*ideia luminosa*" que ocorrer, como se ele próprio a tivesse produzido. Aqui, o termo *Einfall*, por sua conotação linguística, mostra claramente que não pode ser assim; o termo alemão exprime tanto a incapacidade evidente do sujeito, como a espontaneidade pronunciada de uma psique transubjetiva. Diz-se, pois, em alemão, assim como em inglês ou francês: "ocorreu-me uma boa ideia"; e isto está muito certo, pois a atividade não era da pessoa, mas da ideia; tudo se dá como se uma ideia invadisse a pessoa.

168 Tais exemplos mostram o caráter objetivo da psique; a psique é um fenômeno e não algo arbitrário. Do mesmo modo o querer também é um fenômeno. A "liberdade da vontade" não é nenhum fenômeno natural, porque não constitui de modo algum uma manifestação observável, mas apenas se torna objeto da observação sob a forma de uma intuição, opinião, convicção ou crença. Pertence, pois, aos problemas das ciências puras do espírito. A psicologia deve limitar-se ao campo dos fenômenos naturais, para não ser acusada de in-

---

15. O termo *Einfall* não tem correspondente exato nem no inglês nem no francês, mas costuma ser representado, sem o mesmo vigor, por *idea*, *idée* ou *a certain idea*. Quando se tratar de *witziger Einfall*, talvez seja melhor empregar então *sally of wit*, *saillie* (de *saillir*, que significa jorrar).

cursão em campo alheio. A delimitação dos fenômenos psíquicos não é uma tarefa tão simples, como o denota essa ilusão geralmente tão difundida acerca da arbitrariedade do processo psíquico.

169 Existem, de fato, conteúdos psíquicos que são produzidos ou causados por um ato de vontade que os precede, de modo que devem ser considerados como produtos de uma atividade intencionada, orientada para um fim e consciente. Neste sentido, uma parte substancial dos conteúdos psíquicos constitui um produto do espírito. Mas a vontade já é um fenômeno em si, como também é um fenômeno o próprio sujeito que quer; este sujeito se fundamenta sobre uma base inconsciente, pois a consciência aparece como uma função intermitente da psique inconsciente. O "eu" como sujeito da consciência é uma grandeza complexa encontrada a modo de algo já existente no decurso do desenvolvimento; é constituída, em parte, das disposições herdadas (os constituintes do caráter) e, de outra parte, das impressões adquiridas inconscientemente, bem como de suas manifestações subsequentes. Com relação à consciência, a psique é algo preexistente e transcendente. Poder-se-ia designá-la, à maneira de Du Prel, como o "sujeito transcendental"[16].

170 A *psicologia analítica* ou *complexa* – como também é conhecida – se distingue da *psicologia experimental* pelo fato de não isolar as diversas funções (funções sensoriais, fenômenos psíquicos etc.) e de não submetê-las aos condicionamentos experimentais a fim de explorá-las; pelo contrário, procura ocupar-se com a totalidade dos fenômenos psíquicos tal como ocorrem naturalmente, o que constitui um conjunto extremamente complexo, se bem que possa ser dividido em complexos parciais mais simples, por meio do estudo crítico. Mas mesmo estas partes são muito complexas e, de modo geral, representam em seus traços fundamentais grandezas não transparentes. A ousadia de nossa psicologia em pretender operar com tais incógnitas seria tachada de arrogância, se uma necessidade superior não reclamasse sua existência e lhe viesse em auxílio. Por causa dos sofrimentos dos doentes, veem-se os médicos forçados a tratar dos casos apresentados, desde os de compreensão difícil até os de todo incompreensí-

16. DU PREL, C. *Das Rätsel des Menschen* (*O enigma do homem*). Leipzig: [s.e.], 1892, p. 27s.

veis, empregando meios insuficientes ou de efeito duvidoso; precisam igualmente ter a coragem necessária para isso e arcar com a responsabilidade correspondente. Por força de nossa profissão temos de conciliar-nos com as questões mais difíceis e mais obscuras, sempre cientes das possíveis consequências de um passo em falso.

171 Em relação a concepções anteriores, a diferença reside no fato de a psicologia analítica não recusar a ocupar-se com quaisquer processos, por mais difíceis e complicados que sejam. Outra diferença consiste no método adotado e no funcionamento de nossa ciência. Não temos laboratório com aparelhagens complicadas. Nosso laboratório é o mundo. Nossos experimentos são acontecimentos reais da vida humana de cada dia, e o pessoal submetido às provas são os nossos pacientes, discípulos, parentes, amigos e enfim nós mesmos. O papel de experimentador compete ao destino. Nada de picadas de agulha, de choques artificiais, de luzes estonteantes e de todo esse múltiplo condicionamento do experimento de laboratório. O que temos são as esperanças e os perigos, as dores e as alegrias, os erros e as realizações da vida real, que se encarregam de fornecer-nos o material de que precisamos para a observação.

172 Nosso intento é *compreender a vida* da melhor maneira possível, tal como ela se manifesta na alma humana. A lição que tiramos desse conhecimento – e esta é minha sincera esperança – não deverá petrificar-se sob a forma de uma teoria intelectual, mas deverá tornar-se um instrumento de trabalho, que aperfeiçoará suas propriedades pela aplicação prática, de modo a poder cumprir a sua finalidade da melhor maneira possível. Este intento consiste na adaptação mais adequada do modo de levar a vida humana; e esta adaptação ocorre em dois sentidos distintos (pois a doença é adaptação reduzida). O homem deve ser levado a adaptar-se em dois sentidos diferentes, tanto à vida exterior – família, profissão, sociedade – quanto às exigências vitais de sua própria natureza. Se houve negligência em relação a qualquer uma dessas necessidades, poderá surgir a doença. Ainda que uma pessoa, cuja falta de adaptação atinja grau mais elevado, se torne doente e por isso também acabe fracassando na vida exterior, nem por isso todos se tornam doentes por não estarem à altura das exigências da vida exterior, mas sim por não terem sabido valer-se de sua falta de adaptação externa para conseguir abrir caminho para o

seu desenvolvimento pessoal e mais íntimo. Compreende-se então facilmente como devem ser diferentes as formulações psicológicas, para que possam ser aplicadas a essas diferenças diametralmente opostas. Nossa psicologia examina as razões que provocam a diminuição da capacidade de adaptar-se e assim causam a doença. Tem, pois, de acompanhar as veredas emaranhadas do pensar e do sentir neuróticos a fim de reconhecer qual o caminho que reconduz dos extravios de volta para a vida. Por isso nossa psicologia é uma ciência prática. Não pesquisamos apenas por causa da pesquisa, mas sim levados pela intenção imediata de ajudar. Poderíamos também dizer que a ciência é apenas um produto secundário de nossa psicologia e não sua meta principal; isto indica a grande diferença existente entre ela e o que entendemos por ciência "acadêmica".

173 É evidente que o escopo e a razão de ser mais profunda desta nova psicologia são de natureza tanto médica como pedagógica. Uma vez que cada indivíduo constitui uma combinação nova e única de elementos psíquicos, a pesquisa da verdade deve recomeçar com cada novo caso, pois cada "caso" é individual e não pode ser derivado de fórmulas genéricas e pressupostas. Cada indivíduo é um novo experimento da vida em sua mudança contínua e uma tentativa de nova solução e nova adaptação. Erraríamos quanto ao sentido de uma psique individual se quiséssemos interpretá-la na base de opiniões preconcebidas, ainda que estejamos muito inclinados a fazê-lo. Para o médico isto significa o estudo individual de cada caso, para o educador o estudo individual de cada educando. Naturalmente não estou querendo dizer com isso que a investigação de cada caso deva recomeçar completamente desde o início. Até onde já se consegue entender o caso, não há necessidade de investigação. Mas somente posso falar de compreensão se o paciente ou o educando puder estar de acordo com nossa interpretação. Compreensão que não procure considerar devidamente o caso é coisa muito incerta para ambos. Talvez surta algum resultado quando se tratar de criança, mas certamente falha em se tratando de adulto de alguma maturidade psíquica. Sempre que houver desacordo, deve-se estar disposto a desistir de todos os argumentos aceitos até então, para deixar-se guiar unicamente pelo intuito de descobrir a verdade. É certamente admissível o caso de o médico enxergar alguma coisa que existe de fato e fora de qualquer dúvida, en-

quanto o paciente não a admite ou não consegue admiti-la. Como a verdade pode estar oculta tanto para o médico como para o paciente, foram desenvolvidos diversos métodos para possibilitar o acesso aos conteúdos *desconhecidos.* Digo propositadamente "desconhecido" e não "recalcado", porque me parece errado admitir de antemão que tudo o que é desconhecido seja apenas recalque. Se o médico pensasse seriamente deste modo, estaria dando a impressão de já saber tudo. Tal suposição toma a dianteira do paciente e muito provavelmente lhe torna impossível confessar a verdade. De qualquer maneira o resultado seria criar obstáculos para o paciente, o que muitas vezes nem lhe parecerá tão indesejável assim, pois poderá então esconder mais facilmente seu segredo; também poderá ser mais cômodo tomar conhecimento da verdade por meio do médico que ter ele mesmo de reconhecê-la e confessá-la. Mas isso não beneficia ninguém. Além do mais, por essa tendência de querer saber melhor ou saber antecipadamente, solapa-se a independência psíquica do paciente, que é um bem precioso e não deve ser prejudicado de modo algum. De fato, todo o cuidado não será demasiado, porque as pessoas têm a tendência perigosa de se livrarem facilmente de si mesmas.

174 Existem quatro métodos para explorar o desconhecido em um paciente.

175 O primeiro método, e também o mais simples, é o da *associação.* Acho dispensável entrar aqui em particularidades, porque este método já é conhecido há vinte anos. Destina-se a procurar os complexos mais importantes, de acordo com o princípio de que eles se traem por perturbações nos experimentos de associações. O método da associação é muito recomendável a todo o principiante como introdução na psicologia analítica e no conhecimento dos sintomas próprios dos complexos[17].

176 O segundo método é o da *análise dos sintomas,* e tem apenas valor histórico, pois já foi abandonado por Freud, que o inventou. Com o emprego da *sugestão* hipnótica tentava-se fazer com que o

---

17. Cf. Diagnostische Assoziationsstudien (Estudos de diagnósticos pela associação). Contribuições de Jung [OC, 2]; e JUNG, C.G. Allgemeines zur Komplexentheorie (Generalidades sobre a teoria dos complexos) [OC, 7].

paciente reproduzisse as recordações subjacentes a certos sintomas patológicos. Este método pode ser aplicado com proveito em todos os casos em que a causa principal da neurose é um choque, um ferimento psíquico ou trauma. Foi baseado neste método que Freud estabeleceu sua teoria mais antiga, a teoria do trauma, para explicar a histeria. Visto, porém, que a maioria dos casos de histeria não derivam de traumas, desvaneceu-se em pouco tempo essa teoria juntamente com esse método de pesquisa. Em se tratando de choque, conserva esse método sua importância terapêutica mediante o processo conhecido como *ab-reação* do conteúdo traumático. Durante a Primeira Guerra Mundial, e ainda depois dela, fez-se certo uso desse método para o tratamento dos choques produzidos por granadas e de perturbações semelhantes[18].

177 O terceiro método é a *análise anamnésica*. Tem grande importância como terapia e também como método de pesquisa. Consiste praticamente em uma anamnese ou reconstrução cuidadosa do desenvolvimento histórico da neurose. O material obtido por este processo é uma série de fatos mais ou menos coerentes, que o paciente conta ao médico conforme é capaz de recordar-se deles. O paciente, como é de esperar, omite certas particularidades que lhe parecem sem importância ou que esqueceu. O analista experiente, que conhece o decurso comum da evolução de uma neurose, propõe certas perguntas ao paciente, mediante as quais possam ser preenchidas as lacunas ou os conexos insuficientes. Muitíssimas vezes este procedimento já apresenta valor terapêutico, pois habilita o paciente a entender melhor os fatores principais de sua neurose e pode mesmo, em certas situações, ajudá-lo a modificar de maneira decisiva sua atitude. Naturalmente é inevitável, ou até mesmo necessário, que o médico não se contente em inquirir o paciente, mas lhe forneça também certas pistas e explicações para esclarecer certas conexões importantes que permaneceram inconscientes para ele. Durante minha atuação como médico sanitarista militar, tive mais oportunidades de em-

---

18. Cf. a respeito a obra clássica de BREUER, J. & FREUD, S. *Studien über Hysterie* (Estudos sobre a histeria). Leipzig/Viena: F. Deuticke, 1895; cf. tb. JUNG, C.G. "Der therapeutische Wert des Abreagierens" ("Valor terapêutico da ab-reação"). *British Journal of Psychology*, Medical Section, II/l, outubro de 1921. Londres [OC, 16].

pregar esta modalidade do método anamnésico. Por exemplo, certa vez um recruta de dezenove anos foi dado como doente. Logo que o rapaz se aproximou de mim declarou diretamente que sofria de inflamação nos rins e que a dor sentida provinha dessa doença. Admirei-me de que ele conhecesse tão bem seu diagnóstico; retrucou ele que um tio dele padecia do mesmo mal e tinha as mesmas dores nas costas. O exame não revelou nenhum sinal de doença orgânica. Tratava-se evidentemente de neurose. Comecei, por isso, a indagar sobre a história de sua vida. O mais importante era que o rapaz havia perdido bem cedo os pais e que vivia em companhia desse tio. O tio era seu pai de criação. Ele gostava muito do tio. Um dia antes de declarar-se doente havia recebido uma carta do tio, em que ele comunicava estar novamente acamado por causa de sua nefrite. A carta era desagradável, e ele a jogou fora imediatamente, sem tornar real a verdadeira razão da emoção que pretendia recalcar. Era o grande medo de que seu pai de criação pudesse morrer, e isso fazia voltar-lhe à memória a dor sentida pela perda dos pais. Quando ele tornou real essa dor, desatou a chorar violentamente. O resultado foi que no dia seguinte pôde retomar o serviço. Tinha ocorrido uma identificação com seu tio, que foi descoberta pela anamnese. O fato de tornar reais os sentimentos reprimidos teve efeito terapêutico.

178 Caso parecido se deu com outro recruta que, antes de recorrer a mim, estivera algumas semanas em tratamento médico por causa de perturbações estomacais. Suspeitei de que ele fosse neurótico. A anamnese revelou o fato de que essa perturbação começara quando ele recebeu a notícia de que sua tia tivera de submeter-se a uma operação em consequência de câncer no estômago. Essa tia havia sido uma mãe para ele: neste caso também determinou a cura o esclarecimento do conexo entre as coisas. São comuns casos simples e semelhantes a esses, acessíveis à análise anamnésica. Essa conscientização de conexões antes inconscientes atua favoravelmente; além disso o médico costuma acrescentar ainda um bom conselho, ou incutir ânimo, ou dar um lembrete.

179 É este o método empregado na prática do tratamento de crianças neuróticas. Em crianças não se pode ainda empregar o método da análise dos sonhos por penetrar profundamente no inconsciente. Na maioria dos casos o que se deve fazer é apenas afastar os obstáculos, o

que pode ser conseguido mesmo sem grande conhecimento técnico. Geralmente seria coisa muito simples tratar de uma neurose infantil, se não existisse normalmente uma conexão entre ela e alguma atitude errada por parte dos pais. É esta ligação que apoia diretamente a neurose contra todas as medidas empregadas no tratamento.

180 O quarto método é a *análise do inconsciente*. Ainda que a análise anamnésica possa descobrir certos fatos inconscientes no paciente, contudo não constitui ainda o que Freud teria chamado de "psicanálise". Realmente é considerável a diferença entre os dois métodos. A análise anamnésica, conforme já indiquei, ocupa-se com os conteúdos conscientes e aptos para serem reproduzidos, enquanto que a *análise do inconsciente começa somente depois que se esgotou todo o material consciente*. Percebam que não denomino este quarto método de "psicanálise", porque pretendo deixar este conceito inteiramente livre para a escola freudiana. O que esta escola entende por psicanálise não consiste apenas em certa técnica, mas também em certo método, que está ligado dogmaticamente à teoria sexual de Freud e nela se baseia. Quando Freud declarou publicamente que a psicanálise e a teoria sexual eram inseparáveis, vi-me forçado a tomar outro caminho por não aceitar como certa a concepção muito parcial adotada por ele. É esta a razão pela qual prefiro designar este método como *análise do inconsciente*.

181 Acabei de acentuar há pouco que este método apenas pode ser empregado quando estiverem esgotados os conteúdos conscientes. Com isso pretendo dizer que a análise do inconsciente somente é possível quando já foram considerados os conteúdos conscientes e, apesar de tudo, ainda não apareceu nenhuma explicação satisfatória nem a solução para a situação de conflito. O método anamnésico serve muitas vezes de introdução para o quarto método. Por meio da exploração da consciência a gente se torna conhecido do paciente e se estabelecem as condições para aquilo que era conhecido como *rapport* pelos magnetizadores antigos e pelos hipnotizadores recentes. O contato pessoal é de importância fundamental, pois forma a única base, a partir da qual se pode atingir o inconsciente. Este fator é negligenciado com frequência e, quando tal se dá, isto torna-se facilmente causa de malogros. Nem mesmo o conhecedor mais experiente da psicologia humana é capaz de conhecer a psique de cada indiví-

duo. Por isso mesmo ele deve contar com a boa vontade do paciente, isto é, confiar no relacionamento ou bom contato, pois é ele que indicará ao médico quando qualquer coisa estiver errada. Justamente no início do tratamento costuma haver certos mal-entendidos, muitas vezes sem culpa do médico. É próprio da neurose que o paciente conserve certos preconceitos, que frequentemente são os causadores diretos e alimentadores da neurose. Se esses mal-entendidos não forem esclarecidos do modo mais adequado possível, qualquer ressentimento que restar poderá facilmente anular todos os esforços posteriores. Caso alguém pretenda iniciar a análise partindo de determinada crença em uma teoria que prometa compreender por completo a essência da neurose, isto significa que apenas se facilita aparentemente a difícil tarefa, correndo-se o risco de não atingir a verdadeira psicologia do paciente e de não considerar sua individualidade. Eu mesmo pude observar não poucos casos em que o êxito da cura foi anulado por pressupostos teóricos. Sem nenhuma exceção houve nesses casos falta de relacionamento ou contato, provindo daí o malogro. Somente podem impedir-se catástrofes imprevistas se houver respeito consciencioso daquela norma que manda considerar o relacionamento com o máximo cuidado. Não há perigo algum enquanto existir o contato ou essa atmosfera de confiança natural; e até mesmo quando se tem de encarar de frente o horror da loucura ou a sombra do suicídio, continua a existir aquela atmosfera de fé humana, aquela certeza de compreender e de ser compreendido, por mais negra que seja a noite. Não é nada fácil estabelecer tal relacionamento, nem existe outra maneira de consegui-lo a não ser por meio da compreensão cuidadosa dos dois pontos de vista e por meio do máximo desprendimento recíproco dos preconceitos. Se houver desconfiança de uma parte ou de ambas, isto significa um mau começo; pode-se dizer mais ou menos o mesmo a respeito da pretensão de dominar à força a resistência encontrada, seja pela persuasão, seja usando qualquer outro meio de coação. Também é condenável a sugestão consciente durante o processo da análise, pois sempre deve ser mantida no paciente a sensação de poder decidir-se livremente. Sempre que encontro o mínimo sinal de desconfiança ou de resistência, tento considerar isto seriamente e procuro oferecer ao paciente novas oportunidades para restabelecer o bom contato. O paciente deveria dispor sempre de uma base segura em seu relacionamento com o médico, e o médico, por seu turno, precisa do bom relacionamento para obter informações suficientes sobre a consciência atual do paciente. O médico tem a necessidade desse conhecimento por motivos práticos muito importantes. Sem ele não estaria capacitado para entender corretamente os sonhos do paciente. Por isso o relacionamento pessoal com o paciente deve ser o assunto mais importante de observação, não apenas no início do tratamento, mas durante todo o curso da análise; apenas este bom relacionamento poderá impedir, tanto quanto possível, descobertas sumamente desagradáveis e surpreendentes e até mesmo desfechos fatais. Mas isso não é tudo; esse relacionamento constitui o único meio de corrigir a atitude errônea do paciente, de modo que ele não tenha qualquer sensação de que alguém lhe esteja impondo certo modo de pensar contra sua vontade, ou até mesmo usando de astúcia em relação a ele.

182 Gostaria de ilustrar isso um pouco mais. Um homem ainda jovem, de seus trinta anos, dotado de prudência evidente e de uma grande inteligência, procurou-me certo dia; não era consulta, como disse, mas apenas para propor-me uma questão. Entregou-me um manuscrito um tanto volumoso que continha a história e a análise de seu caso, como disse. Ele o classificava como uma neurose obsessiva, e tinha razão, como verifiquei ao ler o manuscrito. Era uma espécie de biografia psicanalítica, elaborada com suma inteligência e com notável introspecção. Era uma dissertação rigorosamente científica, baseada na leitura correta de extensa bibliografia referente ao assunto. Apresentei-lhe meus parabéns pela realização conseguida e perguntei-lhe então o que ele pretendia com a consulta. Respondeu-me: "Bem, o Senhor leu o que escrevi. Poderia dizer-me por que, apesar de toda a minha compreensão do meu caso, continuo sendo tão neurótico como antes? De acordo com a teoria, já devia estar curado, pois consegui trazer de volta à memória até as minhas recordações mais antigas da infância. Já li a respeito de tantos outros casos, que foram curados por uma compreensão menor do que a minha; por que seria eu uma exceção? Por obséquio, diga-me o que eu omiti ou continuo ainda a reprimir". Disse-lhe que no momento não percebia a razão pela qual sua neurose nem mesmo fora atingida por sua acuidade verdadeiramente notável. "Mas", continuei, "o Senhor me per-

mitiria pedir ainda algumas informações sobre sua pessoa?" "Com prazer", respondeu-me ele. Disse-lhe então: "O Senhor menciona em sua biografia que muitas vezes passa o inverno em Nice e o verão em Saint-Maurice. Daí concluo que seus pais estejam em boa situação". "Não é isso", respondeu-me, "eles não são ricos". "Então foi o Senhor mesmo que conseguiu ganhar o dinheiro que possui?" "Também não", respondeu ele a sorrir. "Mas então como é isso?", indaguei hesitante. "Ah! Isso não tem importância nenhuma", disse-me ele, "pois eu recebia esse dinheiro de uma senhora de uns trinta e seis anos, que é professora em uma escola primária. – Existe certo relacionamento, o Senhor sabe" – acrescentou ele. Na realidade, vivia essa senhora em condições muito modestas; era alguns anos mais velha do que ele, e dispunha para viver apenas dos parcos vencimentos de professora. Ela fazia economia, e quase passava privação, naturalmente na esperança de um futuro casamento, com o qual esse admirável gentil-homem nem de longe se preocupava. "O Senhor não acha" – eu disse – "que explorar financeiramente essa pobre mulher poderia ser uma das razões principais pela qual o Senhor ainda não está curado?" Ele riu-se de minha alusão moral, que considerava absurda e que segundo suas ideias nada tinha a ver com a estrutura científica de sua neurose. "Além do mais", continuou, "já falei com ela a respeito disso, e nós dois estamos de acordo que isso não tem importância". A isso respondi: "O Senhor acha que o fato de já ter conversado sobre essa situação elimina o outro fato – o de que o Senhor é sustentado por uma pobre mulher? Admite o Senhor que esse dinheiro que entra no seu bolso é algum bem adquirido honestamente?" Ao ouvir isso, levantou-se indignado, murmurou ainda algo sobre minhas ideias morais e se despediu. Ele é um dos muitos que acham que a moral nada tem a ver com a neurose, e que um pecado intencional deixa de ser pecado desde que seja eliminado intelectualmente pelo pensamento.

183 É certo que eu tinha obrigação de expor minhas opiniões a este senhor. Se tivéssemos chegado a um acordo quanto a isso, teria sido possível o tratamento. Mas se tivéssemos começado o trabalho sem levar em conta a base impossível da vida dele, tudo teria sido em vão. Adaptar-se à vida com tais ideias só é possível para quem é criminoso. Mas esse paciente não era propriamente um criminoso; era apenas um dos chamados intelectuais que acredita a tal ponto no poder da

inteligência de modo a achar possível eliminar pelo pensamento uma injustiça cometida. Acredito certamente no poder e na dignidade do intelecto, mas só enquanto não se atreve a substituir os valores da vida emotiva. Estes valores não são apenas resistências infantis. Este exemplo mostra que fator decisivo é o relacionamento.

184 Depois que o material consciente – recordações, perguntas, dúvidas, resistências conscientes etc. – foi devidamente considerado na fase anamnésica da análise, só então é que se pode passar adiante e empregar a análise do inconsciente. Penetra-se deste modo em um mundo novo. A partir daí começamos a lidar com o processo da vida psíquica denominado *sonho*.

185 Os sonhos não são meras reproduções de acontecimentos, nem simples abstrações de vivências. Eles constituem as manifestações não falsificadas da atividade criadora inconsciente. Em oposição a Freud, que considera os sonhos como uma realização de desejos, cheguei pela experiência adquirida ao lidar com sonhos a ver neles muito mais uma *função compensadora*. Durante a análise, quando a discussão vai terminando o exame dos conteúdos conscientes, começam então a adquirir vida as possibilidades até então inconscientes, e estas passam a atuar como causadoras dos sonhos. Eis um exemplo que ilustra o que dissemos. Uma senhora já madura, de uns cinquenta e quatro anos, veio consultar-me por causa de uma neurose, que havia surgido mais ou menos um ano após a morte do marido, ocorrida há doze anos. Sofria de várias fobias. Como era de esperar, tinha ela uma história longa para contar, da qual destaco apenas o fato de ela, desde a morte do marido, morar sozinha numa linda casa de campo que possuía. Sua única filha tinha casado há vários anos e morava longe. A paciente é uma mulher de formação muito superficial e de horizonte espiritual muito acanhado; nos últimos quarenta anos não acrescentara mais nada à sua formação. Seus ideais e suas convicções são os da afamada época dos anos de 1870 a 1880. É uma viúva fiel e continua seu casamento, enquanto isto é possível, mesmo sem o marido. Não consegue compreender de maneira alguma o que possa ser a causa de suas fobias; certamente não será nenhum assunto de moral, pois ela se julga um membro digno de sua Igreja. Tais pessoas acreditam normalmente que as únicas causas são as corporais: as fobias estão relacionadas geralmente com o coração, os pulmões ou o

estômago; mas existia o fato curioso de os médicos não terem encontrado nela absolutamente nada desses males. Não sabia então o que pensar de sua doença. Disse-lhe que a partir daí iríamos procurar ver o que os sonhos acrescentariam à questão de suas fobias. Naquela época seus sonhos se caracterizavam por serem apenas como que fotos instantâneas: um gramofone toca uma canção de amor, ela é uma jovem recém-casada, seu marido é médico etc. Parecia-me já suficientemente claro o sentido das alusões feitas. Enquanto ela me expunha todo o problema, percebi o grande cuidado que tinha de não chamar a esses sonhos de "realização de desejos": "Ah! São apenas fantasias, a gente sonha coisas tão tolas". Era de grande importância o fato de ela aceitar considerar seriamente que esse problema a afetava. Os sonhos continham suas intenções verdadeiras, as quais deviam ser ajuntadas aos outros conteúdos da consciência, a fim de compensar sua parcialidade cega. Considero os sonhos como compensatórios, porque eles contêm aquelas imagens, aqueles sentimentos, aqueles pensamentos, cuja ausência produz na consciência um vazio que é preenchido pelo medo, em lugar de ser substituído pela compreensão. Ela não se interessava absolutamente em conhecer o sentido de seus sonhos, por julgar que não havia qualquer proveito em pensar numa questão para a qual não se pode dar uma resposta imediata. Do mesmo modo que tantas outras pessoas, ela não percebia que a repressão de pensamentos desagradáveis cria como que um vácuo psíquico, o qual aos poucos fica preenchido pelo medo, tal como costuma acontecer. Se ela tivesse empregado algum esforço, ocupando-se conscientemente de seus pensamentos, então já saberia o que tinha e não teria feito uso dos estados de angústia para substituir o sofrimento consciente que lhe estava faltando.

186 É evidente que o médico precisa conhecer bem o ponto de vista do paciente, a fim de ter base suficiente para compreender a intenção compensadora do sonho.

187 O significado e o conteúdo dos sonhos estão sempre em relação íntima com o estado ocasional da consciência, como atesta a experiência. Sonhos que se repetem correspondem a estados de consciência que também se repetem. Nestes casos torna-se certamente mais fácil enxergar o sentido da alusão dos sonhos. Suponhamos, porém, que uma moça recém-casada tivesse tido tais sonhos. Certamente eles te-

riam um significado muito diferente. Por isso tornar-se claro que se deve ter conhecimento muito perfeito do estado de consciência, pois pode ocorrer o caso de que os mesmos sonhos tenham para uma pessoa certo significado, e para outra um significado oposto. É quase impossível, ou pelo menos desaconselhável, tentar interpretar os sonhos sem conhecer pessoalmente o sonhador. Existem, contudo, ocasionalmente, sonhos fáceis de entender, principalmente entre pessoas que desconhecem inteiramente a psicologia; em tais casos se torna desnecessário o conhecimento do sonhador para interpretar o sonho. Certa vez, em viagem, encontrei-me com dois desconhecidos, que estavam à mesma mesa no carro-restaurante. Um deles era um senhor idoso de muito boa aparência, e o outro um homem de meia idade, que parecia inteligente. Depreendi da conversa deles que eram militares, provavelmente um velho general e seu ajudante de ordens. Depois de uma longa pausa, disse repentinamente o senhor mais velho ao companheiro: "Não é engraçado o que a gente às vezes sonha? Na noite passada tive um sonho curioso. Sonhei *que eu estava numa formação militar com muitos jovens tenentes e que nosso comandante-chefe fazia a revista. Por último, ele chegou a mim, mas, em lugar de fazer-me uma pergunta de natureza técnica, pediu-me uma definição do belo. Eu procurava em vão encontrar uma resposta satisfatória e sentia uma vergonha extremamente desagradável, quando ele se voltou para meu companheiro imediato, um major muito jovem, e lhe fez a mesma pergunta. Este logo lhe deu uma resposta acertada, justamente aquela que eu teria dado se não me tivesse sentido incapaz de achá-la. Isto me causou um choque tão forte que acordei*". Então, acrescentou, dirigindo-se de modo repentino e inesperado a mim, que lhe era completamente estranho: "O Senhor acredita que os sonhos possam ter algum sentido?" – "Bem", disse eu, "certamente existem sonhos cheios de sentido". "Mas que acha o Senhor que um sonho destes possa significar?" indagou com decisão, com certa contração nervosa no rosto. Disse-lhe eu: "O Senhor notou algo de especial nesse jovem major? Que aparência tinha?" "Ele se parecia comigo, quando eu era ainda um jovem major". "Pois bem", tornei eu, "parece que o Senhor esqueceu ou perdeu alguma coisa, que teria sido capaz de realizar naquela época em que era ainda um jovem major. Evidentemente o sonho pretende dirigir sua atenção para isso". Ele refletiu um pouco e saiu-se com estas palavras: "É isso mesmo. O Senhor acertou. Quando era ainda um jovem major, interessava-me muito pela arte. Mas depois esses interesses se desfizeram na rotina da profissão". Então emudeceu completamente, e não se falou mais nada. Após a refeição tive oportunidade de conversar com o outro, que eu julgava ser o ajudante de ordens. Ele confirmou minha suposição a respeito do grau militar do senhor idoso, e me contou ainda que eu havia tocado em seu ponto sensível, pois o general era conhecido como um formalista empedernido e temido como tal, por interessar-se até por minúcias que nem eram da conta dele.

188 Teria sido melhor para a orientação geral desse homem, que ele tivesse conservado e cultivado alguns interesses alheios ao trabalho profissional, para não deixar-se absorver pela rotina, que não foi benéfica nem para ele, nem para o seu trabalho.

189 Se a análise deste caso tivesse tido prosseguimento, eu teria mostrado a ele que seria sensato e aconselhável aceitar o ponto de vista do sonho. Deste modo conseguiria entender e corrigir essa sua parcialidade. Sob este aspecto, os sonhos são de valor incalculável; mas, apesar disso, é preciso precaver-se contra qualquer preconceito teórico, pois dessa forma apenas seriam despertadas, sem necessidade, resistências da parte do paciente. A esses preconceitos teóricos pertence a ideia de que os sonhos são sempre a realização de desejos (reprimidos), quase sempre de natureza erótica. O melhor que se pode fazer num caso concreto é não pressupor absolutamente nada, nem sequer que os sonhos devam ser necessariamente compensatórios. Tanto mais facilmente poderá alguém atingir o sentido do sonho quanto mais conseguir livrar-se de preconceitos e assim deixar atuar sobre si livremente o sonho e tudo o que a respeito dele tem a dizer a pessoa que sonhou. Há sonhos sexuais, como também sonhos causados por fome, febre, medo ou outros sonhos de causa somática. Estes são claros, e não se exige nenhum trabalho demorado para interpretá-los e descobrir as bases instintivas em que se fundamentam. Baseado na minha longa experiência, parto do ponto de vista de que o sonho exprime aquilo que significa; por isso qualquer outra interpretação é falha desde que indique algum sentido que não se encontre expresso na imagem manifesta do sonho. Os sonhos não são invenções intencionadas e dependentes do arbítrio, mas sim fenômenos naturais, que não constituem nada mais do que aquilo mesmo que representam. Não enganam, não mentem, não distorcem, não disfarçam,

mas anunciam com simplicidade aquilo que são e que significam. Apenas nos molestam e desorientam porque nós não os entendemos. Não empregam artifícios para encobrir qualquer coisa, mas dizem aquilo que constitui seu conteúdo, de modo tão claro quanto possível de acordo com seu modo especial de ser. Conseguimos também reconhecer por que são tão singulares e difíceis, pois a experiência mostra que os sonhos sempre procuram exprimir alguma coisa que o "eu" ignora e não entende. A incapacidade de não poderem ser mais claros corresponde à incapacidade da consciência de compreender o ponto em questão ou querer compreendê-lo. Voltando ao caso do general: Se este senhor, em sua lida certamente exaustiva da profissão militar, tivesse às vezes concedido a si mesmo o lazer necessário para refletir um pouco sobre a causa que o impelia a meter o nariz na mochila dos soldados – tarefa que ele deveria considerar mais adequada para o sargento – teria com certeza encontrado a razão de sentir-se irritadiço e mal-humorado, como também teria poupado a si mesmo aquele golpe molesto que lhe dei com minha interpretação inocente. Também poderia, com alguma reflexão, ter compreendido sozinho aquele sonho; era tão simples e tão claro que mais não poderia se desejar. Mas o sonho tem sempre essa propriedade desagradável de visar justamente o ponto cego; realmente, é esse ponto cego que fala no sonho.

190 É inegável que os sonhos representam ao psicólogo problemas difíceis, tão difíceis que não poucos dentre eles preferem ignorá-los e aceitar o juízo corrente dos leigos, segundo o qual os sonhos são tolices. Procederia mal o mineralogista que atirasse fora seu material por ser constituído apenas de seixos sem valor; do mesmo modo o médico ou o psicólogo deixariam perder-se o conhecimento mais profundo da vida psíquica de seus pacientes se quisessem preterir, por preconceito ou ignorância, as manifestações da alma inconsciente – sem mencionar que se trata da solução de uma tarefa científica imposta pelos sonhos ao pesquisador.

191 Porque os sonhos não são fenômenos patológicos, mas simplesmente fenômenos normais, a psicologia dos sonhos não é prerrogativa do médico, mas se situa no campo do psicólogo em geral. Na prática, contudo, será principalmente o médico quem se ocupará com os sonhos, pois a interpretação deles constitui a chave para o inconsciente. Sobretudo o médico precisa dessa chave, para que possa tratar

das perturbações neuróticas e psicóticas. Os doentes têm motivos mais graves do que os sãos para examinar o inconsciente, e por isso se beneficiam de vantagens de que os outros não participam. Muito raramente acontece que um adulto normal ache que ainda lhe falta algo de importante em sua educação, não poupando tempo nem dinheiro para conseguir aprofundar-se no conhecimento de si mesmo e atingir maior equilíbrio geral. Na realidade, falta tanta coisa ainda na formação de uma pessoa culta de nosso tempo, que é difícil distingui-la de um neurótico. Além dos casos típicos que necessitam absolutamente da ajuda médica, existem muitos outros, para os quais seria igualmente proveitoso o auxílio do psicólogo versado na prática.

192 O tratamento por meio da análise dos sonhos é atividade eminentemente educativa, cujos princípios e resultados seriam de máxima importância para curar os males de nossa época. Que bênçãos resultaria para o mundo, por exemplo, se fosse possível familiarizar uma percentagem mínima da população com a verdade de que não adianta acusar os outros daqueles defeitos, dos quais a própria pessoa é quem mais padece!

193 O material com que se deve operar na análise do inconsciente não consta apenas de sonhos. Há também os produtos do inconsciente denominados *fantasias.* Essas fantasias são como que uma espécie de sonhos ocorridos durante o estado de vigília, ou como que visões e inspirações. Podem ser analisadas do mesmo modo que os sonhos.

194 Existem, em princípio, duas modalidades de interpretação, que serão usadas de acordo com a natureza do caso em estudo. A primeira constitui o chamado *método redutivo.* Tem por intuito principal descobrir os impulsos instintivos em que se fundamenta o sonho. Considerem os Senhores como exemplo o sonho daquela senhora de certa idade, que mencionei há pouco. Certamente é muito importante neste caso que a sonhadora veja e compreenda os fatos instintivos. No caso do general, porém, seria bastante artificial pretendermos falar de repressão de algum instinto biológico, uma vez que é inteiramente inverossímil que ele esteja reprimindo seus interesses estéticos. É muito mais provável que ele se tenha afastado disso mais pela força do hábito. A interpretação do sonho dele teria finalidade *construtiva,* porque tentamos acrescentar alguma coisa à atitude consciente dele, para com isso enriquecê-la. O fato de afundar-se na roti-

na corresponde a certa dose de indolência e comodismo que é própria do homem primitivo existente em nós. O sonho procura assustá-lo para que saia desse estado. Mas no caso daquela senhora, a compreensão do fator erótico faz com que ela volte a reconhecer a sua natureza primitiva de mulher, cuja conscientização é muito mais importante para a paciente do que a ilusão de levar uma vida de ingenuidade e de respeitabilidade mesquinha.

195 Costumamos, pois, empregar de preferência o ponto de vista da redução em todos os casos em que estivermos lidando com ilusões, ficções ou exageros. Deveremos, no entanto, empregar o ponto de vista da construção, sempre que a atitude consciente, apesar de mais ou menos normal, for capaz de maior aperfeiçoamento ou apuramento; bem como nos casos em que certas tendências inconscientes e capazes de serem desenvolvidas, provindas da psique inconsciente, forem entendidas erradamente pela consciência, ou até mesmo reprimidas. O ponto de vista redutivo é característico da interpretação de Freud. Reconduz sempre ao que existe de primitivo e elementar. O ponto de vista construtivo, no entanto, procura atuar de maneira sintética, construir e dirigir o olhar para o futuro. É menos pessimista do que o ponto de vista redutivo, o qual vive sempre a farejar algo de imprestável, e tende a decompor em partes mais simples tudo o que é complicado. Pode acontecer que em certos casos seja necessário destruir pela terapia alguma formação doentia; no entanto, com a mesma frequência ou até mais frequentemente, pode ser oportuno e indicado fortalecer e proteger o que é sadio e digno de ser conservado, para deste modo desfazer o campo em que cresce o que é doentio. Poderíamos mesmo dizer que não apenas os sonhos, mas todos os sintomas e todas as notas características, e expressões da vida, tudo isso enfim pode ser considerado do ponto de vista redutivo, para encontrar assim ao menos a possibilidade de uma interpretação negativa. Se prosseguirmos suficientemente nessa pesquisa, então descenderemos todos de ladrões e assassinos; neste caso não será difícil demonstrar que a humildade tem raízes no orgulho espiritual e que toda e qualquer virtude tem suas raízes no vício oposto. Sempre ficará dependendo da compreensão e da experiência do analista a decisão de empregar ora um, ora outro método. Baseando-se no conhecimento do caráter do paciente e no estado atual de sua consciência, poderá o analista empregar tanto um como o outro método.

196 Não seria nada supérfluo, neste contexto, acrescentar algumas palavras sobre o simbolismo dos sonhos e das fantasias. A teoria do simbolismo atingiu atualmente o âmbito da ciência, e já não pode mais ser explicada por interpretações sexuais algo fantasiosas. Venho procurando colocar o estudo dos símbolos sobre a única base possível, que é a científica e que consiste na pesquisa comparativa[19]. Os resultados deste método se me afiguram muito importantes.

197 O simbolismo onírico apresenta antes de tudo caráter pessoal, que pode ser esclarecido pelas ideias súbitas que ocorrem ao sonhador. Não é aconselhável estender a interpretação além daquilo que é apresentado pelo sonhador, ainda que isto seja possível em relação a determinados simbolismos[20]. Para determinar a significação exata e estritamente pessoal de um sonho, é certamente indispensável a ajuda do sonhador. As imagens oníricas podem ter sentidos diversos, e jamais se pode confiar na suposição de que certa imagem tenha sempre o mesmo sentido, quando se trata de outro sonho ou de outro sonhador. Existe apenas certa constância de significados quando se trata de imagens *arquetípicas*, como as designamos[21].

198 Para que alguém possa exercer na prática, como profissão, a interpretação dos sonhos, requer-se primeiramente certa habilidade específica e a capacidade de sintonizar-se emotivamente com os outros; além disso exigem-se ainda conhecimentos consideráveis da história dos símbolos. Como em qualquer outra atividade de psicologia prática, também aqui não basta o intelecto, mas o sentimento é igualmente de grande importância, pois de outra forma nem seriam percebidos os valores afetivos do sonho, que são extremamente importantes. Sem esses valores afetivos se torna impossível a interpretação do

---

19. A respeito disso cf. meu livro *Wandlungen und Symbole der Libido* (*Transformações e símbolos da libido*). Nova edição: *Symbole der Wandlung* (*Símbolos da transformação*) [OC, 5]. Cf. tb. JUNG, C.G. & KERÉNYI, K. *Einführung in das Wesen der Mythologie* (*Introdução à essência da mitologia*). Zurique: Rhein-Verlag, 1951 [Contribuições de Jung – OC, 9/1].

20. Cf. a esse respeito *Psychologie und Alchemie* (*Psicologia e alquimia*) 2ª parte: "Traumsymbole des Individuationsprozesses" ("Símbolos oníricos do processo de individuação") [OC, 12].

21. Cf. a esse respeito meu trabalho *Über die Archetypen des kollektiven Unbewussten* (*Sobre os arquétipos do inconsciente coletivo*) [OC, 9/1].

sonho. Como o sonho provém do homem como um todo, aquele que tenta interpretá-lo deve atingi-lo na totalidade de sua pessoa humana. *Ars totum requirit hominem* (a arte reclama o homem inteiro), diz um antigo alquimista. A inteligência e o saber devem ser atuantes, mas não antepor-se ao coração, o qual por sua vez não deve ser vítima dos sentimentos. Tudo considerado, temos de concluir que a interpretação dos sonhos é uma arte, como de modo geral também o diagnóstico, a cirurgia e a terapia. É uma arte difícil de aprender, mas acessível aos capazes e predestinados.

III

Minhas Senhoras e meus Senhores!

199 Por meio da análise de sonhos e fantasias procuramos compreender as "tendências do inconsciente". Ao dizermos "tendências do inconsciente", isto quase parece significar uma personificação do inconsciente, como se este fosse algum ser dotado de vontade consciente. Mas do ponto de vista científico, o inconsciente, em primeiro lugar, nada mais é do que uma propriedade de certos fenômenos psíquicos. Nem ao menos podemos estabelecer determinada categoria de fenômenos psíquicos que tenham, normalmente e em todas as circunstâncias, a propriedade de serem inconscientes. Em certos casos, tudo pode ser ou tornar-se inconsciente. Torna-se inconsciente tudo aquilo que alguém esqueceu ou de que afastou a atenção até cair no esquecimento. De modo geral passa a ser subliminar tudo o que perdeu certo grau de tensão energética. Se aos fatos esquecidos acrescentarmos ainda as múltiplas ocorrências que se situam abaixo do limiar da percepção, quer sejam percepções dos sentidos, pensamentos ou sentimentos, poderemos então fazer uma ideia daquilo que constitui pelo menos as camadas superiores do inconsciente, se nos for lícito usar tal expressão.

199a É desta espécie o material com que devemos lidar inicialmente na análise prática. Alguns desses conteúdos inconscientes estão na situação singular de terem sido reprimidos pela consciência. Por meio de uma manobra mais ou menos proposital para desviar a atenção de certos conteúdos conscientes e ainda por meio de certa resistência ativa contra eles, acabamos por eliminá-los da consciência. Uma disposição persistente da consciência contra esses conteúdos é que os mantém artificialmente abaixo do limiar da tomada de consciência. Este caso especial é uma ocorrência comum, principalmente na histeria. É o começo da cisão da personalidade, uma das características mais destacadas dessa doença. É fato verificado que as repressões aparecem também em pessoas mais ou menos normais; mas a perda total das recordações reprimidas é sintoma patológico. Será necessário fazer uma distinção entre os conceitos de repressão e de *supressão.* Ao querermos desviar nossa atenção de alguma coisa, a fim de concentrá-la em outro objeto, temos de eliminar os conteúdos presentes na consciência, pois se não fosse possível deixar de considerá-los, nem seria possível trocar de objeto conforme nosso interesse. Normalmente sempre resta a possibilidade de retornar os conteúdos eliminados conscientemente; eles podem ser reproduzidos sempre de novo. Se houver resistência para tais conteúdos serem reproduzidos, pode tratar-se de um caso de repressão. Em tal caso deve existir algum interesse em preferir o esquecimento. A supressão de um conteúdo não causa nenhum esquecimento, ao passo que a repressão o produz. É muito natural a existência do esquecimento normal, que nada tem a ver com a repressão. A repressão consiste na perda artificial da memória, como uma amnésia que alguém sugere a si próprio. De acordo com as observações que tenho feito, não acho justificação para admitir-se que o inconsciente seja inteiramente formado, ou em sua maior parte, de material reprimido. A repressão é um fenômeno excepcional e anormal, que desperta nossa atenção por tratar-se da perda de conteúdos dotados de acentuado valor afetivo, e que, de acordo com nossa suposição razoável, deveriam ser conscientes ou, no mínimo, passíveis de rememoração. A repressão pode ter efeitos semelhantes aos produzidos por choques ou outras lesões do cérebro (venenos!), casos em que surgem perdas de memória igualmente impressionantes. Neste segundo grupo, o esquecimento afeta todas as recordações de determinada época, enquanto que a repressão produz a amnésia *sistemática,* como é designada; neste caso apenas recordações bem determinadas ou certo grupo de imagens é que são subtraídos à memória. Verifica-se aqui certa atitude ou tendência da consciência, que consiste na intenção direta de evitar até mesmo a simples possibilidade de recordar-se do objeto, e isto a partir da razão convincente de que a recordação é penosa e dolorosa. A tais casos aplica-se corretamente o conceito de repressão. A maneira mais simples de observar este fenômeno é o *experimento da associação,* no qual determinadas palavras que atuam como estímulo conseguem atingir os complexos dotados de grande afetividade, como os designamos. Nesses pontos ocorre com frequência durante a assim chamada reprodução (lapsos ou falsificação da lembrança) (amnésia ou paramnésia). Em geral trata-se de complexos referentes a coisas desagradáveis que alguém gostaria de esquecer ou preferiria que não lhe lembrassem. E os próprios complexos provêm normalmente de certos acontecimentos ou impressões que causaram sofrimentos ou dor.

200 Mas esta regra tem certas limitações. Acontece, pois, que até conteúdos importantes podem desaparecer da consciência sem que haja o mínimo vestígio de repressão. Desaparecem de modo automático, para o pesar de quem é atingido; e isto se dá sem haver o mínimo interesse consciente que provoque este esquecimento ou se alegre com ele. Não estou falando do esquecimento normal, que é apenas efeito da diminuição natural da tensão energética, mas quero referir-me aos casos em que um motivo, uma palavra, uma imagem ou uma pessoa desaparecem da lembrança sem deixar vestígios para mais tarde reaparecerem em alguma situação importante, fatos designados como *criptomnésias*[22]. Assim me lembro, por exemplo, de um encontro com um escritor, o qual mais tarde, em sua autobiografia, descreve nossa conversa por extenso. Mas em sua descrição falta a *pièce de résistence*, isto é, uma pequena explicação que lhe dei a respeito da formação de certas perturbações psíquicas. Essa recordação lhe escapou. No entanto, esta mesma explicação se encontra retratada de modo sumamente adequado em um livro que ele dedicou ao assunto. Enfim, não é apenas o passado que nos condiciona, mas também o futuro, que muito tempo antes já se encontra em nós e lentamente vai surgindo a partir de nós mesmos. Dá-se isto de modo especial na pes-

22. A respeito de Nietzsche descrevi um caso dessa natureza em minha dissertação Zur Psychologie und Pathologie sogenannter occulter Phänomene (Para uma psicologia e patologia dos assim chamados fenômenos ocultos) [OC, 1].

soa dotada de capacidade criadora, que no começo não percebe de relance a riqueza de suas possibilidades, apesar de já estarem elas alertas em seu interior. Por isso pode ocorrer facilmente que algo, já predisposto no inconsciente, seja atingido por alguma observação "casual" ou por algum acontecimento, sem que a consciência perceba o que foi despertado, nem mesmo que algo tenha sido despertado. Somente após um período muito longo de incubação é que surge o resultado. O impulso original permanece muitas vezes oculto no esquecimento. Este conteúdo ainda não consciente porta-se do mesmo modo que um complexo comum. Emite radiações para a consciência e atua sobre os conteúdos conscientes que de qualquer modo estejam relacionados com ele, seja supervalorizando-os, isto é, conservando-os de maneira curiosamente durável na consciência, seja ao contrário, ameaçando-os de repentino desaparecimento, não por meio de uma repressão vinda de cima, mas por meio de uma atração que surge de baixo. Consegue-se mesmo descobrir certos conteúdos até então inconscientes pela permanência de certas "lacunas" ou "eclipses" na consciência. Na maioria das vezes compensa, pois, voltar a examinar melhor, sempre que tivermos a sensação obscura de não ter percebido alguma coisa ou de havê-la esquecido. Quem admitir que o inconsciente consiste principalmente de repressões certamente não terá condições de imaginar a atividade criadora do inconsciente e chegará logicamente à conclusão de que os eclipses são apenas efeitos secundários de alguma repressão. Mas com isso nos afastamos do caminho certo: Exageramos indevidamente a explicação pela repressão, e damos muito pouca atenção ao que é criativo. Exageramos assim o causalismo e desse modo vemos na criação da cultura apenas uma atividade sucedânea, sem característica própria. Esta concepção não é apenas melancólica, mas também desvaloriza o que existe de bom na cultura. Surge assim a impressão de que a cultura é apenas um longo suspiro pela perda do paraíso e do que havia aí de infantilismo, barbarismo e primitivismo. De modo tipicamente neurótico, começa-se a supor que nos tempos de outrora um pai malvado tenha proibido, sob pena de castração, a felicidade de ser criança. O mito da castração se torna assim um tanto exagerado e passa a ser visto como o mito causal da cultura, o que mostra muito pouco senso psicológico. Nasce daí a explicação aparente do "mal-estar" que existe na cultura[23], suspeitando-se continuamente de que há um certo lamentar-se por causa de algum paraíso perdido, que existiu antes. Que a permanência naquele jardim da infância, com sua rudeza bárbara, tenha sido mais incômodo do que a cultura até 1933, disto pôde convencer-se sobejamente nos últimos anos quem se cansou da Europa. Eu acho que o "mal-estar" na cultura tem razões muito pessoais. Também por meio de teorias pode barrar-se o caminho para a compreensão. Na prática o que a teoria da repressão da sexualidade infantil ou do trauma infantil conseguiu inúmeras vezes foi desviar a atenção das razões atuais da neurose[24], que são os comodismos, as negligências, as omissões, as cobiças, as maldades e outras manifestações do egoísmo, para cuja compreensão não se precisa de qualquer teoria complicada de repressão sexual. Devemos saber que não apenas o neurótico, mas qualquer outra pessoa prefere naturalmente (enquanto não tiver compreensão) jamais colocar em si mesma os motivos de qualquer situação penosa, mas os afasta, no espaço e no tempo, para o mais longe possível de si. Procedendo de outro modo, a pessoa correria o risco de ter de corrigir alguma coisa. Diante desse risco parece muito mais proveitoso atribuir a culpa aos outros ou, no caso de a culpa estar inegavelmente na própria pessoa, admitir que isso se tenha originado na primeira infância, de algum modo qualquer e sem a nossa colaboração. De fato, a pessoa não consegue recordar-se como foi; mas se pudesse, então toda a neurose desapareceria, como se acredita. Esses esforços para recordar-se parecem ser uma atividade cansativa e, além disso, apresentam a vantagem de desviar a atenção do verdadeiro assunto. Sob esse aspecto, poderá até parecer aconselhável prolongar por muito tempo essa caçada à procura de algum trauma possível.

201 Este argumento, ainda que não seja inoportuno, não exige qualquer revisão na conceituação atual, nem nova discussão dos problemas surgidos atualmente. Certamente não se pode duvidar que muitas neu-

---

23. Cf. FREUD, S. *Das Unbehagen in der Kultur* (*O mal-estar na cultura*). Viena: [s.e.], 1930.

24. Cf. o caso já mencionado do jovem que ia apanhar sol na Riviera e no Engadin.

roses já se prenunciam na infância, devido a acontecimentos traumatizantes. Também é certo que o desejo voltado para o tempo passado da irresponsabilidade infantil continua a ser a tentação diária para muitos pacientes. De outra parte, é igualmente certo que a histeria, por exemplo, está sempre pronta a fabricar experiências traumatizantes, caso elas faltem, com o que o paciente ilude a si mesmo e ao médico. Resta ainda, sobretudo, dar uma explicação para a causa de o mesmo acontecimento traumatizar uma criança e não atuar sobre outra.

202 A prática da psicoterapia não comporta a ingenuidade. Por isso o médico, e também o educador, devem estar precavidos em qualquer momento contra enganos conscientes e inconscientes não apenas da parte do paciente, mas principalmente da parte deles mesmos. A tendência que cada um tem de viver iludido e acreditar em qualquer ficção a respeito de si mesmo – tanto no bom sentido como no mau – é muito grande e quase invencível. O neurótico é sempre alguém que se torna vítima da ilusão. Quem está sendo enganado, engana também aos outros. Tudo pode prestar-se para disfarce e para recursos enganosos. Todo o psicoterapeuta que acredita em certa teoria e em determinado método deve estar prevenido para os casos em que poderá desempenhar o papel de bobo, isto é, quando se tratar de pacientes suficientemente hábeis para garantirem para si mesmos um abrigo seguro por trás dos termos pomposos da teoria, empregando o tal método com a finalidade de encobrir seu esconderijo.

203 Como não existe montaria insenta do perigo de ser cavalgada e até sua morte, da mesma forma é coisa duvidosa fiar-se demasiadamente em teorias da neurose e em métodos de tratamento. De minha parte acho sempre cômico o fato de que certos médicos hábeis em negócio afirmam aplicar banhos e tratar segundo o método de "Adler" ou "Künkel" ou "Freud" ou até mesmo "Jung". Não existe tal tratamento, nem pode existir. Se alguém tentar fazê-lo, corre certamente o risco de fracassar. Ao tratar do senhor X, sou obrigado a empregar o método X, assim como devo aplicar o método Z à senhora Z. Isto significa que o método e os meios de tratamento dependem sobretudo da natureza do paciente. Quaisquer experiências psicológicas e quaisquer pontos de vista, quer provenham desta ou daquela teoria, podem ser úteis conforme o caso. Sistemas doutrinários, como o de Freud ou de Adler, consistem por uma parte de certas formas profis-

sionais e, por outra, de ideias preferidas segundo o temperamento do autor. No âmbito da antiga patologia, que de modo inconsciente ainda seguia Paracelso ao considerar as doenças como *entia* (seres)[25], ainda poderia parecer possível descrever a neurose como um conjunto delimitado e específico de sintomas. Da mesma forma se podia naquela época ter ainda a esperança de enquadrar a essência da neurose nas categorias de uma doutrina e expressá-la por fórmulas mais simples. Na medida em que tal procedimento se mostrava compensador, apenas se trazia para o primeiro plano o que era sem importância para a neurose enquanto tal, ao passo que se encobria o único aspecto importante dessa doença, isto é, que é sempre uma manifestação inteiramente individual. A terapia da neurose, para ser verdadeira e eficaz, deve ser sempre individual. Por isso o emprego obstinado de determinada teoria e de certo método deve ser considerado errado. Se em algum caso já se tornou evidente que não existem doenças, mas sim pessoas doentes, isto certamente ocorre nas neuroses. Nelas encontramos sintomas mais individuais que em todas as outras doenças. Além disso, descobrimos muitas vezes na neurose conteúdos e mesmo aspectos da personalidade que para o doente são mais característicos do que seu aspecto talvez quase apagado de cidadão. Pelo fato das neuroses serem extraordinariamente individuais é que a formulação teórica a respeito delas se apresenta como uma tarefa quase impossível; tais formulações apenas podem considerar traços coletivos, isto é, traços comuns a muitos indivíduos. Mas isto representa justamente o que é menos importante na doença, senão até algo desprovido de todo o valor. A par desta dificuldade, existe ainda outra, que, de certo modo, é própria da psicologia: Toda tese psicológica ou toda a verdade referente à psique deve ser imediatamente invertida a fim de que possa ser formulada de acordo com a verdade. Por exemplo: alguém é neurótico porque reprime ou porque não reprime; porque tem a mente repleta de fantasias sexuais infantis ou porque não tem nada disso; porque apresenta inadaptação infantil ao ambiente ou há exagero de adaptação (isto é, exclusivamente) ao ambiente; porque vive segundo o princípio do prazer ou porque não o se-

---

25. Cf. JUNG, C.G. "Paracelsus als geistige Erscheinung" ("Paracelso como manifestação espiritual") [OC, 13].

gue; porque é exageradamente inconsciente ou porque é excessivamente consciente; porque é egocêntrico ou porque age muito pouco em função de si próprio etc. Essas antinomias, que podemos aumentar à vontade, mostram claramente como a teorização, neste campo, é tarefa difícil e ingrata.

204 Eu mesmo desisti há muito tempo de construir uma teoria coerente da neurose; tudo o que aceito são uns poucos pontos de vista extremamente genéricos, tais como: dissociação, conflito, complexo, regressão, queda do nível mental, por serem estes os fenômenos encontrados usualmente em todas as neuroses. Toda a neurose é, pois, caracterizada por dissociação e conflito, contém complexos e apresenta fenômenos de repressão ou de queda do nível mental. De acordo com a experiência prática, não é possível inverter essas teses. Mas, a partir do fenômeno frequente da repressão, surge a antinomia. Assim a tese "o mecanismo principal da neurose consiste na repressão" deve permitir a inversão contraditória, porque em lugar da repressão se encontra muitas vezes o oposto, o *fato de algo ser retirado;* este caso corresponde ao fenômeno comum entre povos primitivos que é designado como "perda da alma"[26] e que certamente não é nenhuma repressão, mas algo como "ser acometido de"; entre os primitivos é explicado como efeito de magia. Tais fenômenos, que originariamente são de ordem mágica, nem por isso deixaram de existir entre os homens (ou povos) de cultura, como os designamos.

205 Seria por ora empreendimento precipitado pretender-se criar uma teoria da neurose, pois nem de longe se terminou o estudo dos fatos. A pesquisa comparada do inconsciente, por exemplo, ainda mal começou.

206 Teorias precipitadas não são inócuas. Assim a teoria da repressão, cuja validade é incontestável em certo quadro patológico (até a inversão da tese!), foi estendida para abranger o campo dos processos criativos, de modo que a criação da cultura foi de certo modo relegada ao plano secundário de produto substitutivo. Com isso tudo o que há de originalmente sadio na capacidade criadora é deslocado para a penumbra da neurose, porque esta é sem dúvida, em muitos

---

26. Na América do Sul "perda de gana" (*Ganaverlust*) (gana = apetite, desejo). Cf. KEYSERLING, H. *Südamerikanische Meditationen* (*Meditações sul-americanas*), p. 153s.

casos, produto da repressão. Desaparece deste modo a possibilidade de distinguir entre o que é criativo e o que é doentio. O homem criativo se torna suspeito de doença, e o neurótico, por sua vez, terá a impressão de que sua neurose seja arte ou pelo menos fonte dela. Esses "também-artistas" apresentam, porém, um sintoma muito característico: afastam-se completa e violentamente da psicologia por temerem que esse monstro lhes devore o poder criativo. Como se um exército inteiro de psicólogos tivesse poderes contra um deus! Verdadeira criatividade é uma fonte que simplesmente não pode ser obstruída. Existiria por acaso neste mundo algum ardil mediante o qual se pudesse ter impedido grandes mestres, como Mozart e Beethoven, em seu poder criativo? A força criadora é mais forte do que o homem. Onde tal não ocorre é porque se trata de uma força muito débil, que em condições favoráveis poderá alimentar algum talentozinho agradável. Quando, porém, se tratar de neurose, bastará muitas vezes uma única palavra, talvez apenas um olhar, para desfazer num instante a ilusão. Neste caso ocorre que o suposto poeta já não poderá compor seus versos, ou que o suposto pintor tenha sua inspiração reduzida e só produza coisa de menor valor do que antes, e tudo isso será então por culpa única e exclusiva da psicologia! De minha parte sentir-me-ia satisfeito se o conhecimento psicológico tivesse efeito tão desinfetante e acabasse com o elemento neurótico que desvirtua a arte hodierna, tornando-a tão pobre em gozo artístico. A doença jamais poderá beneficiar a faculdade criativa; pelo contrário, constitui para ela o mais forte dos empecilhos. A resolução de qualquer repressão jamais poderá destruir o que é realmente criativo, e do mesmo modo não se pode esgotar o inconsciente.

207 O inconsciente é a mãe criadora da consciência. A partir do inconsciente é que se desenvolve a consciência durante a infância, tal como ocorreu nas eras longínquas do primitivismo, quando o homem se tornou homem. Já me perguntaram muitas vezes como é que a consciência surgiu do inconsciente. A isso devo responder que o único caminho para achar a resposta seria o de deduzir, a partir das experiências atuais, quais deveriam ter sido os acontecimentos ocultos nas profundezas do passado, situados além do campo da ciência. Não sei se seria lícito tirar tal conclusão. Contudo, talvez naquelas eras longínquas a consciência surgisse do mesmo modo que hoje em

dia. Há dois caminhos pelos quais surge a consciência. O primeiro é um momento de forte tensão emocional, comparável àquela cena do "*Parsifal*" de Wagner, quando Parsifal, no momento de máxima tentação, percebe realmente e de repente a importância do ferimento de Amfortas. O segundo caminho é um estado contemplativo no qual as representações se movimentam como as imagens oníricas. Repentinamente surge uma associação entre duas representações aparentemente desconexas e distantes, e deste modo se libera uma tensão latente. Tal momento atua como uma revelação. Parece ser sempre a descarga de uma tensão energética, de natureza externa ou interna, aquilo que produz a consciência. Muitas das recordações mais antigas da infância, se bem que nem todas, conservam vestígios de tal formação da consciência, que surge repentinamente, como um raio. Do mesmo modo que se dá em relação às tradições provindas da aurora dos tempos históricos, também aqui algumas recordações são vestígios de fatos reais, e outras são de natureza puramente mitológica; em outras palavras: umas têm origem externa e outras, origem interna. Essas recordações de origem interna são muitas vezes extremamente simbólicas e têm grande importância para a vida psíquica ulterior da pessoa. A maioria das impressões surgidas nos primeiros anos de vida se torna rapidamente inconsciente e forma a camada infantil do *inconsciente pessoal*, como o denomino. Tenho certas razões para propor essa divisão do inconsciente. O inconsciente pessoal encerra tudo o que foi esquecido ou reprimido ou de qualquer modo se tornou subliminar, tudo o que a pessoa adquiriu antes de modo consciente ou inconsciente. Tais materiais são marcados por um cunho inconfundivelmente pessoal. Mas no inconsciente podem ser encontrados ainda outros conteúdos, que parecem inteiramente estranhos à pessoa, e muitas vezes não apresentam o menor vestígio de uma qualidade pessoal. Material deste tipo é frequentemente encontrado nos doentes mentais, contribuindo não pouco para a confusão e desorientação do paciente. Ocasionalmente esses conteúdos estranhos podem aparecer também nos sonhos de pessoas normais. Ao analisarmos um neurótico, e compararmos seu material inconsciente com o encontrado em alguns casos de esquizofrenia, logo percebemos uma diferença considerável. No neurótico o material recolhido costuma ser preponderantemente de origem pessoal. Seus pensamentos e sentimentos giram em torno da família e da sociedade em que vive. Em se tratando de doença mental, dá-se muitas vezes o caso de as imaginações coletivas passarem para o primeiro plano, como que encobrindo a esfera pessoal. O doente escuta a voz de Deus a falar-lhe, sua visão mostra transformações cósmicas; é como se tivesse sido retirado o véu de todo um mundo de ideias e emoções, até então oculto à sua mente. Quase que em seguida põe-se a falar de espíritos, de demônios, de magia, de perseguições ocultas e mágicas, e assim por diante. Não será difícil adivinhar de que mundo se trata. É o mundo da mente primitiva que se mantém profundamente inconsciente enquanto tudo corre bem na vida, mas que emerge dessa profundeza assim que algo de funesto se apresente à consciência. A esta camada impessoal da alma dei o nome de *inconsciente coletivo*. É "coletivo" porque não se trata de nada que tenha sido adquirido pessoalmente. É como que o funcionamento da estrutura herdada do cérebro, a qual em seus traços gerais é a mesma em todos os seres humanos, e de certo modo até mesmo em todos os mamíferos. O cérebro herdado é o resultado da vida de nossos antepassados. Consta dos sedimentos estruturais ou das correspondências àquelas atividades psíquicas, que inúmeras vezes foram repetidas na vida de nossos antepassados. Em contrapartida, constitui também o tipo existente *a priori* e aquilo que desencadeia a atividade correspondente. De modo algum estou interessado em decidir o que é mais antigo, se é a galinha ou o ovo.

208 Nossa consciência pessoal é como que um edifício erguido sobre o inconsciente coletivo, de cuja existência ela normalmente nem suspeita. Esse inconsciente coletivo apenas ocasionalmente influencia nossos sonhos. Quando tal ocorre, surgem então aqueles sonhos raros e admiráveis, de notável beleza ou de terror demoníaco ou de sabedoria enigmática, aos quais certos povos primitivos dão o nome de "grandes" sonhos. As pessoas costumam ocultar esses sonhos como um segredo precioso, e procedem corretamente agindo assim. Tais sonhos são de significado muito grande para o equilíbrio psíquico do indivíduo. Muitíssimas vezes até ultrapassam o horizonte mental da pessoa e adquirem assim validade para muitos anos da vida, como se fossem uma espécie de marcos miliários espirituais, mesmo que jamais sejam entendidos completamente. Será tarefa bem desalentado-

ra tentar interpretar esses sonhos pelo método redutivo; o valor e o verdadeiro sentido deles é inerente a eles mesmos. São como que acontecimentos psíquicos, os quais no caso dado resistem a qualquer tentativa de racionalização. A fim de ilustrar meu pensamento, gostaria de apresentar aos Senhores o sonho de um jovem estudante de teologia[27]. Nem sequer conheço pessoalmente o sonhador, de modo que se acha excluída a hipótese de minha influência pessoal. Ele sonhou o seguinte: *Estava diante da figura sublime de um sacerdote, chamado o "mágico branco"*, ainda *que trajasse uma veste comprida e preta. Este sacerdote acabava de terminar um discurso com as seguintes palavras: "E para isto precisamos da ajuda do mágico negro". Então abriu-se de repente a porta, e entrou outro homem idoso; era o mágico negro, que vestia um traje branco. Era também belo e sublime. O mágico negro pretendia visivelmente falar com o mágico branco, mas hesitava em fazê-lo na presença do sonhador. Então o mágico branco disse enquanto apontava para o sonhador: "Fala, ele é inocente". O mágico negro começou então a contar uma história muito curiosa, dizendo como tinha encontrado a chave perdida do paraíso, mas não sabia usá-la. Continuou ainda, dizendo ter vindo procurar o mágico branco para receber a explicação do mistério da chave. Contou-lhe também que o rei da terra em que vivia estava procurando para si um túmulo apropriado. Casualmente aconteceu que seus súditos escavassem um sarcófago antigo, que encerrava os restos mortais de uma virgem. O rei abriu o sarcófago, atirou fora os ossos e mandou enterrá-lo novamente para ser usado mais tarde. Mas logo que os ossos ficaram à luz do dia, o ser a quem haviam pertencido antigamente – a virgem – transformou-se num cavalo negro que fugiu para o deserto. O mágico negro perseguiu-o através do deserto, e mais além ainda, e então encontrou a chave perdida do paraíso, após passar por muitas vicissitudes e dificuldades.* Com isso terminou a história e infelizmente o sonho chegou ao fim.

---

27. Cf. tb. JUNG, C.G. "Über die Archetypen des kollektiven Unbewussten" ("Sobre os arquétipos do inconsciente coletivo") [OC, 9/1]; *Zur Phänomenologie des Geistes im Märchen* ("Para uma fenomenologia do espírito nos contos") [OC, 9/1]; e "Die Beziehungen zwischen dem Ich und dem Unbewussten" ("A dialética do eu e do inconsciente") [OC, 7].

209 Acho que tal sonho pode esclarecer a diferença entre o sonho comum e pessoal e o "grande" sonho. Qualquer pessoa, desde que não esteja dominada por algum preconceito, poderá sentir sem maior análise o significado do sonho e concordará conosco que tal sonho provém de "outra camada", diversa da que surgem os sonhos comuns de todas as noites. Neste sonho atingimos problemas de grande importância, e nos sentimos como que tentados a ocupar-nos demoradamente deste assunto. Este sonho deverá servir aqui apenas como exemplo da atividade de camadas mais profundas da psique do que as formadas pelo inconsciente pessoal. Já o sentido manifesto do sonho passa a ter aspecto muito especial ao levarmos em conta que o sonhador era um jovem teólogo. Como parece evidente, o sonho lhe apresenta de forma muito impressionante a relatividade do bem e do mal. Seria, pois, conveniente perscrutar-lhe a mente em relação a este problema; seria até interessante conhecer o que um teólogo teria a dizer sobre esta importante questão psicológica. Interessaria também muitíssimo ao psicólogo conhecer a maneira pela qual um teólogo se coloca e aceita o fato de que o inconsciente, apesar da distinção das duas metades opostas, reconhece assim mesmo, claramente, a identidade delas. Não é provável que um jovem teólogo tenha pensado conscientemente algo tão herético. Quem é então o autor de tais pensamentos? Se considerarmos ainda que não são raros os sonhos em que aparecem motivos mitológicos, os quais não obstante o sonhador desconhece, então poderemos colocar diversas questões. Seriam estas: donde provém esse material com o qual o sonhador jamais esteve em contato em sua vida consciente; e, em seguida, quem é, ou o que é, o autor dos pensamentos formulados nessa linguagem, e de pensamentos tais, que ultrapassam o horizonte mental do sonhador[28]? Em geral nos sonhos e também em certos tipos de psicoses encontram-se muitas vezes material arquetípico que consiste de imagens e conexos correspondentes aos que existem nos mitos. Foi a partir desse paralelismo que cheguei à conclusão de que deve existir uma camada do in-

---

28. Não pretendo achegar-me perto demais do sonhador desconhecido cujo sonho acabei de mencionar. Acho, porém, que o problema atingido no sonho não podia ainda estar consciente, em toda a sua extensão, em um jovem de 22 anos.

consciente que funciona exatamente do mesmo modo que a psique arcaica, geradora de mitos.

210 Ainda que não sejam raros os sonhos nos quais existam correspondências mitológicas, contudo o aparecimento do inconsciente coletivo, como designei essa "camada" mítica, faz parte dos acontecimentos extraordinários que somente se realizam em condições especiais. Isto acontece nos sonhos ocorridos em etapas importantes da vida. Os sonhos infantis mais remotos, dos quais ainda restam recordações, contêm muitas vezes espantosos mitologemas (*Mythologeme*). Tais formações primitivas voltamos a encontrar na poesia e na arte em geral, e – *last not least* – a experiência religiosa e a dogmática também são ricas em imagens de natureza arquetípica.

211 Como problema prático, o inconsciente coletivo não deve ser considerado em crianças, pois para elas a acomodação ao ambiente desempenha um papel capital. Seu enlace com o inconsciente original é que deve ser desfeito, porque a permanência ulterior dessa ligação seria empecilho para o desenvolvimento da consciência, e é sobretudo da consciência que elas precisam. Mas se meu propósito fosse discorrer aqui sobre a psicologia humana da fase situada além da metade da vida, teria certamente de dizer muito mais a respeito da importância do inconsciente coletivo. Devemos ter sempre em mente que nossa vida psíquica varia constantemente, não apenas de acordo com a predominância de certos impulsos instintivos ou de determinados complexos, mas também em correlação com a idade de cada um. Devemos precaver-nos contra a suposição de que as crianças têm a mesma vida psíquica que os adultos. A criança não pode ser tratada como um adulto. Principalmente o trabalho de pesquisa não deve ser tão sistemático como no caso de adultos. Nas crianças nem sequer é possível ainda a análise perfeita e sistemática dos sonhos, porque nelas não se deve dar importância demasiada ao inconsciente. Muito facilmente poderia acontecer que se despertasse cedo demais uma espécie de curiosidade mórbida ou que se apressasse de modo anormal o amadurecimento psíquico e a formação da consciência de si mesmo, caso o analista insistisse em pormenores psicológicos que somente apresentam interesse em se tratando de adultos. Ao ter-se de lidar com uma criança difícil, o melhor que se pode fazer é abstrair

completamente o conhecimento de psicologia, pois o principal nesta tarefa é a simplicidade e o bom-senso[29]. Os conhecimentos analíticos destinam-se principalmente à formação da atitude do próprio educador, pois é fato notório que as crianças têm um instinto seguro para perceber as incapacidades pessoais do educador. Elas descobrem se algo é verdadeiro ou fingido, muito mais do que estamos dispostos a admitir. O pedagogo precisa, por isso, dar atenção especial ao seu próprio estado psíquico, a fim de estar apto a perceber onde está o erro, quando houver qualquer fracasso com as crianças que lhe são confiadas. Ele mesmo pode muitas vezes ser a causa inconsciente do mal. Naturalmente também não convém ser simplório nestas coisas. De fato existem pessoas, médicos e pedagogos, que pensam em seu íntimo (mas não o dizem abertamente) que quem ocupa um posto de autoridade tem a liberdade de proceder como lhe aprouver, e que a criança é que tem de se acomodar, por bem ou por mal, porque a vida real irá proceder mais tarde exatamente desse modo. Tais pessoas estão convencidas em seu íntimo (embora não o digam) que a única coisa importante é o resultado palpável, e que a única limitação moral verdadeiramente capaz de convencer alguém é a atitude de policial exigindo o cumprimento dos parágrafos do código penal. Certamente, onde o princípio supremo da fé consistir na adaptação às potências do mundo, não seria indicado esperar que as pessoas de autoridade também tivessem introspecção psicológica, ou pretender transformar isso em obrigação moral para elas. Todos os que são favoráveis à concepção democrática do mundo certamente não poderão aprovar aquelas atitudes, porque acreditam na distribuição justa dos encargos e vantagens. Nem sempre se dá o caso de o educador ser o único a educar os outros, e de a criança ser exclusivamente quem deve ser educada. O educador também é um ser humano sujeito a erros que a criança por ele educada passa a refletir. Em vista disso a atitude mais aconselhável é que o educador tenha a maior clareza possível a respeito de seus pontos de vista e principalmente a respeito de suas pró-

---

29. Estes predicados não devem ser equiparados à ignorância. Por exemplo, para podermos lidar com uma neurose infantil ou com uma criança difícil, além de outras coisas, precisamos dispor de um saber adequado, conforme as circunstâncias.

prias falhas. Exatamente o que a pessoa é na realidade, tal será o aspecto da verdade que acabará apresentando e tal será, igualmente, o efeito dominante que produz.

212 A sistematização geral apenas consegue descrever de modo muito insuficiente a psicologia das neuroses infantis. Excetuadas algumas poucas formas definidas de doença, na maioria dos estados neuróticos predominam os sintomas individuais que não admitem comparação. O mesmo ocorre, aliás, nas neuroses dos adultos. Tanto num caso como no outro, muito pouco significam os diagnósticos e as classificações diante das peculiaridades específicas de cada caso particular. Por isso, em lugar de apresentar aos Senhores uma classificação geral, prefiro exemplificar com alguns casos concretos, pelos quais devo agradecer a colaboração de minha discípula Mrs. F. Wickes. Na época ela era professora e psicóloga assistente na Escola de Santa Águeda, em Nova York[30].

213 O primeiro caso refere-se a um menino de sete anos. Um médico o diagnosticou como deficiente mental. O menino mostrava perturbações na coordenação motora para andar, era vesgo de um olho e tinha dificuldade para falar. Era sujeito a repentinos ataques de raiva. Perturbava a casa com seus acessos de ira, atirando objetos para todos os lados e ameaçando matar a família. Gostava de provocar os outros e mostrar o seu poder. Na escola molestava as outras crianças. Não aprendeu a ler, nem acompanhava as outras crianças da mesma idade. Após ter frequentado a escola por cerca de seis meses, agravaram-se os acessos de raiva, ocorrendo vários por dia. Era o filho mais velho. Até os cinco anos e meio mostrava-se alegre e amigável; mas entre os três e os quatro anos haviam aparecido acessos de terror noturno. Apenas tardiamente aprendeu a falar. Havia sinais de que a língua estava presa, e foi feita a operação. Apesar de tudo, não conseguia exprimir-se claramente. Na idade de cinco anos e meio foi descoberto que o ligamento da língua não havia sido cortado correta-

30. Ela é a conhecida autora de *The Inner World of Childhood* (*O mundo interior da criança*) e de *The Inner World of Man* (*O mundo interior do adulto*). O primeiro livro, cuja leitura aconselho especialmente a pais e professores, apareceu em alemão com o título de *Analyse der Kinderseele* (Análise da alma infantil); o outro, também traduzido, tem por título *Von der inneren Welt des Menschen* (O mundo interior do adulto).

mente; fez-se a correção necessária. Quando tinha cinco anos nasceu-lhe um irmãozinho. Primeiro mostrou-se encantado, mas à medida que a criança ia crescendo parecia às vezes odiá-la. Começaram a manifestar-se claramente os acessos de raiva quando seu irmãozinho principiou a andar, o que se deu precocemente. O menino passou a externar um espírito vingativo, que se alternava com caprichos de amor e arrependimento. Como os acessos de raiva pareciam ser provocados por certos acontecimentos aparentemente sem nenhuma importância, ninguém suspeitava que se tratava de ciúme. Ao se agravarem os acessos de raiva, diminuíram os terrores noturnos. Os testes de inteligência indicavam capacidade de pensar extraordinária. Mostrava-se encantado sempre que conseguia êxito e se tornava muito tratável ao ser encorajado, mas se irritava com os insucessos. Foi possível fazer com que os pais compreendessem que seus acessos de raiva eram manifestações de poder de natureza compensatória, desenvolvidas por ele quando percebia sua própria incapacidade. Primeiramente ocorreram quando viu que o irmãozinho era admirado por fazer com facilidade aquilo que a ele era impossível. Ocorreu de novo na escola, quando se via obrigado a concorrer com os colegas apesar da desigualdade de condições. Enquanto tinha sido a única criança em casa, era feliz; além disso os pais lhe davam atenção especial por causa dos defeitos físicos. Logo, porém, que teve de concorrer com os outros, em condições tão desiguais, começou a portar-se como um animal selvagem que tenta arrebentar as correntes que o prendem. Como dizia a mãe, os acessos de raiva ocorriam "quando alguma coisa lhe saía um pouco mal", mas verificou-se posteriormente que tais acessos estavam muitas vezes ligados às ocasiões em que o irmãozinho menor era incitado a mostrar às visitas seus progressos no tocante a falar.

214 O relacionamento entre o menino e a psicóloga começou por ser muito bom, e ele até a chamava de sua "amiga". Aos poucos começou a falar, sem recair nos acessos de raiva. Negava-se a contar os sonhos que tinha; mas gostava de fantasiar de modo bombástico, dizendo que ia matar todo o mundo e que com uma grande espada ia cortar a cabeça de todos. Um dia, interrompeu-se repentinamente e disse: "Mas isto eu vou fazer de verdade. Que acha a Senhora?" A psicóloga riu e respondeu-lhe: "Penso do mesmo modo que você. Tudo isso é bobagem". O menino pôs-se a contemplar uma estampa transparente

que representava São Nicolau. A psicóloga deu-a de presente a ele com as palavras: "Você, São Nicolau e eu sabemos que isso é bobagem". A mãe colocou essa estampa transparente na janela. No dia seguinte, durante um acesso de raiva, seus olhos depararam com a estampa. Acalmou-se logo e disse: "São Nicolau, isto é bobagem", e acabou fazendo aquilo que antes se negara a fazer. Desde então começou a encarar seus acessos de raiva como algo que ele usufruía e usava para determinado fim. Demonstrou notável inteligência ao reconhecer seus motivos. Seus pais e professores concordaram em elogiar os esforços que ele fazia e não apenas os êxitos conseguidos. Fez-se com que sentisse sua posição de "filho mais velho". Dedicou-se especial atenção aos exercícios para melhorar a fala. Lentamente ele começou a controlar seus acessos de raiva. Por algum tempo amiudaram-se os antigos terrores noturnos, à medida em que diminuíam os acessos de raiva; depois estes também começaram a rarear.

Não se pode esperar que uma perturbação surgida tão cedo em consequência de deficiências orgânicas tenha cura imediata. Serão necessários alguns anos até ser conseguida a adaptação perfeita. É evidente que o fundamento desta neurose é um sentimento pronunciado de inferioridade. É um caso em que a psicologia de Adler se demonstra claramente, pois o complexo de poder surgiu a partir da inferioridade. Os sintomas mostram com clareza que a neurose procura compensar a ausência de alguma aptidão. 215

O segundo caso é o de uma menina de cerca de nove anos. Durante quase três meses apresentava temperatura inferior à normal e não podia frequentar a escola. Além disso não apresentava outros sintomas especiais, a não ser falta de apetite e cansaço crescente. O médico não encontrava nenhuma razão para esse estado. Tanto o pai como a mãe estavam convencidos de que a criança depositava neles confiança, e asseguravam que ela não era maltratada de modo algum e que também não podia sentir-se infeliz em casa. Por fim a mãe abriu-se com a psicóloga e explicou que ela e o marido não eram felizes juntos, mas que nunca haviam tratado do assunto na presença da menina e que, portanto, ela não podia estar consciente de nada a respeito disso. A mãe desejava o desquite, mas não podia decidir-se a assumir as mudanças decorrentes. O assunto continuava para os pais 216 uma questão aberta. Durante esse tempo não fizeram também nenhum esforço para solucionar de algum modo as dificuldades que os faziam infelizes. Ambos tinham para com a criança um apego demasiado e possessivo. A criança tinha um forte complexo paterno. Dormia muitas vezes no quarto do pai em uma caminha perto da dele, e de manhã ia para a cama do pai. Um dia contou o sonho seguinte: *"Fui com o pai visitar a avó. A avó estava em um navio grande. Ela queria que eu a beijasse e procurava me abraçar, mas eu tive medo dela. Disse o pai: 'Então eu vou beijar a avó'. Mas eu não queria que ele fizesse isso. Eu tinha medo que pudesse acontecer alguma coisa. Então o navio foi-se embora, e eu não encontrava mais ninguém, e comecei a sentir medo".*

217 Por diversas vezes a menina sonhou com a avó. Numa delas a avó parecia uma boca escancarada. – "Sonhei *com uma cobra muito grande. Ela estava debaixo da minha cama, e saiu daí para brincar comigo".* Muitas vezes a menina voltou a falar do sonho com a cobra, e teve mais um ou dois sonhos semelhantes. O sonho com a avó, ela o contou com certa repugnância; e logo em seguida disse que toda a vez que o pai saía ela tinha medo que ele não voltasse. Tinha adivinhado a situação entre o pai e a mãe, e contou à psicóloga que ela sabia que a mãe não gostava do pai; mas que não queria falar sobre isso "porque era uma coisa desagradável para os pais". Se o pai saía para viajar por causa de negócios, ela sempre sentia medo que ele fosse abandonar a família. Também percebia que nessas ocasiões a mãe parecia mais contente. A mãe compreendeu que dessa maneira não estava ajudando a filha; pelo contrário, prejudicava sua saúde se não solucionasse a situação. Os pais deviam decidir-se. Ou deviam esforçar-se por resolver as dificuldades recíprocas e chegar a um entendimento verdadeiro, ou, se isso não fosse possível, deviam separar-se. Tomaram a última decisão e expuseram a situação à menina. A mãe estava convencida de que a separação seria prejudicial à criança; mas ocorreu o contrário, e a criança melhorou desde que a situação real foi tratada abertamente em conversa. Disseram então à menina que ela não seria separada nem do pai, nem da mãe, mas que tanto num lugar como no outro ela devia sentir-se em casa. Ainda que o tempo dividido desse modo fosse uma disposição defeituosa para qualquer criança, contudo a menina sentiu-se tão aliviada que já não precisava continuar sendo vítima de seus te-

mores e intuições indeterminadas. Readquiriu a saúde anterior, bem como o gosto real pela escola e pelos brinquedos.

217a Muitas vezes um caso como este constitui certamente um enigma para qualquer médico de clínica geral. Este procura em vão uma causa orgânica para a perturbação, e não sabe que deveria procurá-la em outro lugar. É que nenhum livro de medicina indica a possibilidade de que as dificuldades psíquicas no relacionamento entre pai e mãe possam ser responsabilizadas pela temperatura abaixo da normal encontrada na criança. Ao analista, porém, tais razões não são de maneira alguma desconhecidas ou estranhas. A criança faz de tal modo parte da atmosfera psíquica dos pais que as dificuldades ocultas aí existentes e ainda não resolvidas podem influir consideravelmente na saúde dela. A participação mística (*participation mystique*), que consiste na identidade primitiva e inconsciente, faz com que a criança sinta os conflitos dos pais e sofra como se os problemas fossem dela própria. Não são jamais os conflitos patentes e as dificuldades visíveis que têm esse efeito envenenador, mas as dificuldades e problemas dos pais mantidos ocultos, ou mantidos inconscientes. O causador de tais perturbações neuróticas sem exceção alguma é sempre o inconsciente. Coisas que pairam no ar ou que a criança percebe de modo indefinido, a atmosfera abafada e cheia de temores e apreensões, tudo isso penetra lentamente na alma da criança, como se fossem vapores venenosos.

218 O que a menina parecia sentir mais agudamente era o inconsciente do pai. Quando o marido não tem um verdadeiro relacionamento com a esposa, é levado pela própria natureza a procurar outra saída. Em tais casos, se o homem não se conscientiza disso ou reprime as fantasias desse tipo, então acontece que, por uma parte, regride para a imagem da mãe conservada na memória, e, por outra parte, procura diretamente a filha, se a tiver. Isto se denomina incesto inconsciente. Ressaltemos que é impossível responsabilizar alguém, sem mais nem menos, pelo inconsciente que tem; mas neste particular a natureza não tem paciência nem piedade, e se vinga direta ou indiretamente, por meio da doença e ocorrências infelizes de toda a sorte. Infelizmente é quase que um ideal coletivo comportar-se do modo mais inconsciente possível nas situações delicadas do amor. O poder negligenciado do amor, ainda que oculto pela máscara da respeitabilidade

e da lealdade, acaba envenenando os filhos mais novos. Naturalmente, não devemos acusar pessoa alguma, pois não podemos esperar que ela saiba conscientemente qual deva ser a sua atividade e de que modo deva resolver o problema do amor, no âmbito de nossos ideais e convicções atuais. Geralmente apenas se conhecem os recursos negativos, que consistem em negligenciar, adiar, reprimir e suprimir. E temos mesmo de concordar que é difícil encontrar coisa melhor.

219 O sonho com a avó mostra que o estado psíquico inconsciente do pai penetra completamente a alma da criança. Ele gostaria de beijar a avó, e a criança durante o sonho se sente forçada a fazer o mesmo. A avó, que se resume numa boca aberta, aduz a ideia de devorar[31]. É evidente que a criança se acha em perigo de ser devorada pela libido regressiva do pai. É esta a razão pela qual sonha com a cobra. Há muitíssimo tempo a cobra é considerada o símbolo do perigo de ser envolvido, devorado ou envenenado[32]. Este caso mostra como as crianças tendem a enxergar muito mais do que os pais imaginam. Por certo é totalmente impossível exigir que os pais não tenham nenhum complexo. Isto seria algo de sobre-humano. Mas eles deveriam tomar conscientemente uma atitude em relação a eles. Para o bem de seus filhos, os pais deveriam considerar seu dever jamais esquecer suas próprias dificuldades íntimas. O que não devem fazer é reprimi-las levianamente e talvez fugir de confrontos dolorosos. O problema do amor faz parte dos grandes sofrimentos da humanidade; ninguém deveria envergonhar-se pelo fato de ter também de pagar o seu tributo. Sob qualquer ponto de vista, será mil vezes melhor que os pais discutam abertamente seus problemas do que deixá-los crescer desmesuradamente em seu inconsciente.

220 Num caso como esse, de que adiantaria discutir com a criança sobre fantasias incestuosas etc.? Por tal meio apenas se faria a criança acreditar que tudo provém de sua própria natureza, a qual é imoral

---

31. Encontra-se aqui o arquétipo da mãe como devoradora mortal. Cf., a respeito disso, o conto do Chapeuzinho Vermelho, de João e Maria, o mito dos mares do sul sobre Mani e a antepassada remota Hine-nui-te-po, que dorme de boca aberta. Mani se arrasta para dentro da boca e é devorado. (FROBENIUS, L. *Das Zeitalter des Sonnengottes* (*A era do deus Sol*). Berlim: [s.e.], p. 66s.).

32. Cf. a respeito o simbolismo da cobra em meu livro *Wandlungen und Symbole der Libido* (*Transformações e símbolos da libido*). [*Símbolos da transformação*. OC, 5].

ou pelo menos tola. Além disso estaria sendo imposto à criança um fardo que nem ao menos é dela, mas é realmente de seus pais. A criança está sofrendo, e a causa disso são as fantasias inconvenientes de seu pai e não suas próprias fantasias. Ela tornou-se vítima da atitude errada vigente em sua casa; e sua perturbação desaparecerá logo que os pais se decidam a colocar em ordem a própria perturbação.

221 O terceiro caso é o de uma menina muito inteligente, que tinha a fama de não ser social, mas rebelde e incapaz de adaptar-se às situações escolares. Podia ser às vezes muito desatenta e dar respostas inadequadas, o que ela nem sabia explicar. Era crescida, bem desenvolvida e parecia gozar de excelente saúde. Era também alguns anos mais nova do que as companheiras de classe. Procurava, pois, aos treze anos, levar a vida de uma mocinha de dezesseis ou dezessete anos, sem ter capacidade para isso. Do ponto de vista físico era superdesenvolvida; a puberdade já se iniciara antes de haver completado onze anos. Estava preocupada com uma certa excitabilidade sexual que sentia e também com o desejo de masturbar-se. A mãe era uma mulher de inteligência brilhante e de um acentuado desejo de poder. Já havia decidido há muito tempo que sua filhinha deveria tornar-se uma criança prodígio. Procurava estimular na filha todas as capacidades intelectuais e reprimir qualquer expressão emocional. Quis também que a menina entrasse para a escola mais cedo que as outras crianças. O pai ficava muito tempo fora de casa por causa dos negócios. Parecia ter uma natureza propensa a seguir algum ideal nebuloso e não demonstrava uma personalidade realista. A menina sofria de uma enorme tensão provocada por sentimentos represados. Tais sentimentos se nutriam mais com fantasias homossexuais do que com relações objetivas. Confessou que algumas vezes sentia um desejo ardente de ser acariciada por determinada professora, e nessas ocasiões se punha a fantasiar que de repente toda a roupa lhe caía do corpo. Frequentemente não se lembrava com clareza do que lhe haviam perguntado; daí suas respostas absurdas. Sonhou um dia: "*Vi que minha mãe estava afundando na banheira e eu sabia que ela ia afogar-se; mas não podia mexer-me. Nisso senti um medo horrível e comecei a chorar, porque eu a tinha deixado afogar-se. Acordei chorando*". Este sonho serviu-lhe para trazer à tona as resistências já sepultadas que opunha a esse modo

de vida desnatural que a obrigavam a viver. Reconheceu seu desejo profundo de camaradagem normal. Em casa pouco podia conseguir, mas a mudança de ambiente, a compreensão de seu problema e a conversa franca determinaram uma melhora considerável.

222 Este caso é simples, mas muito característico. Aparece de novo a força do papel desempenhado pelos pais. Trata-se de um daqueles casamentos típicos, em que o pai vive inteiramente absorvido pelos negócios, e a mãe se serve da filha para nela encarnar sua ambição social. A criança deve ter êxito para que se realizem os desejos e as esperanças da mãe e para que a vaidade desta última fique satisfeita. As mães desse tipo normalmente não enxergam o verdadeiro caráter da criança, nem seu modo individual de ser, nem mesmo suas necessidades reais. Ela se projeta na criança e a governa com seu poder de domínio, sem nenhuma consideração. Um casamento desse tipo tende também naturalmente a produzir esse estado psíquico e a aumentá-lo, por efeito do chamado círculo vicioso. Neste caso também parece existir uma distância considerável entre os pais da criança, porque a mulher, quando é dotada de tal masculinidade, torna-se quase incapaz de ter uma verdadeira compreensão relativa aos sentimentos de seu marido. A única coisa que consegue tirar do marido é o dinheiro. E ele paga para que ela se mantenha numa disposição de espírito relativamente suportável. Todo o seu amor, ela o transforma em ambição e desejo de poder, se é que já não procedia assim muito antes do casamento, imitando inconscientemente o exemplo de sua própria mãe. Os filhos de tal mãe quase não passam de bonecos vestidos e adornados como lhe apraz. São figuras mudas no tabuleiro de xadrez do egoísmo dos pais; no entanto, tudo isso é feito sob o manto do desprendimento de si e da dedicação à criança querida, cuja felicidade constitui o único intento da vida da mãe. Mas na realidade não se dá à criança o menor vestígio de verdadeiro amor. Por isso a menina sofre duplamente: primeiro, de sintomas de sexualidade precoce, como ocorre com tantas crianças largadas ao abandono ou maltratadas; em segundo lugar, sente-se como que inundada do que se convencionou chamar de amor natural. As fantasias homossexuais mostram claramente que sua necessidade de verdadeiro amor não está satisfeita; por isso sente desejos de que sua professora a ame, mas de

modo errado. Quando não se abre adequadamente a porta ao sentimento do coração, então a exigência sexual reclama com violência, pois, além de amor e carinho, a criança também precisa de verdadeira compreensão. Naturalmente, o certo neste caso seria começar pelo tratamento da mãe, o que melhoraria a situação de seu casamento e, assim, lhe possibilitaria desviar sua paixão da filha, ao mesmo tempo franqueando a esta última o acesso livre ao coração da mãe. Quando isto não é possível, torna-se necessário erguer uma barreira à influência materna, preparando a menina e lhe dando força para opor-se à mãe, pelo menos até o ponto de criticar-lhe com justiça as falhas cometidas, e despertar-lhe a consciência para as suas legítimas necessidades individuais. Nada é mais poderoso para fazer uma criança tornar-se estranha a si mesma do que os esforços feitos pela mãe para encarnar-se e realizar-se na criança, sem tomar em consideração uma única vez que o filho não é simplesmente um prolongamento da mãe, mas realmente um ser novo e individual, dotado muitas vezes de um caráter que em nada se assemelha ao dos pais, e ocasionalmente sendo até portador de uma estarrecedora diversidade. A razão disto é que os filhos são descendentes quase que apenas nominais de seus pais, derivando realmente de toda a série de seus antepassados. Por isso é preciso às vezes recuar vários séculos para determinar as semelhanças existentes em uma família.

223 O sonho da menina é de fácil compreensão; significa visivelmente a morte da mãe[33]. É esta a resposta que o inconsciente da filha dá à ambição cega da mãe. Se a mãe não estivesse reprimindo e deste modo destruindo ("matando") a individualidade da filha, o inconsciente desta não deveria ter reagido desta maneira. É certo que não se deve, sem mais nem menos, generalizar os resultados de tais sonhos referentes aos pais. Sonhos relativos à morte dos pais não são raros, e poder-se-ia ser tentado a julgar que tivessem como base situações análogas às que acabei de descrever. Deve-se, porém, ter em mente o

33. Como não é nosso intuito prolongar a interpretação do sonho, podemos contentar-nos com a realização superficial de um desejo. O exame mais rigoroso de tais sonhos mostra que este sonho é apenas uma verificação de fatos. A mãe significa para a filha a base feminina do instinto, que está abalada no presente caso.

fato de que a mesma imagem onírica não conservava a mesma significação em todos os casos e circunstâncias. Por isso não se pode estar seguro acerca do sentido de um sonho antes de se ter informado suficientemente sobre os conteúdos conscientes do sonhador.

224 O último caso que pretendo citar é o de uma menina de oito anos, chamada Margarida; ela sofre de uma perturbação que parece não estar ligada aos pais, ou ter neles a sua causa. Trata-se de um caso complicado, que não poderei apresentar pormenorizadamente aqui nesta palestra. Escolherei apenas um único trecho importante na evolução do caso. A criança frequentou a escola por um ano, sem mostrar-se capaz de aprender qualquer coisa, a não ser um pouco de leitura. Era desajeitada nos movimentos; ao subir ou descer as escadas portava-se como uma criança que apenas estivesse aprendendo a andar. Tinha controle insuficiente sobre os movimentos dos membros. Ao falar, fazia-o com voz lastimosa e chorosa. Ao conversar, participava ativamente apenas por algum tempo, e de repente cobria o rosto com as mãos e se negava a falar. Quando queria falar, começava uma algaravia curiosa de palavras desconexas. Ao tentar escrever, desenhava primeiro letras isoladas e logo depois cobria tudo com rabiscos, que ela chamava de "divertimentos". Não era possível um exame normal a respeito do grau de inteligência. Em alguns testes de inteligência e afetividade atingia resultados de uma criança de onze anos, mas em outros mal conseguia o nível de quatro anos. A criança nunca havia sido normal. No décimo dia de vida foram retirados de sua caixa craniana os coágulos de sangue provenientes do parto muito difícil. Precisou ser vigiada dia e noite, e seu desenvolvimento foi acompanhado com o máximo cuidado. Em breve tornou-se evidente que a criança se utilizava de sua incapacidade corporal para tiranizar os pais; aborrecia-se com todas as tentativas para ajudá-la. Os pais tentavam compensar-lhe os defeitos, protegendo-a contra a realidade normal, e dotando-a de meios que a impediam de vencer suas inibições e dificuldades por esforços voluntários.

225 Como primeira tentativa de uma aproximação psicológica fez-se um apelo à sua capacidade imaginativa. Como a criança era muito fantasiosa, começou a aprender a ler por causa de uma história; e depois de ter começado de verdade, fez progressos rápidos, para espan-

to de todos. Se por acaso a gente se demorava muito num assunto, a menina se mostrava irritada e excitada, mas notou-se, apesar de tudo, progressos contínuos. Certo dia Margarida disse: "Eu tenho uma irmã gêmea. Ela se chama Ana. E é igualzinha a mim, mas sempre usa vestidos bonitos e não usa óculos. (Os óculos significavam para ela a vista fraca que tinha e que a impediam de ocupar-se mais com os livros, dos quais ela passou a gostar.) Se Ana estivesse aqui, eu poderia trabalhar melhor". A psicóloga deu-lhe a ideia de convidar "Ana". Margarida saiu e voltou com Ana. Tentou escrever alguma coisa para mostrar a Ana. A partir daí Ana estava sempre ao lado dela. Primeiro era Margarida que escrevia, depois passou a ser Ana. Certo dia nada deu certo, e ela acabou dizendo: "Nunca vou aprender a escrever direito, e minha mãe é que tem a culpa disso. Eu sou canhota, e ela nunca disse isso a meu primeiro professor. Eu tive de tentar escrever com a mão direita, e agora vou crescer sem aprender a escrever por causa de minha mãe". A psicóloga contou-lhe então um caso, acontecido com outra pessoa, que também era canhota e com quem tinha feito o mesmo erro. Margarida disse com ardor: "E agora ela absolutamente não sabe escrever?" "Sabe sim", foi a resposta, "ela escreve histórias e tudo o mais; apenas foi difícil para ela, mas só isso. Agora ela costuma escrever com a mão esquerda. Você também pode escrever com a mão esquerda se quiser". Margarida respondeu: "Mas eu gosto mais da minha mão direita". "Ah! mas então parece que nem tudo foi culpa de sua mãe. Até me admiro de quem poderia ser a culpa". Ela disse apenas: "Eu não sei". Em seguida deu-se a ela a sugestão de ir perguntar a Ana. A menina saiu e, voltando um pouco depois, disse: "Ana acha que eu é que sou a culpada, e que agora devo trabalhar". Antes disso ela nem permitia que se falasse com ela a respeito de sua própria responsabilidade. A partir daí ela se retirava um pouco para ir consultar Ana, e depois voltava com o resultado. Às vezes retornava com mostras de rebeldia, mas dizia sempre a verdade. Certa vez, depois de ter falado mal de Ana, disse ainda: "Mas Ana insiste e diz: Margarida, você é que está errada. Você deve tentar". Então, começou a progredir, até acabar reconhecendo as projeções que fazia de si mesma. Certo dia teve um acesso de raiva violento contra a mãe. Irrompeu no quarto a gritar: "A mãe é horrível, horrível, horrível". Mas lhe fizeram a pergunta: "Quem é que é horrível?"

Ela respondeu: "A mãe". "Mas você pode ir perguntar a Ana". Houve uma longa pausa, e então a menina disse: "Ah! Eu acho que sei tanto quanto Ana; *eu* é que sou horrível, e vou dizer isso à mãe". Ela fez isso e depois voltou calma, para retomar o trabalho.

226 Esta menina não pôde desenvolver-se normalmente, em consequência dos graves danos ocorridos durante o parto. Merecia grandes cuidados da parte dos pais, e recebeu tudo isso. É quase impossível traçar um limite exato para indicar até que ponto se deve tomar em consideração as deficiências de uma criança. Certamente consegue-se descobrir o ponto ótimo; se este ponto for ultrapassado, acaba-se tornando a criança mal acostumada. Como mostrou o primeiro exemplo de nossa série, as crianças procuram de certo modo tornar real a sua inferioridade e começam a compensá-la por meio da falsa superioridade; esta superioridade, por sua vez, não passa de inferioridade, mas é de natureza moral e por isso nunca satisfaz, e aqui começa um círculo vicioso. Quanto mais se procura compensar uma inferioridade real por meio de uma falsa superioridade tanto menos se consegue eliminar a inferioridade, mas se lhe acrescenta ainda uma inferioridade moral, cujo efeito é aumentar o sentimento de inferioridade. Isto conduz necessariamente a uma falsa superioridade ainda mais acentuada; e tudo se repete de modo crescente. Esta menina necessitava de muitos cuidados, mas sem querer se tornou mal acostumada, de modo que se desencaminhou e passou a explorar egoisticamente a dedicação justa por parte dos pais. Acabou por perder-se em sua própria incapacidade, impossibilitando sua recuperação; estacionou abaixo de seu nível mental, em um estado mais limitado e mais infantil do que era preciso.

227 Tal estado é condição propícia para o desenvolvimento de uma segunda personalidade. O fato de a consciência não progredir com a idade não significa de modo algum que a personalidade inconsciente também tenha estacionado. Esta parte do próprio "eu" progredirá com o tempo, e a dissociação da personalidade será tanto maior quanto mais retardada estiver a parte consciente. Então chegará o dia em que a personalidade mais desenvolvida surgirá em cena a fim de provocar para a luta o "eu regressivo". Foi o que aconteceu com a menina. Ela se via diante de "Ana", que era uma espécie de irmã gêmea,

que por algum tempo representou sua inteligência moral. Mais tarde as duas voltaram a reunir-se, o que constitui um progresso importante. Em 1902 publiquei um caso semelhante a este em sua estrutura psíquica. Tratava-se de uma mocinha de dezesseis anos, que apresentava uma dissociação de personalidade extraordinária. Os Senhores encontrarão esse caso descrito em meu trabalho *"Zur Psychologie und Pathologie sogenannter occulter Phänomene"* (Para uma psicologia e patologia dos chamados fenômenos ocultos). O emprego educativo que a psicóloga soube fazer da segunda personalidade obteve excelente êxito e corresponde inteiramente à importância que a figura de Ana representava. O fato de tal duplicidade é mais frequente do que se possa esperar, ainda que raramente atinja um grau que nos permita falar de uma "personalidade dupla" (*double personnalité*).

228 Sobre a educação em geral e especialmente sobre a pedagogia usual nas escolas muito pouco tem o médico a dizer, partindo do ponto de vista de seu campo específico e por não tratar-se de sua especialidade. Contudo, ele tem uma contribuição muito importante a dar, ao tratar-se de crianças difíceis ou de excepcionais de qualquer tipo. Pela experiência constante ele está alerta, conhecendo muito bem que papel importante desempenham, até à idade adulta, as influências dos pais e as atuações pedagógicas da escola. Por isso inclina-se a procurar normalmente a razão e a causa das neuroses infantis, e justamente nesses casos, muito menos na própria criança do que nos adultos que a cercam, principalmente em seus pais. Partem dos pais as influências mais fortes sobre as crianças, quer isso se dê pela frequente transmissão hereditária da constituição, quer se trate da influência extraordinária da atuação psíquica. Neste processo o efeito mais decisivo provém das falhas na própria formação do educador e de seu inconsciente, e a seguir, em grau menor, agem os outros fatores, como os conselhos mais ou menos acertados, as ordens, os castigos, os propósitos visados. Verdadeiramente devastadora é a atitude dos pais quando esperam, como lamentavelmente ocorre não poucas vezes, que seus filhos consigam fazer melhor o que eles próprios estão fazendo errado. Quantas vezes, por exemplo, os pais pretendem impor ao filho as próprias ilusões e ambições não realizadas, forçando-o a representar na vida um papel que pode ser absolutamente contrário ao desejo dele. Certa vez me consultaram a respeito de um

menino malvado. Pelo relato dos pais fiquei sabendo que aos sete anos ele ainda não tinha aprendido a ler e a escrever, que nem sequer queria aprender direito alguma coisa, opondo uma teimosia sem razão a todos os recursos pedagógicos empregados, e que há dois anos vinha sendo acometido de acessos de furor em que destruía tudo o que se achava a seu alcance. Os pais achavam que ele tinha inteligência suficiente, mas que lhe faltava somente um pouco de boa vontade. Em vez de trabalhar, ficava sem fazer nada ou se punha a brincar com seus antigos ursinhos de criança, que se haviam tornado seus únicos brinquedos há vários anos. Outros brinquedos que lhe foram dados posteriormente, ele sempre os destruía maldosamente. Também haviam arranjado para ele uma boa educadora; mas ela também nada havia conseguido com o menino. Na família era o primeiro e único garoto, nascido depois de diversas meninas; pareceu-me até que era especialmente acarinhado pela mãe. Quando observei o menino, achei imediatamente a solução para o caso: ele era imbecil em grau muito elevado. Apenas a ambição da mãe resistia ao fato de ter ela um filho retardado. Era um débil mental inofensivo e de boa índole, mas a mãe o havia estimulado e molestado a tal ponto que por puro desespero ele se tornara um lutador furioso (Berserker). Quando quis convencer a mãe após o exame feito, ela se mostrou revoltada com o meu diagnóstico, teimando em afirmar que eu me enganara.

229 O educador deve sempre ter em mente que pouco adianta falar e dar ordens; o importante é o exemplo. Se o educador admite no tocante a si mesmo, de modo inconsciente, toda a espécie de inconveniências, mentiras e maus modos, pode estar certo de que tudo isso terá um efeito incomparavelmente maior do que todas as boas intenções que demonstra com tanta sem-cerimônia. A opinião médica considera como o melhor o seguinte método pedagógico: O próprio educador deve ter sido educado antes e ter experimentado em si mesmo se são eficientes ou não as verdades psicológicas que aprendeu em sua escola. Na medida em que o educador persistir nesse esforço com certa dose de inteligência e de paciência, é provável que não seja um mau educador.

V

O bem-dotado*

Quando fui pela primeira vez à América do Norte, observei admirado que não havia barreiras nas estradas que cortavam as linhas férreas, nem cercas protetoras ao longo dessas linhas. Em lugares mais afastados o leito da via férrea até mesmo servia de caminho para os pedestres. Ao manifestar meu espanto acerca desse fato, responderam-me: "Apenas um idiota não sabe que os trens correm sobre os trilhos com a velocidade de quarenta a cem milhas por hora". Além disso notei que nada havia marcado como "proibido", mas apenas como "não permitido" (*not allowed*); pedia-se às vezes muito gentilmente: *Please don't...* (Por favor, não faça isso...). 230

Estas impressões e muitas outras se condensaram, fazendo-me reconhecer que na América a vida pública apela para a inteligência e espera encontrá-la, ao passo que na Europa tudo foi feito prevendo a estultície. A América exige e promove a inteligência, enquanto que na Europa se olha para trás, para ver se os bobos também conseguem acompanhar. Existe até mesmo algo de pior: o continente europeu pressupõe a má vontade, e por isso faz a todos o apelo imperioso e insistente do: "É proibido", enquanto que a América se dirige à boa vontade. 231

De qualquer modo, meus pensamentos divagam e se voltam para meus tempos de escola, em que o preconceito europeu estava como 232

---

* Conferência, feita no sínodo escolar de Basileia, em 4 de dezembro de 1942. Impressa em Schweizer Erziehungs-Rundschau (Panorama Educacional Suíço) XVI/1 (Zurique, abril de 1943), p. 3-8. [Mais tarde, em conjunto com os tratados I e IV deste volume, reapareceu sob o título de Psychologie und Erziehung (Psicologia e Educação), Rascher, 1946. Nova edição (cartonada) 1970].

que encarnado na figura de certo professor. Como aluno de doze anos, absolutamente não me considerava dorminhoco ou bobo, mas muitas vezes extremamente entediado quando o professor se fatigava com aqueles que não conseguiam acompanhar as aulas. Pelo menos tive sorte de ter um professor de latim genial, o qual durante os exercícios me mandava à biblioteca da universidade a fim de apanhar livros para ele; eu prolongava quanto podia meu retorno, para me deliciar em espiar o que esses livros continham. O tédio não era de modo algum o pior. Entre os diversos temas de redação, que não eram muito estimulantes, acontece que certa vez um me interessou. Pus-me a trabalhar seriamente e procurei apurar as frases com todo o cuidado. Antegozava com alegria ter feito a melhor composição ou pelo menos uma das melhores, e assim entreguei o trabalho ao professor. Ao devolver os trabalhos, ele costumava comentar em primeiro lugar a melhor redação, e depois as outras, pela ordem de valor. A minha não foi a primeira, nem a segunda, nem a terceira. Todas as demais vieram antes da minha, que deveria ser a mais fraca por vir em último lugar. Ao comentá-la, o professor tomou fôlego e em tom ameaçador disse as seguintes palavras: "A composição de Jung é sem dúvida a melhor de todas, mas ele não se esforçou e apenas lançou tudo ao papel com despreocupações e leviandade. Por isso não merece nenhuma nota". Interrompi o professor: "Não é verdade; nunca trabalhei tanto numa composição como desta vez". "É mentira!" – gritou o professor – "Veja só fulano (o que havia feito o pior trabalho). Ele pelo menos se esforçou e saberá ocupar o seu lugar na vida, mas você não o conseguirá, pois com habilidade e logro não se chega a nada". Calei-me, e a partir de então não fiz absolutamente mais nada para as aulas de alemão.

233 Esta experiência ocorreu decerto há meio século, e não duvido que desde então muita coisa mudou ou melhorou na escola. Mas naquela ocasião ela me fez refletir muito, deixando-me um sentimento de amargor, que certamente acabou cedendo o lugar a uma compreensão mais acertada, à medida em que aumentava minha experiência da vida. Vim a perceber que a atitude do professor, em última análise, se baseava na tese muito nobre de ajudar o fraco a extirpar o mal. O que costuma acontecer de lamentável é que tais teses são transformadas em princípios sem alma, que deixam de ser reavaliados por

novas considerações resultando daí uma caricatura lamentável do bem. Consegue-se ajudar o fraco e combater o mal, não há dúvida; mas simultaneamente surge o perigo de preterir o bem-dotado, como se o "sair fora da série" já significasse por si mesmo algo de perigoso e indevido. O homem médio costuma desconfiar e suspeitar de tudo aquilo que sua inteligência não pode atingir. *Il est trop intelligent* (É inteligente em excesso) – só isso já é motivo para a pior das suspeitas! Em um de seus romances descreve Bourget uma cena deliciosa que se passa na antecâmara de um ministro e que é simplesmente modelar: um casal de pequenos burgueses, que lá estava, critica um célebre homem de ciência, que desconheciam: "Ele deve ser da polícia secreta, pois tem um aspecto maldoso" (*Il doit être de la police secrète, il a l'air si méchant*).

234 Peço desculpas por tê-los ocupado demasiadamente com estas particularidades autobiográficas. Contudo, esta verdade sem ficção não se refere apenas a um caso isolado, mas já ocorreu muitas vezes. A criança bem-dotada ou talentosa causa na escola um problema muito sério; e este problema não pode deixar de ser considerado, apesar do princípio válido de prestar ajuda ao menos dotado. Em um país tão pequeno como a Suíça não se deve preterir o bem-dotado, que nos é tão importante, apenas porque se faz um grande esforço para praticar a caridade. Parece, porém, que ainda hoje se procede às vezes sem o devido cuidado nesse sentido. Há pouco tempo tive conhecimento do caso seguinte: Uma criança inteligente, de uma das primeiras classes de uma escola primária, tornou-se de repente má aluna, para espanto dos pais. O que a criança contava sobre a escola parecia tão cômico ao pais que estes tinham a impressão de que as crianças estavam sendo tratadas como idiotas, e dessa forma se tornavam artificialmente abobadas. A mãe da menina procurou informar-se junto à direção da escola sobre a situação real e ficou sabendo que a professora fora formada para professora de débeis mentais e que lidara antes com crianças retardadas. Certamente, essa professora nem sequer sabia lidar com crianças normais. Felizmente pôde a criança ser confiada a tempo a uma professora criteriosa e voltou a apresentar os bons resultados anteriores.

235 O problema da criança bem-dotada não é tão simples assim, pois o fato de que seja bom aluno não é o único meio pelo qual podemos

reconhecê-la. Às vezes dá-se o contrário. Pode destacar-se desfavoravelmente por distração especial ou por ter a cabeça cheia de outras coisas, pode ser preguiçoso, relaxado, desatento, mal comportado, teimoso ou até dar a impressão de dorminhoco. Fazendo apenas observações exteriores, torna-se às vezes difícil distinguir o bem-dotado de um débil mental.

236 Além disso não se deve descurar o fato de que as crianças bem-dotadas ou talentosas nem sempre são precoces, mas têm necessidade de um processo de desenvolvimento mais demorado, de modo que o talento permanece longo tempo em estado latente. Em tais circunstâncias, apenas com dificuldades se reconhece o talento. Excesso de boa vontade e de otimismo por parte do educador pode farejar talentos, que mais tarde se evidenciam ser bilhetes em branco, tal como consta de uma biografia: "Até os quarenta anos não se observaram indícios de sua genialidade; e mais tarde também não".

237 Para o diagnóstico do talento requer-se muitas vezes exames e observações da individualidade infantil, tanto na escola como em casa; apenas isto conseguirá estabelecer o que é dote primário e o que é reação secundária. Na criança talentosa a falta de atenção, a distração e a sonolência se revelam como sendo uma defesa secundária contra influências externas, para que ela possa acompanhar sem perturbação os processos interiores de sua fantasia. Mas só a averiguação de que existe uma fantasia ativa ou interesses especiais não constitui ainda prova de algum talento especial. Tais excessos da fantasia ou interesses exagerados se encontram também nos antecedentes de neuroses e psicoses ulteriores. Mas é pela *qualidade* das fantasias que se pode reconhecer o talento. Para isso, certamente, é preciso que se saiba distinguir entre a fantasia ajuizada e a tola. Orientam nesse julgamento a originalidade, a consequência, a intensidade, a sutileza com que se apresentam as fantasias, como também a possibilidade ainda latente de sua realização futura. É importante também a questão de saber-se até onde a fantasia influi na maneira de orientar a vida exterior, por exemplo, sob a forma de caprichos seguidos sistematicamente ou de quaisquer outros interesses. Outro indício importante é também o grau e a qualidade do interesse como tal. Frequentemente se fazem descobertas espantosas em crianças problemáticas, como por exemplo devorar livros em grandes quantidades e aparentemen-

te sem escolha, o que ocorre sobretudo no proibido horário noturno, ou então notáveis habilidades práticas. Todos esses indícios somente são entendidos por *aquele* que se esforça em indagar nos alunos sobre o "como assim" e o "por quê", pois não basta estabelecer que os resultados dos alunos são maus. Por isso são requisitos desejáveis do professor que tenha certos conhecimentos de psicologia, isto é, conhecimento dos homens e experiência da vida.

238 A dotação psíquica do talentoso se situa entre *contrastes muito amplos.* É extremamente raro que o talentoso alcance de modo mais ou menos igual todos os campos do espírito. Acontece regularmente que um ou outro campo seja tão pouco contemplado que até se possa falar numa *falha.* O que sobretudo difere extraordinariamente é o *grau de maturidade.* No âmbito do talento pode ocorrer em certos casos *precocidade anormal,* enquanto fora dele as funções do espírito ainda se encontram abaixo do nível da idade correspondente. Resulta daí ocasionalmente uma imagem externa enganosa: julga-se estar lidando com uma criança que não se desenvolveu e é psiquicamente retardada, e assim nem se ousa atribuir a ela alguma capacidade superior à normal. Ou pode dar-se o caso de que o intelecto precoce da criança não seja acompanhado pelo desenvolvimento correspondente da faculdade de expressão oral, e assim a criança se vê constrangida a comunicar-se de modo aparentemente confuso, ou de qualquer maneira incompreensível. Neste caso o professor somente conseguirá evitar um julgamento errado se procurar penetrar cuidadosamente no "como assim" e no "por quê", e avaliar conscienciosamente as respostas recebidas. Pode ainda dar-se o caso de que o talento se refere a um campo do qual não se trata na escola. Podem ser, por exemplo, certas habilidades práticas. Recordo-me de meninos que se distinguiam na escola por burrice considerável e, no entanto, eram de capacidade modelar na atividade agrícola exercida pelos pais.

239 Nesta ocasião considero de suma importância apontar o fato de que antigamente havia conceitos muito errados no que se refere aos dotes para a matemática. Reinava a opinião de que, por exemplo, a capacidade para o pensar lógico e abstrato estava representada de certo modo pela matemática, e que esta constituía a melhor formação do pensamento lógico. O dote para a matemática, porém, como o dote para a música que lhe é biologicamente aparentado, é uma ca-

pacidade que não se identifica nem com a lógica nem com a inteligência, mas apenas delas se utiliza tal como a filosofia e a ciência em geral. Assim como alguém pode ser dotado para a música sem ter nenhum vestígio de inteligência, da mesma forma podem ocorrer admiráveis capacidades de cálculo em imbecis. Como não é possível meter na cabeça de alguém o sentido da música, também acontece o mesmo com o sentido da matemática, por tratar-se de um dote específico.

240 As dificuldades da criança talentosa não se restringem apenas ao âmbito intelectual, mas também ao moral, isto é, à vida afetiva. As distorções comuns entre os adultos, as mentiras e todas as outras misérias morais podem criar problemas que perturbam a criança talentosa. Exatamente do mesmo modo que a sensibilidade intelectual e precocidade podem passar despercebidas ou serem subestimadas, o mesmo acontece com a índole crítica do talentoso a respeito da moral e da afetividade. Os dotes do coração nem sempre são tão visíveis e manifestos como os dotes intelectuais e técnicos. Como estes últimos reclamam compreensão especial da parte do educador, os primeiros fazem exigências ainda maiores: que o educador tenha sua própria educação completa. Neste caso se manifesta inexoravelmente a verdade de que aquilo que atua não é o que o educador ensina mediante palavras, mas aquilo que ele *verdadeiramente é*. Todo o educador, no sentido mais amplo do termo, deveria propor-se sempre de novo a pergunta essencial: se ele procura realizar em si mesmo e em sua vida, do modo melhor possível e de acordo com sua consciência, tudo aquilo que ensina. Na psicoterapia tivemos de reconhecer que em última instância não é a ciência nem a técnica que tem efeito curativo, mas somente a personalidade; o mesmo acontece na educação: ela pressupõe a *educação de si mesmo*.

241 Com isso não pretendo de modo algum apresentar-me aqui como juiz dos educadores, mas quero incluir-me entre eles, em vista de ter eu também por decênios exercido a atividade de mestre e de educador; assim participo tanto do julgamento como da condenação. Se ouso chamar a atenção dos Senhores para a grande importância *prática* de tais princípios educacionais, apenas o faço em razão da minha experiência de tratar as pessoas.

242 Além dos dotes do espírito, existem também os do coração, os quais não são menos importantes, mas com facilidade são preteridos,

pois em tais casos a mente costuma ser mais fraca do que o coração. Apesar disso, essas pessoas são até mais úteis e importantes para o bem da sociedade do que as que possuem outros talentos. Mas todos os dotes têm sempre dois lados, e o mesmo ocorre com a afetividade bem-dotada. A elevada capacidade de adaptar o próprio sentimento ao dos outros, o que ocorre principalmente com o sexo feminino, pode atuar no professor, e de tal modo que causa nele a impressão de estar diante de um notável talento, porque ele se baseia nas realizações consideráveis que observa. Tão logo cessa sua influência pessoal, desaparece também esse talento. Ele nada mais era do que um episódio de entusiasmo produzido como que por encanto; provinha apenas da capacidade de adaptação emotiva, extinguindo-se como um fogo de palha e deixando apenas as cinzas da decepção.

243 A educação de crianças talentosas propõe exigências consideráveis ao educador, ao apelar para seus dotes psicológicos, intelectuais, morais e artísticos; talvez essas exigências sejam de tal monta que nem se deva esperar razoavelmente que algum professor as realize. Ele deveria, na verdade, ser em certas circunstâncias um gênio, para poder compreender adequadamente um talento genial existente entre seus alunos.

244 Felizmente muitos dos dotes têm em grau elevado a propriedade de poderem cuidar de si mesmos. Quanto mais genial for o talentoso, tanto mais atuará a capacidade criadora, o que já expressa o termo "gênio", manifestando-se como uma personalidade que em certas circunstâncias ultrapassa de muito a idade da criança. Poder-se-ia mesmo dizer que o talento se manifesta como um ser supranatural (*daimon*), quase divino, no qual não apenas nada há para educar, mas do qual a criança, antes de mais nada, precisa ser protegida. Grandes dotes são na verdade os mais belos frutos, mas também às vezes os mais perigosos, nessa árvore que é a humanidade. Eles pendem dos ramos mais finos, que facilmente quebram. Como já foi mencionado, a maturação do talento em geral é desproporcional à maturidade das outras partes da personalidade; e frequentemente se tem a impressão de que a personalidade criadora se desenvolve à custa da pessoa humana. Pode às vezes existir tal discordância entre o gênio e sua pessoa humana, que se chega mesmo a perguntar se não seria melhor que a genialidade fosse um pouco menor. Pois de que adianta uma

grande inteligência unida à inferioridade moral? Existem não poucos seres talentosos, cujo valor prático se acha paralisado por outras falhas humanas, se não totalmente anulado. Talento nem sempre significa valor; somente se torna mesmo algo de valor se a outra parte da personalidade o acompanha, de modo que ele possa ter aproveitamento e utilidade. A capacidade criadora pode atuar lamentavelmente em sentido destrutivo. Se resulta em bem ou em mal, sobre isso é unicamente a personalidade moral que decide. Se esta personalidade faltar, então nenhum educador poderá transmiti-la ou substituí-la.

245 A íntima afinidade existente entre os talentos e os defeitos patológicos dificulta a educação de tais crianças. O talento é quase sempre compensado por certa inferioridade em outra parte, e até mesmo pode ser acompanhado às vezes de algum defeito patológico. Nesses casos torna-se muitas vezes impossível decidir se o que predomina é o talento ou a constituição psicopática.

246 Por todas essas razões acho difícil decidir a questão do proveito de educar em classes separadas os alunos notadamente talentosos, como já se propôs. Eu, pelo menos, não gostaria de ser o responsável pela escolha dos alunos mais aptos para isso. De uma parte, sem dúvida, os alunos talentosos receberiam grande estímulo, mas, de outra parte, um dado aluno não estará necessariamente no mesmo nível, no tocante a outros aspectos intelectuais e humanos. Para o aluno existe, pois, o risco de desenvolver-se apenas num sentido se frequentar uma classe especial para talentosos. Contrariamente, em uma classe comum, poderá entediar-se na matéria em que é superior, mas nas outras perceberá quanto está atrasado, o que terá um efeito moral, proveitoso e mesmo necessário. O talento apresenta o inconveniente moral de fazer a pessoa sentir-se superior e torná-la de certo modo cheia de si, e isto deveria ser compensado pela humildade correspondente. Crianças talentosas costumam ser mal-acostumadas e gostam de ser tratadas de modo diferente. Foi isso que percebeu aquele meu antigo professor, e aproveitou o ensejo para me aplicar um *knock-out* moral, do qual, infelizmente, eu não soube tirar na ocasião as conclusões visadas. Desde então, porém, aprendi que meu professor foi como que um instrumento do destino. Foi ele o primeiro a me fazer saborear que os presentes dos deuses têm sempre dois lados, um claro e outro escuro. O fato de alguém estar muito avançado provoca sempre castigo ou surra; e, se não

for do professor, será do destino, mas em geral ambos se encarregam disso. O talentoso procederá corretamente acostumando-se ao fato de que saber mais tem por consequência uma situação excepcional com todos os riscos, principalmente o da consciência mais aguda de si mesmo. Como defesa contra isso existe apenas a humildade e a obediência, e mesmo assim isto nem sempre ajuda.

247 Parece-me, pois, ser o melhor para as crianças talentosas que sejam educadas em classes normais com as outras crianças, porque se forem colocadas em classes especiais, isso acentuará ainda mais a situação excepcional em que se acham. Além disso a escola já é uma parte do vasto mundo e já encerra em escala menor todos aqueles fatores que a criança encontrará mais tarde na vida e com os quais terá de haver-se. Pelo menos uma parte dessa adaptação pode e deve ser aprendida na escola. Um ou outro esbarro não é nenhuma catástrofe. Um desentendimento só atuará de modo fatal quando for crônico, ou quando for exagerado o grau de sensibilidade da criança e não houver possibilidade de mudar eventualmente de professor. Tal medida tem muitas vezes efeito favorável, mas naturalmente apenas nos casos em que a causa do distúrbio se encontre de fato no professor. Não é sempre isso o que acontece; muitas vezes o professor tem de pagar inocentemente por aquilo que a educação de casa arruinou na criança. É bastante comum que os pais façam tomar corpo e forma na pessoa de um filho bem-dotado a ambição que eles mesmos não realizaram, mimando-o demais ou estimulando-o para atos de bravura. Em dadas circunstâncias isso pode prejudicar muito nos anos ulteriores, como já se pôde verificar no caso de certas crianças prodígios.

248 Um talento vigoroso ou, digamos, o presente grego da genialidade é sempre um fator que marca o destino da pessoa e cedo manifesta os sinais de sua presença. O *gênio* conseguirá impor-se a tudo que lhe for contrário; faz parte da sua natureza ser incondicionado e indomável. O chamado "gênio desconhecido" é uma manifestação muito duvidosa. Em geral acaba se revelando uma incapacidade que está à procura de uma explicação apaziguadora a respeito de si mesma. Como médico tive certa vez de perguntar a um desses "gênios": "Por acaso o Senhor não é apenas um grande preguiçoso?" Após algum tempo chegamos a um acordo nesse sentido. O *talento*, ao contrário, pode ser impedido, deformado e estragado, ou então promovido, de-

senvolvido e melhorado. O gênio é uma ave raríssima como a fênix; nem se deve contar com seu aparecimento, ele surge em toda a sua força, de início e pela graça de Deus, de modo consciente ou inconsciente. Mas o talento tem regularidade estatística, e de modo algum encerra sempre a dinâmica correspondente. Como o gênio, é também caracterizado por grande diversidade e forma um indivíduo bem diferenciado; o educador não deverá deixar de percebê-lo, porque tal personalidade, por ser diferenciada ou poder tornar-se diferenciada, é de máxima importância para a felicidade de um povo. A tentativa de nivelar a massa do povo à maneira de um rebanho, por meio da supressão da estrutura naturalmente aristocrática ou hierárquica, conduzirá inevitavelmente mais cedo ou mais tarde à catástrofe. Se o que se destaca é nivelado, perdem-se todos os pontos de orientação, e aparece o desejo de ser conduzido por alguém. A direção humana é falível; por isso acima do governante sempre estiveram e continuam a estar princípios simbólicos. De modo semelhante, o indivíduo não realiza nem o âmbito nem o sentido de sua vida se não conseguir colocar o seu "eu" a serviço de uma ordem espiritual e sobre-humana. Essa necessidade corresponde ao fato de que o "eu" jamais constitui a totalidade do homem, mas apenas a parte consciente. Somente a parte inconsciente, cujos limites não podem ser demarcados, é que o completa para formar a totalidade real.

249 Do ponto de vista biológico o talentoso constitui um desvio da média. Na medida em que o dito de Lao-Tsé: "O alto se ergue sobre o baixo", exprime uma verdade eterna, esse desvio se efetua no próprio indivíduo ao mesmo tempo para cima e para baixo. Resulta daí uma certa tensão de opostos que, por seu turno, confere à personalidade temperamento e intensidade. Mesmo se o talentoso for do tipo de águas tranquilas, atinge, à semelhança dessas águas, grande profundidade. O risco que corre o talentoso não provém apenas desse desvio do normal, por mais favorável que seja, mas também dos contrastes que o predispõem aos conflitos internos. Não sendo colocado em classe especial para talentosos, ser-lhe-á certamente de maior proveito a compreensão pessoal e a atenção dispensada pelo professor. Concedo ser de todo recomendável que a escola disponha de um psiquiatra formado em psicologia, e isto não significa de modo algum uma concessão ao que é tecnicamente certo, e cujo valor vem sendo

exagerado. Contudo, esclarecido pela minha experiência, sou de parecer que, por outra parte, o *coração do educador* deve desempenhar uma tarefa cuja importância mal poderemos avaliar devidamente. Recordamos com reconhecimento os professores competentes, mas sentimos gratidão em relação àqueles que se dirigiram ao nosso íntimo. A matéria do ensino se assemelha ao mineral indispensável, mas é o calor que constitui o elemento vital que faz crescer a planta e também a alma da criança.

250 Entre os alunos existem sempre alguns bem-dotados e com grandes tensões internas, e essas naturezas não devem ser barradas nem abafadas; por isso não deverá a matéria escolar afastar-se do geral e do universal para perder-se em especialidades excessivas. O que se deve fazer é pelo menos abrir aos adolescentes as portas que levam para os diversos ramos da vida e do espírito. Acima de tudo, parece-me ser importante para o bem da cultura geral que se considere devidamente a história, no sentido mais amplo do termo. Se é importante olhar para o lado prático, útil e futuro do ensino, também é importante olhar para trás, para aquilo que aconteceu. Cultura é continuidade e não apenas algum progresso separado de suas raízes. Justamente para os talentosos é de máxima importância que a formação seja equilibrada; isto é uma espécie de providência de higiene psíquica. O talento, orientado por natureza em um único sentido, quase sempre contrasta com certa imaturidade infantil nos outros domínios psíquicos, conforme já mencionei. Infantilidade é um estado do passado. O corpo repete em seu desenvolvimento fetal, de modo alusivo, a história da espécie; de modo análogo a alma infantil também realiza "a tarefa do estado humano anterior". A criança vive ainda em um mundo pré-racional e sobretudo pré-científico, naquele mundo em que se encontrava a humanidade que nos precedeu. É daquele mundo que provém as nossas raízes, e a partir dessas raízes evolui cada criança. O amadurecimento a afasta das raízes, a imaturidade a conserva presa a elas. O conhecimento acerca das origens, no sentido mais amplo, constrói a ponte que liga o mundo anterior, já abandonado e perdido, ao mundo futuro, que está chegando e ainda não pode ser compreendido. Como conseguiremos apoderar-nos do futuro e incorporá-lo a nós se não estivermos já de posse daquelas experiências da humanidade deixadas pelo mundo que nos precedeu? Sem possuirmos isso, achamo-nos como que des-

providos de raízes e de pontos de referência; deste modo nos tornaremos vítimas do futuro e da novidade. A formação puramente técnica e dirigida apenas para uma finalidade não será capaz de impedir a ilusão e nada terá para opor ao ofuscamento. Sofre ela de falta de cultura, cuja lei mais importante é a continuidade da história, que vem a ser a continuidade da consciência humana supraindividual. Essa continuidade, que une os contrastes, é importante para a cura dos conflitos que ameaçam o talentoso.

251 O novo é sempre problemático e indica algo a ser experimentado. O novo pode, pois, da mesma forma, ser uma doença. Por isso somente pode haver verdadeiro progresso se houver também maturidade no julgamento. Um julgamento equilibrado, porém, exige um ponto de vista estável que tenha como fundamento necessário o conhecimento aprofundado daquilo que se formou. Se alguém se tornar inconsciente do contexto histórico e perder a ligação com o passado, corre o risco de sucumbir à sugestão e ao ofuscamento proveniente de todas as novidades. Constitui o fim trágico de todas as inovações o serem postas de lado, tanto as coisas boas como as imprestáveis. A ânsia de novidades, graças a Deus, não é o vício nacional por excelência da Suíça, mas vivemos em um mundo mais amplo, que é abalado por febres desconhecidas de mudar tudo. Em oposição a esse espetáculo horrivelmente grandioso, esperamos de nossa juventude maior *firmeza* do que em qualquer outra época anterior, por termos em vista a estabilidade de nossa pátria bem como da cultura europeia, que nada ganhará se as conquistas de um passado cristão forem substituídas por algo que lhe é oposto.

252 O talentoso, porém, é aquele que carrega o facho luminoso, e a própria natureza o escolheu para esse encargo.

VI

A importância do inconsciente para a educação individual*

De modo geral podemos distinguir três espécies de educação:

253 1. *A educação pelo exemplo.* Esta espécie de educação ocorre espontaneamente e de modo inconsciente; por isso é também a forma mais antiga e talvez a mais eficaz de toda e qualquer educação. Está em concordância com este método o fato de a criança se identificar mais ou menos com seus pais, do ponto de vista psicológico. Esta propriedade característica é a que mais se destaca entre as qualificações da psique primitiva. O pensador francês Lévy-Bruhl cunhou acerca disso a expressão *participation mystique* (participação mística). Porque a educação inconsciente pelo exemplo se fundamenta em uma das propriedades primitivas da psique, será este método sempre eficiente, mesmo quando todos os outros métodos diretos falharem; ocorre isso, por exemplo, com os doentes mentais. Muitos desses doentes devem ser mantidos no trabalho para não degenerarem; seria quase sempre sem nenhum efeito pretender alguém dar-lhes conselhos ou mesmo ordens. Quando, porém, se veem colocados simplesmente em um grupo de trabalho, deixam-se por fim contagiar pelo exemplo dos outros e começam a trabalhar. É sobre este fato funda-

---

* Conferência proferida no Congresso Internacional de Educação em Heidelberg 1925. Publicada inicialmente em: Contributions to Analytical Psychology (Contribuições para a Psicologia Analítica). Kegan Paul, Londres, e Harcourt Brace, Nova York, 1928. [A redação original alemã foi publicada pela primeira vez por Walter, Olten 1971, na coleção de estudos, como tratado independente do volume (Der Einzelne in der Gesellschaft (O indivíduo na sociedade)].

mental da identidade psíquica que se baseia afinal toda a educação; o agente eficaz, em última análise, será certamente esse contágio, que ocorre como que automaticamente. Este fator é tão importante que o melhor método educacional consciente pode, em certos casos, tornar-se completamente sem efeito, por causa do mau exemplo dado.

254 2. *A educação coletiva consciente.* Por educação coletiva não entendo principalmente a educação em grupos (por exemplo, na escola), mas a educação segundo *regras, princípios* e *métodos.* Estes três pontos são necessariamente de natureza *coletiva;* supõe-se que eles, ao menos, sejam válidos e aplicáveis para certo número de indivíduos. Além disso aceita-se também que sejam instrumentos eficientes nas mãos de todos aqueles que aprenderam a usá-los. Dessa educação não se pode esperar que produza outra coisa ou mais do que aquilo que está contido nas premissas, isto é, que os indivíduos sejam formados de acordo com regras, princípios e métodos gerais.

255 Na medida em que a índole individual do educando cede à natureza coletiva da atuação educacional, surge naturalmente um tipo semelhante ao de outro indivíduo, dotado originalmente de outra índole, mas que tem a mesma tendência a ceder. Caso existam mais indivíduos capazes de cederem dessa maneira, originar-se-á a *uniformidade* correspondente ao método empregado. Quanto maior for o número de indivíduos semelhantes, ou formados de modo semelhante, tanto maior será a força coercitiva do exemplo que atua inconscientemente sobre outros indivíduos que até então haviam resistido eficazmente ao método coletivo, quer tivessem razão ou não. Como o exemplo da massa exerce esta influência coercitiva por meio do contágio psíquico inconsciente, com o tempo isso forçará a extinção ou pelo menos a sujeição de todos aqueles indivíduos que possuírem a média normal de força do caráter individual. Se for sadia a qualidade dessa educação, pode-se esperar bons resultados no tocante à acomodação coletiva do educando. Mas mesmo que se trate da formação coletiva do caráter, a mais ideal possível, ainda assim pode haver danos gravíssimos para a índole individual. Certamente é desejar que a educação conduza eficazmente à formação de cidadãos e de membros úteis à sociedade. Mas se for ultrapassado certo limite máximo de uniformidade, isto é, se certos valores coletivos forem conseguidos à custa da índole individual, então surgirá um tipo de indivíduo

capaz de corresponder talvez de modo ideal às regras, aos princípios e aos métodos segundo os quais foi educado, e que portanto está adaptado a todas as situações e a todos os problemas localizados no domínio das premissas educacionais; mas tal indivíduo sentir-se-á inseguro em todas as coisas em que necessitar de decisão individual, porque então lhe faltam regras conhecidas.

256 A educação coletiva é indispensável e não pode ser substituída por nenhuma outra coisa. Vivemos na coletividade humana e precisamos de normas coletivas, do mesmo modo que devemos ter uma linguagem comum. Jamais devemos renunciar ao princípio da educação coletiva para favorecer o desenvolvimento da índole individual, por mais que desejemos que certas qualidades preciosas do indivíduo não sejam sufocadas pela educação coletiva. Precisamos ponderar que uma qualidade individual não representa algo de valioso em sentido absoluto, nem mesmo para o próprio indivíduo. Se examinarmos os indivíduos que se opõem à educação coletiva, veremos que em primeiro lugar são comumente crianças portadoras de várias anormalidades psíquicas, quer sejam inatas ou adquiridas. Incluo entre elas as crianças mimadas e estragadas. Mais de um educando desse tipo encontrará sua cura com o apoio de uma coletividade normal, ao conseguir certa uniformidade que o projeta contra sua índole individual que o prejudica. Não concordo absolutamente com a opinião de que o homem é sempre fundamentalmente bom e de que o que nele existe de mau é apenas o bem não compreendido. Com maior razão acho que há muitas pessoas dotadas de caracteres hereditários em combinação tão desfavorável que será melhor renunciarem à sua individualidade, tanto para o bem da sociedade como para proveito próprio. Pode-se, pois, afirmar tranquilamente que a educação coletiva representa algo de indubitavelmente últil e que para muitos indivíduos é o suficiente. Contudo tal educação não deve ser considerada como a única existente, pois entre as crianças para serem educadas há um grande número que necessita da terceira espécie de educação, isto é, da educação *individual*.

257 3. *A educação individual.* Neste tipo de educação devem passar para o segundo plano todas as regras, os princípios e métodos coletivos, pois o que se pretende é desenvolver a índole específica do indivíduo; opõe-se, portanto, ao que se pretende na educação coletiva:

dar a todos o mesmo nível e a uniformidade. Todas as crianças ou educandos que apresentarem resistência invencível à educação coletiva precisam ser tratadas de modo individual. Entre esses indivíduos encontram-se naturalmente elementos muito variados: em primeiro lugar, os incapazes de formação, em consequência de alguma degeneração doentia; estes pertencem geralmente à categoria dos débeis mentais. Em seguida encontram-se os indivíduos que não são de todo incapazes de formação, e mostram até mesmo certos dotes especiais; são, porém, tipos esquisitos e de orientação restrita. A singularidade mais comum é a incapacidade de entenderem a matemática, desde que ultrapasse o campo que é expresso em números concretos. Por esta razão, a matemática superior deveria ser apenas facultativa nas escolas, pois o cultivo do pensamento lógico nada tem a ver com a matemática. Por isso a matemática superior não tem nenhum sentido ou importância para tais indivíduos, mas é apenas um tormento inútil. A matemática corresponde a certa peculiaridade da mente, que nem todas as pessoas apresentam, e a qual não se adquire pela aprendizagem. Tais tipos podem apenas decorar a matemática como uma sequência de palavras sem sentido algum. Os indivíduos deste tipo podem ser talentosos em outros ramos; ou já possuem a faculdade do pensamento lógico ou poderão adquiri-la pelo ensino direto da lógica.

258 Esta falta de capacidade para a matemática não representa, em sentido rigoroso, uma singularidade individual. Contudo, isto mostra de modo evidente como os programas de ensino podem pecar contra a singularidade psíquica de algum educando. O mesmo vale para os princípios educativos mais gerais; podem ser completamente inúteis ou até prejudiciais nos casos em que a singularidade psíquica do educando necessita exclusivamente de tratamento individual.

258a Acontece com relativa frequência que não são apenas determinadas regras pedagógicas que encontram resistência, mas toda a atuação educativa. Isto ocorre frequentemente com pessoas *neuróticas*. O professor ou educador sentir-se-á inclinado a atribuir a dificuldade a qualquer disposição doentia do aluno. Muitas vezes um exame mais acurado concluirá que a criança provém de um meio familiar muito singular, cujas peculiaridades explicarão suficientemente tanto a falta de adaptação da criança como sua incapacidade de adaptar-se. A criança adquiriu em casa certa atitude que a torna inaproveitável para a coletividade.

259 Naturalmente, o educador não tem a possibilidade de mudar essas circunstâncias domésticas, ainda que algumas vezes bons conselhos possam como que operar um milagre nos pais da criança. Em geral é no educando mesmo que o mal deve ser curado. Em tal caso importa encontrar o acesso à sua psique peculiar, a fim de que ele se abra à influência exterior. Para isso é preciso, antes de mais nada, como já disse, conhecer profundamente a vida que o educando leva em casa. Se conhecermos as causas de um fenômeno, já é muito; mas isto ainda não representa tudo aquilo de que necessitamos. O passo seguinte será conhecer os efeitos que essas causas externas produziram na alma da criança. Chegamos a esse conhecimento pesquisando a história psíquica do indivíduo, a partir de suas indicações e as de seu meio ambiente. Nessas condições já se pode fazer muito em certos casos. Hábeis educadores já têm procedido assim em todas as épocas; por isso, não precisarei deter-me mais neste ponto.

260 Se considerarmos agora o fato de que a criança se desenvolve lentamente do estado inconsciente para o estado consciente, compreenderemos também que certamente a maioria das influências do ambiente, pelo menos as mais elementares e profundas dentre elas, são inconscientes. As primeiras impressões recebidas na vida são as mais fortes e as mais ricas em consequências, mesmo sendo inconscientes, e talvez justamente porque jamais se tornaram conscientes, ficando assim inalteradas. Apenas na consciência algo pode ser corrigido. O que é inconsciente permanece inalterado. Se quisermos provocar alguma alteração, precisamos passar para a consciência os fatos inconscientes, a fim de podermos submetê-los a uma correção. Esta operação torna-se de todo desnecessária no caso em que, pela pesquisa minuciosa do ambiente doméstico e pela história do desenvolvimento psíquico, tivermos conseguido os meios de influir eficazmente sobre o indivíduo. Mas, como já disse, há casos em que isto não basta; é preciso então aprofundar mais a exploração da psique. Isto, porém, é como uma espécie de intervenção cirúrgica, que pode facilmente ter más consequências se faltar a preparação técnica adequada. Requer-se boa dose de experiência médica para saber onde e quando se deve efetuar essa intervenção. Os leigos subestimam infelizmente os perigos que tais intervenções podem acarretar. Ao trazer-se para a consciência conteúdos inconscientes, provoca-se artificialmente um

estado muito semelhante ao de uma doença mental. A grande maioria das doenças mentais (desde que não sejam diretamente de natureza orgânica) se fundamentam na dissociação da consciência, que é provocada pela invasão incessante de conteúdos inconscientes. Deve-se, pois, saber quando se poderá arriscar tal intervenção sem causar dano. Mesmo não havendo perigo desta parte, nem por isso estamos livres de todos os perigos casuais. Uma das consequências mais comuns, ao lidar com conteúdos inconscientes, é o que Freud chamou de *transferência*. Em seu sentido mais preciso, a transferência é uma projeção de conteúdos inconscientes sobre a pessoa que está analisando o inconsciente. O termo transferência, porém, costuma ser usado em sentido muito mais amplo, e inclui praticamente todos os processos variados que determinam uma *ligação* entre o analisado e o analista. Esta ligação pode tornar-se um empecilho sumamente desagradável, se for tratada de modo errado. Isto já tem provocado suicídios. Uma das causas mais comuns deste processo é que conteúdos inconscientes, ao se tornarem conscientes, fazem ver as condições domésticas sob um ponto de vista inteiramente novo e até destruidor. Há coisas que, ao se tornarem conscientes, podem transformar o amor aos pais e a confiança que neles se deposita em resistência e ódio. Com isso entra o indivíduo em um vácuo insuportável quanto ao relacionamento e levado pelo desespero se apega ao analista para ter, ao menos por meio dele, alguma conexão com o mundo. Nesta situação crítica, se o médico também destruir este relacionamento por qualquer falha técnica, pode levar o paciente diretamente ao suicídio.

261 Por isso, acho que tal intervenção, tal como se apresenta na análise do inconsciente, precisa ao menos do controle e da colaboração de um médico experimentado em psiquiatria e psicologia.

262 Então de que modo podem conteúdos inconscientes ser trazidos à consciência? Como os Senhores entenderão, não me será possível, dentro da limitação imposta por uma conferência, mencionar todos os recursos por meio dos quais se alcança este fim. Praticamente o melhor método, e também o mais difícil, é o da *análise e interpretação dos sonhos*. Sem dúvida alguma, os sonhos são produtos da atividade psíquica inconsciente. Ocorrendo enquanto dormimos, sem nenhuma intenção nem colaboração de nossa parte, os sonhos se apresentam à nossa visão interior e podem ser trazidos à consciência des-

perta por meio de um pequeno resto de consciência ainda existente. Sua conformação frequentemente estranha e incompreensível provoca nossa desconfiança a seu respeito, em vez de nos levar a considerá-los como fonte de informação digna de confiança. Em nossas experiências para entender os sonhos, sentimos que estamos muito afastados dos métodos científicos comuns, e longe de métodos e medidas. Encontramo-nos muito mais na situação de um arqueólogo ao tentar decifrar uma escrita desconhecida. Se existe alguma coisa a que possamos chamar de conteúdos inconscientes, são justamente os sonhos que se encontram na melhor situação para dizer-nos algo acerca disso. É o grande mérito de Freud ter sido o primeiro a apontar essa possibilidade. É verdade que os séculos precedentes se ocuparam com o mistério dos sonhos, e nem sempre procederam apenas de maneira supersticiosa. A interpretação do antigo Artemidor de Daldi representa de certo modo uma obra, cujo valor científico não deve ser subestimado; e Flávio Josefo refere-se a algumas interpretações de sonhos dadas pelos essênios, que não são de desprezar. Sem a atuação de Freud, certamente a ciência não teria ainda se voltado de novo para os sonhos como fontes de informação, ainda que os médicos da Antiguidade sempre tivessem tido os sonhos em grande estima. Ainda hoje as opiniões a respeito dos sonhos estão muito divididas. Há muitíssimos psicólogos, de formação médica, que renunciam a usar a análise dos sonhos, seja porque o método lhes parece incerto, arbitrário ou difícil em demasia, seja porque julgam poder dispensar o inconsciente. Eu, contudo, defendo a opinião contrária. Por meio de experiência muito variada cheguei à conclusão de que os sonhos do paciente prestam serviços incalculáveis ao psicólogo, quer como fontes de informação, quer como instrumento terapêutico.

263 Quanto ao método muito discutido da análise dos sonhos, procedemos apenas como um decifrador de hieróglifos. Primeiramente reunimos todos os dados ao nosso alcance, que o sonhador mesmo pode fornecer às suas imagens oníricas. A seguir excluímos as observações que talvez provenham de alguma concepção teórica; estas costumam ser tentativas arbitrárias de interpretação. Será bom informarmo-nos sobre os acontecimentos do dia anterior, como também sobre o estado de ânimo, dos planos e propósitos da pessoa nos dias ou semanas precedentes ao sonho. Deve-se pressupor um conheci-

mento mais ou menos profundo da situação da vida e do caráter do sonhador. Esse trabalho exige muita atenção e muito cuidado, se tencionarmos entender razoavelmente o sonho. Não acredito em interpretações dadas com muita rapidez e baseadas em alguma opinião preconcebida. Ao contrário, deve-se tomar o cuidado de não acrescentar ao sonho quaisquer pressupostos teóricos; na verdade, deve-se proceder de início como se o sonho não tivesse propriamente sentido algum, a fim de estar precavido contra algum preconceito. Os resultados da análise dos sonhos podem ser completamente imprevisíveis. Podem surgir no quadro coisas extremamente desagradáveis, cuja discussão certamente teríamos evitado a todo o custo se estivéssemos preparados para isso. Podem aparecer também resultados que de início são obscuros e incompreensíveis, porque nossa concepção consciente ainda não está suficientemente apta para entender todos os mistérios da alma. Em tais casos seria preferível assumir uma atitude de espera do que pretender dar alguma interpretação forçada. Nessa tarefa deve-se estar preparado para encarar muitos pontos de interrogação.

264 Enquanto nos ocupamos em reunir o material mencionado há pouco, começam a tornar-se mais claras certas partes do sonho, e principiamos de certo modo a reconhecer um texto com sentido no caos de imagens aparentemente sem sentido; de início apenas na forma de frases soltas, mas após algum tempo num contexto que se vai alargando. Sem dúvida, será melhor apresentar-lhes alguns exemplos de sonhos ocorridos no decurso do tratamento médico pela educação individual.

265 Inicialmente preciso apresentar-lhes de certo modo a pessoa do sonhador, pois sem esse conhecimento os Senhores dificilmente poderão colocar-se no estado de ânimo próprio e específico do conteúdo do sonho.

266 Há sonhos que são verdadeiros poemas e, por isso, apenas podem ser entendidos a partir do contexto geral do estado de ânimo. O sonhador é um jovem de pouco mais de vinte anos, mas que tem ainda a aparência de um menino. Percebe-se mesmo certo ar de moça em seu aspecto e em seu modo de expressão. Este denota excelente formação e educação. É inteligente e tem interesses intelectuais e estéticos. Destaca-se muito seu pendor estético. Imediatamente se per-

cebe que ele tem bom gosto e compreensão perfeita para todas as formas de arte. Sua afetividade é delicada e sensível, um pouco entusiástica, própria da puberdade, mas de índole feminina. Não se pode negar que os elementos femininos sobressaem de modo considerável. Não se percebe nele nenhum vestígio de grosseria própria da puberdade. Inegavelmente é ainda jovem demais para a idade que tem; trata-se evidentemente de um caso que há atraso no desenvolvimento. De acordo com tudo isso ele procurou-me por causa do problema da homossexualidade. Na noite que precedeu à consulta teve este sonho: "*Encontro-me em uma vasta catedral, repleta de uma penumbra misteriosa. Poderia ser a catedral de Lourdes. No centro se encontra um poço profundo e escuro, no qual eu devia atirar-me*".

267 Parece evidente que o sonho é uma expressão concatenada a respeito do estado de ânimo. As observações do sonhador são estas: "Lourdes é uma fonte mística de curas. Naturalmente estive refletindo ontem que iria tratar-me com o Senhor, para tentar minha cura. Em Lourdes deve existir um poço assim. Provavelmente deve ser desagradável entrar nessa água. Mas o poço na igreja era muito profundo".

268 Que nos diz este sonho? Parece ser muito claro, e seria possível que alguém se contentasse em tomá-lo como uma espécie de formulação poética do estado de ânimo do dia anterior. Jamais, porém, devemos contentar-nos apenas com isso, pois, de acordo com a experiência, os sonhos são mais profundos e mais ricos de significado. Poderia alguém supor a respeito do sonho que o sonhador tivesse ido procurar o médico com uma disposição muito poética e que estivesse iniciando o tratamento como se fosse uma ação de culto divino, feita na penumbra mística de algum lugar misterioso em que se dão milagres. Mas isto não concorda com a realidade dos fatos. O paciente procurou o médico unicamente para tratar-se dessa coisa desagradável, que é a homossexualidade. Isto nada tem de poético. Em todo o caso, considerando o estado de ânimo da véspera, não podemos atinar com o porquê de um sonho tão poético, caso nos fosse permitido aceitar uma causalidade tão direta para o surgimento do sonho. Mas poderíamos talvez admitir que justamente a impressão causada por um assunto absolutamente nada poético foi o que levou o paciente a procurar o tratamento, e que isso deu origem ao sonho. Poderíamos, pois, admitir que a ausência de poesia no estado de ânimo que o paci-

ente sentia na véspera foi precisamente o motivo que provocou seu sonho altamente poético, à semelhança de alguém que, tendo jejuado durante o dia, sonha à noite com lautos banquetes. Não se deve negar que a ideia do tratamento, da cura e do desagradável processo empregado, possa voltar durante o sonho, mas em transfiguração poética; naturalmente isto deveria ocorrer de forma que satisfizesse plenamente o sonhador, em sua necessidade muito forte de estética e emoção. Ele se sentirá atraído inevitavelmente por esta imagem convidativa, ainda que o poço seja escuro, profundo e feio. Algo do estado trazido pelo sonho deverá perdurar mesmo depois de acordar e atingirá a manhã daquele dia em que deverá cumprir uma obrigação desagradável e nada poética. A realidade sombria receberá talvez como que um leve reflexo dourado dos sentimentos do sonho.

269 Será essa talvez a finalidade do sonho? Isto não seria impossível, pois, segundo minha experiência, a grande maioria dos sonhos é de *natureza compensatória*. Acentuam os sonhos sempre a situação oposta, para assegurar o equilíbrio psíquico. Mas a compensação de um estado de ânimo não é a única coisa visada pela imagem onírica. No sonho também se encontra uma correção do modo de conceber as coisas. O paciente não tinha concepções suficientes a respeito do tratamento a que iria submeter-se. O sonho, porém, lhe fornece uma imagem que caracteriza mediante uma metáfora poética o essencial do tratamento que deveria ser feito. Isto logo se torna evidente, se considerarmos as ideias que lhe ocorreram e as observações que fez a seguir a respeito da imagem da catedral. Quanto à "catedral", disse ele, "lembro-me da catedral de Colônia. Já me ocupei muito com ela no começo da adolescência. Lembro-me que primeiro foi minha mãe que me falou a respeito dela. Também me recordo que, ao ver qualquer igreja de aldeia, logo perguntava se era a catedral de Colônia. Eu gostaria de ser padre em uma catedral como essa".

270 Nestas recordações surgidas imediatamente, apresenta o paciente um episódio muito importante de sua juventude. Como acontece em quase todos os casos desse tipo, este jovem também tinha um relacionamento especialmente íntimo com a mãe. Os Senhores não devem entender isso como se fosse um relacionamento consciente com a mãe, especialmente bom e intenso. Trata-se antes de uma espécie de ligação oculta e subterrânea, a qual se exprime na consciência talvez apenas sob a forma de um retardamento na formação do caráter ou de um in-

fantilismo relativo. O desenvolvimento da personalidade tende por natureza a afastar-se dessa ligação inconsciente e infantil, pois não há nada mais prejudicial ao desenvolvimento do que estacionar em um estado inconsciente, que poderíamos chamar de psiquicamente embrionário. Por isso o instinto procura a primeira ocasião para substituir a mãe por outro objeto. Em certo sentido esse objeto deve ter uma analogia com a mãe, a fim de substituí-la de verdade. Isto foi o que aconteceu de modo completo com nosso paciente. A intensidade com que a fantasia infantil apanhou o símbolo da catedral de Colônia corresponde à grande necessidade inconsciente de encontrar um substitutivo para a mãe. Esta necessidade inconsciente ainda é acentuada no caso em que uma ligação infantil ameaça tornar-se prejudicial. Daí provém o entusiasmo com que a fantasia infantil se apegou à imagem da Igreja, pois a Igreja é mãe num sentido pleno e em qualquer significado. Fala-se não apenas da mãe Igreja, mas até de seu seio. Na cerimônia da bênção da fonte batismal (*benedictio fontis*) realizada na Igreja Católica a pia batismal é denominada *immaculatus divini fontis uterus* (seio ou útero imaculado da fonte divina). Provavelmente acharemos que alguém deva conhecer conscientemente estas significações, para que possam atuar em sua fantasia; acharemos também que uma criança ainda sem conhecimentos não pode ser impressionada por estes significados. Tais analogias certamente não atuam por meio da consciência, mas por um processo muito diferente.

271 A Igreja representa um substitutivo espiritual mais elevado do que a ligação com os pais, que poderíamos considerar apenas "carnal". Ela liberta os indivíduos de uma ligação inconsciente e natural, que num sentido estrito nem é ligação, mas somente um estado primitivo de identidade inconsciente, e que em virtude de sua inconsciência é dotado de uma enorme inércia, capaz de opor a máxima resistência a qualquer desenvolvimento espiritual mais elevado. Nem se saberia indicar em que consistiria a diferença essencial entre esse estado e o estado animal. Mas de modo algum é uma prerrogativa específica da Igreja cristã essa capacidade de procurar libertar o indivíduo do estado inicial, semelhante ao do animal, e de possibilitar-lhe isso; esta é apenas a forma moderna, sobretudo ocidental, de uma tendência instintiva, que talvez seja tão antiga quanto a própria humanidade. Trata-se de uma tendência que pode ser encontrada nas formas mais variadas em todos os primitivos, desde que apresentem algum

desenvolvimento e não se tenham ainda degenerado. São os ritos das iniciações ou sacralização dos homens: ao entrar na puberdade, o jovem é levado para a casa dos homens ou para qualquer outro lugar de iniciação, onde o distanciam sistematicamente da família. Simultaneamente é introduzido nos mistérios religiosos, adquirindo deste modo relacionamentos inteiramente novos e tornando-se também uma pessoa nova e diferente, para assim ser introduzido em uma mundo completamente novo na qualidade de um *quasi modo genitus* (como que gerado há pouco). A iniciação está ligada frequentemente a toda espécie de torturas, não raro à circuncisão e a outras coisas semelhantes. Tais costumes são provavelmente dos mais antigos e deixaram vestígios em nosso inconsciente, como tantas outras vivências primitivas. Tornaram-se quase que um mecanismo instintivo, de modo que sempre reaparecem de novo, mesmo sem coação externa; ocorre nos trotes estudantis europeus (*Fuxtaufen*) ou nos americanos, que são ainda mais ousados. Estes costumes estão gravados no inconsciente como uma *imagem arcaica* ou como um "arquétipo", na expressão de Santo Agostinho.

272 Quando a mãe falou ao menino sobre a catedral de Colônia, esse arquétipo foi atingido e despertou para a vida. Mas não apareceu nenhum educador sacerdotal para desenvolver o que se iniciara. Continuou o menino sob os cuidados da mãe. É verdade que esse desejo no menino se desenvolveu orientado para algum homem que o conduzisse, mas sob a forma de uma inclinação homossexual; talvez não tivesse aparecido essa evolução defeituosa se algum homem tivesse cuidado de desenvolver a fantasia do menino. O desvio para o homossexualismo apresenta, contudo, numerosos exemplos históricos. Na Grécia Antiga, como também em diversas coletividades primitivas, homossexualidade e educação quase se identificavam. Em relação a isto, deve-se ver na homossexualidade da adolescência apenas a interpretação errada da necessidade que o jovem sente de um homem que o ajude; esta necessidade em si corresponde ao fim visado.

273 De acordo com o sentido do sonho, o início do tratamento significa para o paciente a realização do sentido visado por sua homossexualidade, isto é, sua iniciação no mundo do homem adulto. O que tivemos de discutir aqui com considerações penosas e prolixas a fim de o compreendermos inteiramente, o sonho condensou em poucas metáforas muito expressivas, criando desse modo uma imagem que

atua muito mais sobre a fantasia, o sentimento e a inteligência do sonhador do que um tratado instrutivo. Desse modo recebeu o paciente uma preparação melhor e mais compreensível para o tratamento do que a que teria conseguido com a maior coleção de teoremas da medicina e da pedagogia. É por este motivo que eu vejo no sonho não apenas uma fonte valiosa de informações, mas também um meio muito eficaz de educação e de tratamento.

274 Resta-me ainda relatar-lhes o segundo sonho, que o paciente teve na noite seguinte, após a primeira consulta. Completa ele de modo perfeito o que acabei de expor. Preciso adiantar-lhes que na primeira consulta não me ocupei de modo algum com o sonho já explicado. Este sonho nem sequer foi mencionado então. Também nada se falou que tivesse a mínima ligação com o que foi apresentado acima.

275 Este é o segundo sonho: *"Encontro-me em uma grande catedral gótica. No altar está o sacerdote. Eu estou de pé diante dele, em companhia de um amigo. Na mão seguro uma estatueta japonesa, feita de marfim, e tenho o sentimento de que ela deveria ser batizada. Repentinamente entra uma senhora de certa idade, tira da mão de meu amigo o anel colorido de estudante e o coloca em sua mão. Meu amigo tem receio de que com isso possa estabelecer qualquer ligação com ela. Mas nesse momento o órgão toca uma música admirável"*.

276 A limitação imposta por uma conferência lamentavelmente não me permite tratar de todas as particularidades deste sonho, que é extremamente rico de sentido. Procurarei destacar brevemente apenas aqueles pontos que são a continuação do sonho da véspera e que o completam. É inegável que o segundo sonho se liga ao primeiro; o sonhador está numa igreja, portanto no estado da iniciação ou sacralização dos homens. Acrescentou-se uma figura, o sacerdote, cuja ausência na situação anterior já comentamos. O sonho vem confirmar, portanto, que o sentido inconsciente de sua homossexualidade se realizou e que deste modo pode ter início a nova etapa do desenvolvimento. Pode agora principiar o processo especial de iniciação, isto é, o batismo. No simbolismo do sonho confirma-se o que disse acima: Não é prerrogativa da Igreja cristã efetuar tais passagens e tais mudanças psíquicas, mas por trás de tudo isso se esconde uma imagem arcaica, que em certos casos pode provocar tais transformações.

277 Conforme o sonho, o que devia ser batizado era uma estatueta japonesa, feita de marfim. O paciente ainda fez esta observação a respei-

to dela: "Era um homenzinho fazendo caretas, que me fez recordar o membro viril. Certamente é curioso que este membro deva ser batizado. Mas entre os judeus a circuncisão é uma espécie de batismo. Isso certamente se refere à minha homossexualidade, pois o amigo que está comigo diante do altar é justamente a pessoa com quem tenho uma ligação homossexual. Ele se sente ligado a mim, do mesmo modo. O anel colorido de estudante representa com certeza nossa ligação".

278 Como os Senhores sabem, no uso diário comum, o anel tem o significado de símbolo de uma ligação ou de um relacionamento, como, por exemplo, a aliança de casamento. Neste caso podemos considerar tranquilamente o anel colorido de estudante como uma metáfora da união homossexual; assim também o fato de o sonhador aparecer junto com o amigo tem o mesmo significado.

279 O mal que deve ser curado é a homossexualidade. Saindo desse estado relativamente infantil, o sonhador deve ser conduzido ao estado de adulto como que por uma cerimônia de circuncisão e com o auxílio de um sacerdote. Estas ideias estão de acordo com o que expus a respeito do sonho anterior. Até aí deveria prosseguir o desenvolvimento, de acordo com a lógica e o sentido, recorrendo a concepções arquetípicas. Mas imiscui-se agora aparentemente uma perturbação. Uma senhora de certa idade se apodera de repente do anel colorido; em outras palavras isto significa que ela arrebata agora para si o que antes era uma ligação homossexual, e é por isso que o sonhador teme ter entrado em um relacionamento novo e obrigatório. Como o anel está agora no dedo da senhora, poderia isto indicar a realização de uma espécie de casamento, cujo sentido seria a transformação do relacionamento homossexual em heterossexual. Mas esse relacionamento heterossexual é muito curioso por se tratar de uma senhora de certa idade. Explica o paciente: "Ela é amiga de minha mãe. Eu gosto muito dela, ela é uma verdadeira amiga maternal". Esta declaração faz-nos ver o que aconteceu no sonho: Em consequência da iniciação fica desfeito o relacionamento homossexual que é substituído pelo heterossexual, mas por ora sob a forma de uma amizade platônica com uma mulher que se parece com a mãe. Apesar dela assemelhar-se à mãe, tal mulher já não é a sua mãe. O relacionamento com ela indica um passo no sentido de separar-se da mãe, um passo adiante em direção à virilidade, um desprendimento da mãe e uma superação da sexualidade que ocorre na puberdade.

280 O receio dessa nova ligação é fácil de compreender, já por causa da semelhança com a mãe. Poderia indicar que pelo rompimento do relacionamento homossexual ele se voltava agora completamente para a mãe; também estaria indicando o medo diante do novo e do desconhecido inerente ao estado de adulto heterossexual, com todas as obrigações possíveis, como casamento etc. Que não se trata de regresso, mas de progresso, parece-me estar confirmado pela música que então surge. O paciente tem dotes musicais e seus sentimentos são especialmente acessíveis para a música festiva do órgão. Para ele a música indica um sentimento muito positivo, e neste caso o encerramento pessoal do sonho; isto é muito adequado para deixá-lo na manhã seguinte em uma bela disposição, cheia de unção.

281 Se os Senhores considerarem o fato que, até o momento, o paciente teve comigo apenas *uma* consulta, durante a qual se tratou somente de uma anamnese de caráter geral e médico, certamente me darão razão quando afirmo que os dois sonhos apresentam admiráveis antecipações. Esclarecem a situação do paciente: de uma parte, lançam uma luz extremamente singular e estranha à sua consciência, mas de outra parte essa mesma luz dá um novo aspecto à sua situação muito corriqueira diante do médico. Essa situação está sintonizada com toda a peculiaridade espiritual do sonhador, e como nenhuma outra é capaz de colocar em estado de tensão seus interesses estéticos, intelectuais e religiosos. Deste modo configurou-se a melhor condição que se poderia imaginar como exigência prévia para o tratamento. A importância destes sonhos quase nos dá a impressão de que o paciente iniciou o tratamento com a melhor disposição e com a alegria proveniente da esperança, completamente disposto a livrar-se do que ainda tinha de garoto para tornar-se homem de verdade. Mas na realidade não foi absolutamente isso o que aconteceu. Na consciência dele havia muita hesitação e resistência, e durante a continuação do tratamento mostrou-se rebelde e difícil, sempre pronto para recair na infantilidade anterior. Os sonhos estão em oposição cerrada com seu proceder consciente. Situam-se eles na linha do progresso e tomam o partido do educador. A meu ver permitem reconhecer com toda a clareza a função específica dos sonhos. A essa função dei o nome *compensação*. Tudo aquilo que inconscientemente favorece o progresso forma um par de opostos com tudo aquilo que conscientemente conduz ao regresso, mantendo-se como que em equilíbrio. A atuação do educador se assemelha ao fiel

da balança. Deste modo os sonhos dão um apoio eficiente ao esforço educativo, ao mesmo tempo que possibilitam penetrar a fundo na vida íntima da fantasia, a partir da qual se torna mais compreensível o comportamento consciente, abrindo-se com isso uma passagem de acesso no sentido da aceitação da influência exterior.

282 Do que acabei de expor certamente se evidenciará que os sonhos possibilitam um acesso inigualável também para a vida psíquica mais individual, desde que geralmente se apresentem dessa maneira exposta. Isto ocorre realmente de modo geral, na medida em que os sonhos também podem ser esclarecidos. Mas a grande dificuldade consiste nesse esclarecimento. Isto exige não apenas muita experiência e tato, mas também conhecimentos. A interpretação de sonhos que toma por base uma teoria geral ou uma hipótese não é apenas uma prática ineficiente, mas até reprovável e prejudicial. Naturalmente, pode-se propor desse modo qualquer significado para um sonho, se usarmos um pouco de suave violência e se empregarmos, para explicar os supostos mecanismos do sonho, toda a espécie de suposições, tais como inversão, deformação etc. Esse mesmo tipo de arbitrariedade ocorreu no início da decifração dos hieróglifos. Antes de tentar entender qualquer sonho, deve-se mesmo dizer: “Este sonho pode ter todos os significados”. Pode igualmente não se opor à consciência, mas até acompanhá-la (o que ainda concordaria com a função compensatória). Há mesmo sonhos que zombam de qualquer interpretação. Em muitos casos apenas se pode fazer alguma conjectura. Em todo o caso, até agora não existe para os sonhos nenhuma “gazua” (*passe-partout*), nenhum método infalível, nenhuma teoria de todo satisfatória. Não posso confirmar a hipótese de Freud, segundo a qual os sonhos encerram de modo oculto a realização de desejos sexuais e de outros desejos proibidos pela moral. Considero, pois, seu emprego e as operações técnicas nela baseadas como um pressuposto subjetivo. Estou mesmo convencido de que talvez nem mesmo seja possível inventar uma teoria satisfatória para os sonhos, porque eles apresentam irracionalidade e individualidade em grau excessivo. Nada também nos diz que toda e qualquer coisa possa ser objeto da ciência. O pensamento científico é apenas *uma* das faculdades do espírito humano que estão a nosso dispor para a compreensão do mundo. Talvez até fosse melhor concebermos os sonhos como uma espécie de

obra de arte, em lugar de ver neles material de observação científica, próprio das ciências naturais. Parece-me que tal concepção artística leva a melhores resultados, porque se aproxima mais da essência do sonho que a outra. Afinal, o mais importante é que consigamos levar à consciência as compensações inconscientes, para com isso superar as parcialidades e falhas da consciência. Enquanto os outros métodos educacionais forem eficientes e úteis, não precisaremos recorrer ao inconsciente. Seria até um erro perigoso da arte pedagógica substituir os métodos aprovados e conscientes pela análise do inconsciente. Este último método deve ficar reservado, com o máximo de rigor, apenas para os casos em que nenhum outro método produza efeito; mesmo então, só deverá ser empregado por médicos especializados ou por leigos sob o controle e a orientação de um especialista.

283 Os resultados gerais dessas pesquisas e métodos psiquiátricos não são apenas interessantes para o educador, mas podem até prestar-lhe grande auxílio, pois lhe fornecem a compreensão devida para certos casos, o que seria impossível sem tais conhecimentos.

VII

Da formação da personalidade*

Usando de um modo livre um verso de Goethe, muitas vezes citados:

> "Que a maior dita dos filhos da terra
> seja somente a personalidade"[1]

284 encontramos expressa a opinião de que o escopo mais amplo e o mais forte dos desejos consiste no desenvolvimento daquela totalidade do ser humano à qual se dá o nome de *personalidade*. "Educação para a personalidade" tornou-se hoje um ideal pedagógico. Este ideal se contrapõe ao homem coletivizado ou normal, tal como é padronizado e promovido pela massificação geral. Funda-se esse ideal no conhecimento correto do fato histórico de que os grandes feitos libertadores ocorridos na história universal sempre partiram de personalidades dotadas de liderança e jamais da grande massa inerte e sempre secundária, que para o mínimo movimento necessita sempre de um demagogo. O grito de júbilo da nação italiana se dirige à personalidade do *Duce*, e cantos lamentosos de outras nações choram a ausência de um grande líder[2]. O desejo intenso de encontrar uma personalida-

---

* Conferência proferida sob o título de "Die Stimme des Inneren" (A voz do íntimo) no Kulturbund, Viena, em novembro de 1932. Como tratado "Vom Werden der Persönlichkeit" (Da formação da personalidade). In: "Wirklichkeit der Seele" (Realidade da alma). Zurique: Rascher, 1934. Novas edições: 1939 e 1947. Nova edição (cartonada) 1969.

1. GOETHE, J.W. von. *West-östlicher Divan*, *Buch Suleika* (O Divã ocidental-oriental, livro Zuleica). In: GOETHE, J.W. von. *Werke*. 30 vols. Cotta/Stuttgart/Tübingen: [s.e.], 1827-1835.

2. Depois de escrita esta frase a Alemanha também encontrou o seu líder (*Führer*).

de se converteu em problema real, que preocupa hoje em dia muita gente; isso contrasta com épocas anteriores quando um único homem, Friedrich Schiller, entreviu essa questão. Suas cartas sobre a educação estética já sucumbiram a um sono literário de bela adormecida de mais de um século, desde seu aparecimento. Podemos afirmar calmamente que o Sacro Império Romano-Germânico não percebeu em Friedrich Schiller vestígio algum de educador. Pelo contrário, o *furor teutonicus* (agressividade alemã) precipitou-se sobre a pedagogia, isto é, a educação das crianças; cultivou a psicologia infantil, desanimou o que existe de infantil no homem adulto e fez da infância um estado tão essencial para a vida e o destino que o significado criativo e a possibilidade da idade seguinte e adulta foram inteiramente negligenciados. Na verdade nosso século é enaltecido até o exagero como o "século da criança". Essa desmedida ampliação e difusão do jardim de infância equivale ao esquecimento total do problema educacional que Schiller genialmente havia pressentido. Ninguém negará nem subestimará a importância da educação infantil; são sobejamente manifestos os danos graves, que muitas vezes perduram a vida inteira, causados por uma educação tola, tanto em casa como na escola. É, pois, absolutamente necessário que se empreguem métodos pedagógicos mais razoáveis. Se é para atacar o mal verdadeiramente pela raiz, então será preciso perguntar com toda a seriedade: como aconteceu e como acontece ainda que se empreguem na educação métodos tolos e estultos? Com certeza, pela razão única e exclusiva de existirem educadores tolos, que não são seres humanos, mas autômatos de métodos sob a forma de gente. Se alguém quer educar, que primeiro seja educado. O que ainda hoje se pratica em relação ao método de decorar e ao emprego mecânico de outros métodos não é educação de forma alguma, nem para a criança nem para o próprio educador. Fala-se continuamente que a criança deve ser educada para adquirir uma personalidade. Admiro naturalmente esse elevado ideal da educação. Mas quem educa para a formação da personalidade? Em primeiro lugar, são geralmente pais incompetentes, os quais permanecem a vida inteira meio crianças ou totalmente crianças. Enfim, quem poderia esperar dos pais comuns que fossem de fato "personalidades", e quem já pensou alguma vez em inventar métodos mediante os quais se pudesse ensinar "personalidade" aos pais? Por isso, naturalmente, se espera mais do pedagogo, que é especialista formado e a quem se ensinou, bem ou mal, a psicologia. Mas esta psicologia consta de pontos de vista desta ou daquela orientação – em geral completamente opostos – a respeito de como se supõe que a criança seja dotada e de como ela deva ser tratada. Quanto às pessoas jovens que escolheram a pedagogia como profissão, deve-se pressupor que elas próprias tenham sido educadas. Mas que todas elas também já sejam personalidades, ninguém ousaria afirmar. De modo geral tiveram a mesma educação defeituosa que as crianças às quais devem educar, e geralmente não são personalidades, como também as crianças não o são. Todo o nosso problema educacional tem orientação falha: vê apenas a criança que deve ser educada, e deixa de considerar a carência de educação no educador adulto. Todo aquele que terminou os estudos acha que sua educação está completa ou, em outras palavras, que já é adulto. É preciso mesmo que se considere desse modo e tenha firme convicção quanto à sua competência, para poder enfrentar a luta pela existência. Dúvidas e sentimentos de insegurança haveriam de tolher ou perturbar-lhe a ação, minar a crença tão necessária na própria autoridade e torná-lo inapto para a vida profissional. É preciso que os outros digam que ele sabe as coisas e de que está seguro em seu ofício; e não, de que duvida de si e de sua competência. O profissional está como que inevitavelmente condenado a ser competente.

285 Todos sabem que esse estado de coisas não é ideal. Mas, nas circunstâncias existentes, é o melhor possível, mesmo que se deva afirmar isso com certa reserva. Nem mesmo se imagina como seria possível mudar as coisas. Da média dos professores não se pode esperar mais do que da média dos pais. Desde que sejam bons profissionais na especialidade, deve-se satisfazer com eles, como também com os pais que educam seus filhos da melhor maneira possível.

286 Seria melhor não aplicar às crianças o elevado ideal de educar para a personalidade. A razão disso é que geralmente se vê na "personalidade" *a totalidade psíquica, dotada de decisão, resistência e força,* mas isso é *um ideal de pessoa adulta,* que se pretende atribuir à infância. Tal pretensão apenas pode ocorrer em uma época em que o indivíduo ainda está inconsciente da sua condição de adulto ou – o que é pior – procura conscientemente esquivar-se dele. Eu tenho minhas dúvidas quanto à real sinceridade desse entusiasmo pedagógico e psicológico, tal como se manifesta na época atual: fala-se da criança,

mas dever-se-ia falar da criança que existe no adulto. No adulto está oculta uma criança, *uma criança eterna*[3], *algo ainda em formação e que jamais estará terminado, algo que precisará de cuidado permanente, de atenção e de educação.* Esta é a parte da personalidade humana que deveria desenvolver-se até alcançar a totalidade. Mas o homem de nosso tempo se acha imensamente distante dessa totalidade. Por pressentir de modo obscuro essa falha, é que ele se apodera da educação da criança e se entusiasma pela psicologia infantil. A razão disso é que ele admite de bom grado que alguma coisa devia estar errada no que concerne à sua própria educação e ao seu desenvolvimento infantil, e que ele deseja ver tal erro eliminado na geração seguinte. Ainda que essa intenção seja louvável, ela fracassa diante do fato de que não posso corrigir na criança os erros que ainda continuo a cometer. As crianças decerto não são tolas como supomos. Percebem muito bem o que é verdadeiro e o que não é. O conto de Andersen a respeito das roupas novas do rei encerra uma verdade eterna. Quantos pais me falaram de sua louvável intenção de poupar a seus filhos as experiências pelas quais tiveram de passar na infância. E à minha pergunta: "Os Senhores estão seguros de terem superado esses erros?", mostravam-se inteiramente convencidos de que os danos sofridos por eles já estavam reparados há muito tempo. Mas na realidade não estavam. Se na infância haviam sido educados com severidade excessiva, estragavam agora os filhos com uma tal tolerância que chegava à falta de gosto; se na infância certos aspectos da vida lhes haviam sido ocultados escrupulosamente, isso agora era manifestado aos filhos de maneira escrupulosamente esclarecedora. Haviam caído no extremo oposto, o que é o mais forte argumento de que o antigo pecado continua de maneira trágica! Isto não haviam percebido de modo algum.

287 Tudo aquilo que quisermos mudar nas crianças, devemos primeiro examinar se não é algo que é melhor mudar em nós mesmos, como por exemplo nosso entusiasmo pedagógico. Talvez devêssemos dirigir esse entusiasmo pedagógico para nós mesmos. Talvez estejamos entendendo mal a necessidade pedagógica, porque ela nos recorda,

---

3. Cf. JUNG, C.G. & KERÉNYI, K. "Das göttliche Kind" (A criança divina). In: JUNG. C.G. & KERÉNYI. *Einführung in das Wesen der Mythologie* (Introdução à essência da mitologia). Zurique: Rhein-Verlag, 1951.

de modo incômodo, que de qualquer maneira somos crianças e precisamos muitíssimo da educação.

288 Em todo o caso, essa dúvida me parece bastante adequada, se nossa pretensão for educar as crianças para que sejam "personalidades". A personalidade já existe em germe na criança, mas só se desenvolverá aos poucos por meio da vida e no decurso da vida. Sem *determinação, inteireza* e *maturidade* não há personalidade. Essas três qualidades características não podem ser algo próprio da criança, pois por meio delas a criança perderia sua infantilidade. A criança se tornaria uma imitação de adulto, desnatural e precoce. Mas a educação moderna já produziu tais monstros. Isto ocorre naqueles casos em que os pais colocam verdadeiro fanatismo no esforço de dar aos filhos "o melhor" de si próprios e de "viver exclusivamente para eles". Esse ideal, apregoado tão frequentemente, é empecilho enorme para o desenvolvimento dos pais, e faz com que os pais imponham aos filhos o que eles próprios consideram "o melhor" para si. Mas isso que chamam de melhor consiste na realidade de algo que os pais negligenciaram em grau extremo em si mesmos. Os filhos são estimulados para aquelas realizações que os pais jamais conseguiram; a eles são impostas as ambições que os pais nunca realizaram. Tais métodos e ideais produzem monstruosidades na educação.

289 Ninguém pode educar para a personalidade se não tiver personalidade. E não é a criança, mas sim o adulto quem pode atingir a personalidade como o fruto amadurecido pelo esforço da vida orientada para esse fim. Atingir a personalidade não é tarefa insignificante, mas o melhor desenvolvimento possível da totalidade de um indivíduo determinado. Não é possível calcular o número de condições que devem ser satisfeitas para se conseguir isso. Requer-se para tanto a vida inteira de uma pessoa, em todos os seus aspectos biológicos, sociais e psíquicos. Personalidade é a realização máxima da índole inata e específica de um ser vivo em particular. Personalidade é a obra a que se chega pela máxima coragem de viver, pela afirmação absoluta do ser individual, e pela adaptação, a mais perfeita possível, a tudo que existe de universal, e tudo isto aliado à máxima liberdade de decisão própria. Educar alguém *para que seja assim* não me parece coisa simples. Trata-se sem dúvida da maior tarefa que nosso tempo propôs a si mesmo no campo do espírito. É na verdade uma tarefa perigosa, pe-

rigosa pela extensão que tem, a qual nem mesmo Schiller imaginou de longe, apesar de ter sido o primeiro a apontar para esse conjunto de problemas. É algo tão perigoso como o empreendimento ousado e sem consideração da natureza em fazer com que as mulheres deem à luz os filhos. Não seria por acaso uma ousadia criminosa, do tipo prometeico ou luciferino, se um super-homem arriscasse a produzir na retorta um homúnculo que se tornasse um "golem"*? Mas o que estaria fazendo é apenas o que a natureza faz todos os dias. Nada há de horrível e anormal entre os seres humanos, que não tenha sido abrigado no seio de uma mãe cheia de amor. Como o sol irradia a luz sobre os bons e sobre os maus, e como as mães, quando estão grávidas ou amamentam, dedicam o mesmo amor aos filhos de Deus e aos filhos do demônio, sem medirem as consequências possíveis, assim também nós somos parcelas dessa natureza singular que à maneira de uma mãe oculta em si coisas imprevisíveis.

290 A personalidade se desenvolve no decorrer da vida, a partir de germes, cuja interpretação é difícil ou até impossível; somente pela nossa ação é que se torna manifesto quem somos de verdade. Somos como o Sol que alimenta a Terra e produz tudo o que há de belo, de estranho e de mau; somos também como as mães que carregam no seio a felicidade desconhecida e o sofrimento. De início não sabemos o que está contido em nós, que feitos sublimes ou que crimes, que espécie de bem ou mal. Somente o outono revela o que a primavera produziu, e somente a tarde manifesta o que a manhã iniciou.

291 A personalidade, no sentido da realização total de nosso ser, é um ideal inatingível. O fato de não ser atingível não é uma razão a se opor a um ideal, pois os ideais são apenas os indicadores do caminho e não as metas visadas.

292 Assim como a criança precisa desenvolver-se para poder ser educada, da mesma forma a personalidade deve primeiramente desabrochar, antes de ser submetida à educação. E aqui já começa o perigo. Precisamos lidar com algo de imprevisível, pois não sabemos como e

* "Golem" é o termo usado entre os judeus para indicar uma espécie de monstro, isto é, uma figura de barro semelhante ao homem, que temporariamente adquire vida para causar desgraças [N.T.].

em que sentido se desenvolverá a personalidade em formação. Mesmo a doutrina cristã nos educa para acreditarmos no mal original da natureza humana. Mas até os que já se afastaram da doutrina cristã são por natureza desconfiados e temerosos a respeito das possibilidades ocultas nos abismos de si próprios. Psicólogos esclarecidos e materialistas como Freud nos dão uma ideia muito desagradável acerca do que jaz adormecido nos últimos redutos e abismos da natureza humana. Por isso é quase uma ousadia o fato de falarmos a favor do desenvolvimento da personalidade. O espírito humano é repleto de contradições curiosíssimas. Louvamos a "santa maternidade", sem pensarmos em torná-la responsável também por todos aqueles monstros humanos, como grandes criminosos, loucos perigosos, epilépticos, idiotas, aleijados de toda a espécie, uma vez que todos foram dados à luz. Sentimo-nos pressionados por graves dúvidas se tivermos de concordar com o desenvolvimento livre da personalidade humana. "Então tudo seria possível", é o que se diz. Ou, por outra, estaremos dando oportunidade para que nos façam a objeção pouco inteligente do "individualismo". O individualismo nunca foi um desenvolvimento natural, mas sim uma usurpação contrária à natureza, uma atitude inadequada e impertinente, que muitas vezes se revela oca e sem consistência, por desabar à primeira dificuldade encontrada. Aqui se trata de outra coisa.

293 Ninguém desenvolve sua personalidade porque alguém lhe disse que seria bom e aconselhável fazê-lo. A natureza jamais se deixa impressionar por conselhos dados com boa intenção. Somente algo que obrigue atuando como causa é que move a natureza, e também a natureza humana. Sem haver necessidade, nada muda e menos ainda a personalidade humana. Ela é imensamente conservadora, para não dizer *inerte.* Só a necessidade mais premente consegue ativá-la. Do mesmo modo o desenvolvimento da personalidade não obedece a nenhum desejo, a nenhuma ordem, a nenhuma consideração, mas somente à *necessidade;* ela precisa ser motivada pela coação de acontecimentos internos ou externos. Qualquer outro desenvolvimento seria justamente o individualismo. Por isso a acusação de individualismo equivale a um insulto banal, quando é dirigida ao desenvolvimento natural da personalidade.

294 A expressão: "Muitos são os chamados, e poucos os escolhidos", é válida neste caso como em nenhum outro, pois o desenvolvimento da personalidade, desde seu começo até à consciência completa, é um carisma e ao mesmo tempo uma maldição: como primeira consequência, o indivíduo, de maneira consciente e inevitável, se separa da grande massa, que é indeterminada e inconsciente. Isto significa *isolamento,* e para indicá-lo não existe nenhuma palavra mais consoladora. Nada evita isto, nem a adaptação bem-sucedida, nem mesmo a incorporação sem o menor atrito ao meio ambiente, nem a família, nem a sociedade, nem a posição social. O desenvolvimento da personalidade é uma tal felicidade que se deve pagar por ela um preço elevado. Fala-se muito no desenvolvimento da personalidade, mas pensa-se pouco nas consequências, as quais podem atemorizar profundamente os espíritos dotados de menos vigor.

295 O desenvolvimento da personalidade encerra mais do que o simples temor de algo monstruoso e anormal ou do isolamento, indica também: *fidelidade à sua própria lei.*

296 Em lugar de fidelidade gostaria de empregar aqui a palavra grega *pístis.* Ela costuma ser traduzida erroneamente por "fé", mas o sentido específico é confiança, lealdade repleta de confiança. A fidelidade à sua própria lei significa confiar nessa lei, perseverar com lealdade e esperar com confiança; enfim, é a mesma atitude que uma pessoa religiosa deve ter para com Deus. E aqui se torna então evidente como é desmesuradamente cheio de consequência o dilema que emerge do fundo obscuro deste problema: a personalidade jamais poderá desenvolver-se se a pessoa não escolher *seu próprio caminho,* de maneira consciente e por uma decisão consciente e moral. A força para o desenvolvimento da personalidade não provém apenas da necessidade, que é o motivo causador, mas também da decisão consciente e moral. Se faltar a necessidade, esse desenvolvimento não passará de uma acrobacia da vontade; se faltar a decisão consciente, o desenvolvimento seria apenas um automatismo indistinto e inconsciente. Somente será possível que alguém se decida por seu próprio caminho, se *esse caminho for considerado o melhor.* Se qualquer outro caminho fosse considerado melhor, então em lu-

gar da própria personalidade haveria outro caminho para ser vivido e desenvolvido. Os outros caminhos são as convenções de natureza moral, social, política, filosófica e religiosa. O fato de as convenções de algum modo sempre florescerem prova que a maioria esmagadora das pessoas não escolhe seu próprio caminho, mas a convenção; por isso não se desenvolve a si mesma, mas segue um método, que é algo de coletivo, em prejuízo de sua totalidade própria.

297 A vida psíquica e social dos homens que se encontram em uma etapa primitiva é exclusivamente a vida do grupo, ao mesmo tempo que o indivíduo permanece num alto grau de inconsciência; de modo análogo, o desenvolvimento histórico posterior é geralmente assunto da coletividade e assim continuará sendo por certo. Por isso acho que a convenção é uma necessidade coletiva. É um expediente e não um ideal, tanto do ponto de vista moral como religioso, pois a submissão a ela sempre significa renúncia da totalidade e fuga diante de suas próprias e últimas consequências.

298 O empreendimento de desenvolver a personalidade é, de fato, na opinião dos que estão de fora, um risco nada popular e nada simpático, como permanecer à margem da estrada larga, é viver recolhido em si mesmo, à moda do eremita. Não deve pois causar nenhum espanto que desde sempre apenas uns poucos se lançaram a esta aventura. Se todos tivessem sido tolos, poderíamos afastá-los do campo de nosso interesse, rotulando-os de *idiótai*, isto é, pessoas muito singulares do ponto de vista espiritual. Para a nossa infelicidade, porém, as personalidades são geralmente os heróis lendários da humanidade, os admirados, os queridos, os adorados, os verdadeiros filhos de Deus, cujos nomes "não desaparecem nos períodos infindáveis do tempo". São as flores e os frutos legítimos, são as sementes da árvore da humanidade, que se propagam continuamente. A referência às personalidades históricas explica suficientemente por que o desenvolvimento da personalidade constitui um ideal e por que a acusação de individualismo é um insulto. A grandeza das personalidades históricas jamais consistiu em submeterem-se incondicionalmente às convenções, mas, ao contrário, em se libertarem e se *livrarem das* convenções. As personalidades se destacaram da massa como picos

de montanhas e escolheram seu próprio caminho, enquanto a massa se apegava a tudo o que é coletivo: temores, convicções, leis e métodos. Ao homem comum sempre se afigurou coisa estranha que alguém preferisse seguir uma trilha estreita e íngreme, que leva ao desconhecido, em lugar de seguir pelos caminhos planejados que conduzem a metas conhecidas. Por isso sempre se julgou que tal pessoa, desde que não estivesse louca, fosse possuída por um demônio (*daimon*) ou por um deus. A razão disso é que o fato de alguém poder proceder de um modo diverso dos demais e como sempre se procedeu, somente podia ser explicado por uma força demoníaca ou por um dom divino. O que senão um deus poderia, enfim, contrabalançar o peso da humanidade inteira e dos costumes eternos? Os heróis sempre gozaram de atributos demoníacos. De acordo com as concepções nórdicas, eles tinham olhos de serpente; seu nascimento ou sua descendência eram miraculosos. Certos heróis gregos da Antiguidade tinham alma de serpente, outros tinham um demônio individual; eram feiticeiros ou escolhidos do deus. Todos esses atributos, que poderiam ser ainda multiplicados, mostram que para o homem comum a personalidade eminente é como que uma *aparição sobrenatural,* apenas explicável pela ação de um fator demoníaco.

299 Enfim, o que impulsiona a alguém a escolher seu próprio caminho, e a elevar-se como uma camada de nevoeiro acima da identidade com a massa humana? Não pode ser a necessidade, pois esta atinge a muitos e todos estes se salvam pelas convenções. A decisão moral também não pode ser, pois geralmente todos se decidem pela convenção. O que, pois, dá o último impulso a favor de *algo fora do comum?*

300 É o que se denomina *designação; é* um fator irracional, traçado pelo destino, que impele a emancipar-se da massa gregária e de seus caminhos desgastados pelo uso. Personalidade verdadeira sempre supõe designação e nela acredita, nela deposita *pístis* (confiança) como em Deus, mesmo que na opinião do homem comum seja apenas um sentimento pessoal de designação. Esta designação age como se fosse uma lei de Deus, da qual não é possível esquivar-se. O fato de muitíssimos perecerem, ao seguir seu caminho próprio, não significa nada para aquele que tem designação. Ele

deve obedecer à sua própria lei, como se um demônio lhe insuflasse caminhos novos e estranhos. Quem tem *designação (Bestimmung) escuta a voz (Stimme) do seu íntimo, está designado (bestimmt)*. Por isso a lenda atribui a essa pessoa um demônio pessoal, que a aconselha e cujos encargos deve executar. Exemplo muito conhecido é o Fausto (de Goethe), e um caso histórico é o *daimonion* de Sócrates. Curandeiros de povos primitivos têm espíritos de serpente, como também Esculápio, o patrono protetor dos médicos, é representado pela serpente de Epidauro. Além disso, tinha como demônio pessoal o cabiro chamado Telésforo, que segundo parece lhe lia ou inspirava as receitas.

301 O sentido primitivo da palavra alemã *Bestimmung* é o de que *uma voz (Stimme) se dirige à pessoa**. Exemplos lindíssimos a respeito disso se encontram no Antigo Testamento. Isto não é apenas um modo de falar dos antigos; também o mostram as confissões de personalidades históricas, como Goethe e Napoleão, para citar apenas dois nomes bastante conhecidos de pessoas que não fizeram segredo de sua designação.

---

* Neste parágrafo em que Jung interpreta e justifica o emprego da palavra alemã *Bestimmung*, relacionando-a com a *voz interior* (*Stimme des Inneren*), torna-se imprescindível um *esclarecimento linguístico* para o leitor que desconhece o idioma alemão. Trata-se de uma palavra fundamental para a compreensão de toda a parte final deste capítulo. Em alemão, dispõe Jung de três palavras da mesma raiz: *Stimme* (voz), *Bestimmung* (designação feita pela voz) e *bestimmt* (designado pela voz). Em português não existem palavras de raiz comum para exprimir o mesmo. A própria palavra alemã é empregada em sentido um tanto restritivo e específico, pois tem sentido mais amplo de acordo com os dicionários: fixação, determinação, designação, destinação, destino, decisão, resolução, estabelecimento, limitação, definição etc. Pareceu ao tradutor que a palavra apropriada, menos carregada de qualquer ideologia, seria *designação;* apenas a indicação é feita por um sinal (segundo a etimologia) e não propriamente pela voz. Existem em português ainda as palavras de fundo cristão, às quais alude Jung no parágrafo 296, *chamamento* e *vocação;* trazem implicitamente a ideia de que o chamamento é feito por Deus; se Jung quisesse exprimir isso abertamente, teria usado talvez outra palavra alemã, como *Beruf* ou *Berufung*. Como Jung preferiu uma palavra mais vaga que não definisse a natureza da voz interior, o tradutor também preferiu usar a palavra mais neutra e menos carregada de qualquer outro significado. Conclusão: Entenda, pois, o leitor a palavra *designação* quase como uma *vocação* feita *pela voz que provém do interior da pessoa* [N.T.].

302 A designação ou o respectivo sentimento não constitui apenas uma prerrogativa das grandes personalidades; também aparece nas pequenas personalidades e mesmo na menor delas, só que acompanhada do decréscimo da intensidade, tornando-se cada vez mais nebulosa e mais inconsciente. Parece que a voz do demônio interior se torna cada vez mais distante, mais rara e mais confusa. Quanto menor for a personalidade, tanto mais imprecisa e inconsciente se torna a voz, até confundir-se com a sociedade, sem poder distinguir-se dela, privando-se da própria totalidade para diluir-se na totalidade do grupo. A voz interior é substituída pela voz do grupo social e de suas convenções; em lugar da designação aparecem as necessidades da coletividade. A não poucos sucede que, mesmo estando nesse estado social inconsciente, são chamados por uma voz individual e assim começam a distinguir-se dos outros e a deparar com problemas a respeito dos quais os outros nada sabem. Em geral é impossível para esse indivíduo explicar às outras pessoas o que lhe aconteceu, pois existe como que um muro de fortíssimos preconceitos a impedir a compreensão. "A gente é como todo o mundo"; "tal coisa nem existe" ou, se existir, será naturalmente algo "doentio" e, além disso, sem finalidade alguma; é "uma pretensão descabida pensar que uma coisa dessas tenha importância", "isso não é nada mais do que psicologia". Justamente a última acusação é hoje em dia a mais popular. Provém da curiosa subestima de tudo o que faz parte da alma, e que é tido aparentemente como algo de arbitrário e pessoal; por esse motivo é considerado uma futilidade, apesar de contrastar paradoxalmente com todo o entusiasmo reinante pela psicologia. O inconsciente "não passa de fantasia"! Apenas "pensou-se" tal coisa etc. A gente quase se sente um mágico que por suas artes manipula o que é psíquico e lhe dá a forma caprichosa que deseja. Nega-se o que é incômodo, sublima-se o que é indesejável, afasta-se com explicações o que é angustiante, corrige-se o que se julga um erro; e tem-se por fim a impressão de ter colocado tudo na mais perfeita ordem. Mas nisso tudo foi esquecido o mais importante: que o psíquico não se identifica nem de longe com a consciência e com suas artes mágicas. A maior parte do psíquico consta de fatos inconscientes que, sendo duros e pesados como o granito, são imóveis e inacessíveis, mas podem desabar sobre nós a qualquer momento, conforme leis ainda desconhecidas. As ca-

tástrofes gigantescas que nos ameaçam não ocorrem nos elementos de natureza física ou biológica, mas são acontecimentos psíquicos. Ameaçam-nos de modo aterrador guerras e revoluções, que nada mais são do que epidemias psíquicas. A qualquer momento alguns milhões de homens podem ser acometidos de uma ilusão, e poderemos ter outra guerra mundial ou uma revolução devastadora. Em lugar de estar exposto a animais ferozes, à queda de rochedos, à inundação das águas, o homem se encontra agora ameaçado pelos poderes elementares de sua psique. O psíquico se tornou uma grande potência que supera muitas vezes todos os outros poderes da Terra. O esclarecimento (*Aufklärung*), que tirou da natureza e das instituições humanas tudo o que aí havia de divino, conservou *aquele deus do terror* que reside na alma. O temor de Deus em nenhum outro lugar é mais indicado do que aqui, a fim de proteger-nos contra o predomínio exagerado do psíquico.

303 Mas tudo isso não passa de abstrações. Todos sabem que o intelecto de um sujeito extraordinário poderia dizer tudo isso do mesmo modo e de muitos outros ainda. É muito diferente, porém, quando este psíquico, que é objetivo e duro como granito, e pesado como chumbo, se apresenta ao indivíduo como uma experiência interior e lhe diz com voz audível: "assim será e assim deve ser". Então ele se sente designado, do mesmo modo que os grupos sociais por ocasião de uma guerra, revolução ou outra ilusão qualquer. Não é em vão que nosso tempo clama por uma personalidade salvadora, isto é, clama por alguém que se distinga do poder inelutável da coletividade e assim se liberte a si mesmo psiquicamente, acendendo para os outros o farol da esperança, que atestará que pelo menos *um único* conseguiu escapar à identidade funesta com a alma do grupo. O grupo, por causa de sua inconsciência, é incapaz de tomar uma decisão livre; é por isso que no grupo o psíquico atua como uma lei natural desenfreada. Desencadeia-se uma série de acontecimentos, ligados entre si por causa e efeito, que apenas cessará quando ocorrer a catástrofe. O povo sempre suspira por um herói, por um exterminador de dragão, quando pressente o perigo do psíquico; daí provém o clamor pela personalidade.

304 Mas o que tem a ver a personalidade individual com a necessidade de multidão dos outros? Em primeiro lugar, ela já faz parte do povo

como um todo, e também se encontra à mercê do poder que move o todo, da mesma forma que todos os demais membros. A única coisa que distingue esse homem de todos os outros é sua designação. Ele foi chamado por aquilo que é o psíquico superpoderoso, aflitivo e geral, que é a necessidade sua e a do povo. Se ele obedecer à voz, sentir-se-á imediatamente diferente e isolado, porque decidiu seguir aquela lei que veio ao seu encontro e brotou de seu próprio íntimo. "Sua própria lei", todos dirão. Só ele sabe, e só ele pode saber: Trata-se *da* lei e *da* designação. Tudo isso é tão pouco "próprio" dele como o leão que o matar, mesmo que fora de dúvida se trate daquele leão que o mata e não de outro qualquer. Apenas nesse sentido é que ele pode falar de "sua" designação e de "sua" lei.

305 Pela decisão de colocar seu próprio caminho acima de todos os outros, já realizou grande parte de sua designação salvadora. Ele excluiu de sua via a validade de todos os outros caminhos. Ele colocou a *sua* lei acima de todas as convenções, afastando de si o que não apenas deixou de impedir o grande perigo, mas até mesmo o provocou. As convenções são em si mesmas mecanismos sem alma, que nada mais podem abranger do que a rotina da vida. A vida criadora fica sempre acima da convenção. Por isso *deve* haver uma erupção destruidora das forças criativas, quando predominar unicamente a rotina da vida na forma de convenções tradicionais. Essa erupção é catastrófica apenas como um *fenômeno da massa,* e jamais para o indivíduo que se submete conscientemente a essas forças superiores e coloca sua capacidade a serviço delas. O mecanismo das convenções conserva os homens *inconscientes,* pois então podem, à semelhança de animais selvagens, fazer mudanças há muito conhecidas sem ser preciso tomar uma decisão consciente. Essa atuação não intencionada por parte das melhores convenções é inevitável, mas nem por isso deixa de ser um perigo terrível. Tal como acontece com os animais, entre os homens que são mantidos inconscientes pela rotina também pode surgir o pânico, com todas as consequências imprevisíveis, se as novas circunstâncias não parecerem previstas pelas antigas convenções.

306 A personalidade não deixa dominar-se pelo pânico dos que acordam, pois já superou o terror. Ela está sempre preparada para as mudanças da época; ela é *líder* (*Führer*), mesmo sem o saber e sem o querer.

307 Certamente todos os homens são iguais uns aos outros, pois de outro modo não sucumbiriam à mesma ilusão. Também é certo que a camada psíquica mais profunda, sobre a qual se firma a consciência individual, é de natureza universal e da mesma espécie, pois de outro modo os homens não poderiam entender-se mutuamente. Sob esse aspecto, também a personalidade e suas propriedades psíquicas peculiares não representam algo de absolutamente único e singular. A singularidade se refere apenas à *individualidade* que a personalidade tem, como em geral a qualquer individualidade. Tornar-se personalidade não é prerrogativa exclusiva do homem genial. Pode mesmo alguém ser genial sem ter personalidade ou sem ser personalidade. Uma vez que cada indivíduo tem sua lei de vida que lhe é inata, cada um, em teoria, pode seguir esta lei acima das outras e assim tornar-se personalidade, o que significa atingir a totalidade. O ser vivente existe apenas sob a forma de uma unidade viva ou indivíduo, por isso a lei da vida se destina sempre a uma *vida vivida individualmente*. Somente podemos conceber o psiquismo objetivo como uma realidade universal e da mesma natureza, a qual significa a condição psíquica prévia e igual para todos os homens. Mas toda a vez que essa realidade quer manifestar-se, precisa individualizar-se, pois normalmente não existe outra escolha possível a não ser a de expressar-se por meio de um indivíduo singular. Ocorre também o caso de essa realidade apoderar-se de um grupo; mas isso, conforme o caso, apenas leva à catástrofe, pela simples razão de estar atuando apenas inconscientemente e não ter sido assimilada por nenhuma consciência capaz de harmonizá-la com as demais condições de vida já existentes.

308 Somente pode tornar-se personalidade quem é capaz de dizer um "sim" *consciente* ao poder da destinação interior que se lhe apresenta; quem sucumbe diante dela fica entregue ao desenrolar cego dos acontecimentos e é aniquilado. O que cada personalidade tem de grande e de salvador reside no fato de ela, por livre decisão, sacrificar-se à sua designação e traduzir conscientemente em sua realidade individual aquilo que, se fosse vivido inconscientemente pelo grupo, unicamente poderia conduzir à ruína.

309 Um dos exemplos mais brilhantes da vida e do sentido de uma personalidade, como a história no-lo conservou, constitui a vida de

Cristo. Entre os romanos existia a presunção dos césares, e isto não era apenas uma propriedade do imperador, mas atingia a todo o cidadão – *civis Romanus sum* (sou cidadão romano). O cristianismo se apresentou como adversário dessa presunção, e por isso foi a única religião perseguida de fato pelos romanos, o que menciono apenas de passagem. Essa oposição se manifestava toda vez que o culto dos césares e o cristianismo colidiam entre si. Mas essa mesma oposição já tinha desempenhado um papel decisivo na alma do fundador do cristianismo, de acordo com o que conhecemos por meio das alusões dos evangelhos sobre o processo psíquico da formação da personalidade de Cristo. A história da tentação mostra-nos claramente com que poder psíquico Jesus colidiu: o demônio do poder, existente na psicologia de seus contemporâneos, que no deserto o levou a uma grave tentação. Esse demônio era o psiquismo objetivo, que prendia em sua esfera de ação todos os povos do Império Romano; por isso podia o tentador prometer a Jesus todos os reinos da Terra, como se quisesse fazer dele um César. Seguindo a voz interior, sua designação e vocação, Jesus se expôs de livre vontade ao ataque da presunção imperialista, que a todos inflava – vencedor e vencido. Com isso reconheceu a natureza da realidade psíquica objetiva que colocava o mundo inteiro em estado de sofrimento e ocasionava o desejo de salvação, expresso também pelos poetas pagãos. Esse ataque psíquico com o qual conscientemente se defrontou, ele nem o sufocou nem se deixou sufocar por ele, mas o assimilou. E deste modo surgiu do César dominador do mundo um reino espiritual, e do Império Romano o Reino de Deus, que é universal e não pertence a este mundo. Enquanto todo o povo judeu esperava um Messias, que ao mesmo tempo fosse um herói imperialista e atuante na política, cumpriu Cristo sua designação messiânica, não tanto para sua nação, mas muito mais para o mundo romano, ao chamar a atenção da humanidade para essa verdade antiga, que onde domina o poder não existe o amor, e que onde reina o amor o poder desaparece. A religião do amor era exatamente o traço psíquico oposto ao que havia de demoníaco no poderio romano.

310 O exemplo do cristianismo certamente ilustra muito melhor minhas exposições abstratas anteriores. Essa vida aparentemente singular se tornou por isso um símbolo santificado, porque é o pro-

tótipo psicológico da única vida plenamente dotada de sentido. É a vida que procura realizar sua própria lei de modo individual, e por isso de modo absoluto e incondicionado. Neste sentido podemos exclamar com Tertuliano: "*Anima naturaliter christiana*" (a alma é cristã por natureza)!

311 A deificação de Jesus, como também a de Buda, não causa admiração, pois atesta de modo perfeito a estima imensa que a humanidade tem para com esses heróis, e também o valor que confere ao ideal da formação da personalidade. Se atualmente temos a impressão de que o predomínio cego e destruidor de poderes coletivos sem sentido parece eclipsar o ideal da personalidade, contudo isso não passa de uma revolta passageira contra o predomínio da história. Quando a tradição estiver já bastante desgastada pela nova geração, que tem tendência revolucionária, a-histórica e é pela anticultura, então surgirá novamente a procura de heróis, e esses heróis serão encontrados. Mesmo o bolchevismo, no qual não poderia existir maior radicalismo, embalsamou a Lenin e fez de Karl Marx um salvador. O ideal da personalidade é uma necessidade indestrutível da alma humana; e esse ideal será defendido com tanto maior fanatismo quanto menos adequadamente tiver sido formulado. Na verdade, mesmo o culto dos césares era um culto da personalidade mal compreendido; e o protestantismo moderno, cuja teologia crítica tem feito desaparecer mais e mais a *divindade* de Cristo, tomou a *personalidade* de Jesus como seu último refúgio

312 Deveras é algo de grande e misterioso o que designamos por "personalidade". Tudo o que se possa dizer sobre ela será sempre singularmente insatisfatório e inadequado; há sempre o perigo de a discussão se perder em palavreado tão abundante quanto vazio. Mesmo o conceito de personalidade, no uso comum da linguagem, é algo tão vago e tão mal definido, que será difícil encontrar duas pessoas que pensem o mesmo a respeito disso. Se eu proponho aqui uma concepção determinada, não estou acalentando a ilusão de ter dito a última palavra sobre o assunto. Gostaria de considerar tudo o que disse apenas como uma tentativa de me aproximar um pouco mais do problema da personalidade, sem a pretensão de tê-lo resolvido. De fato, gostaria de considerar minha tentativa mais como uma apresentação descritiva do problema psicológico da personalidade. Todos os pe-

quenos meios e recursos da psicologia comum se mostram um tanto falhos acerca deste ponto, como também no que se refere ao problema da pessoa genial ou criativa. A tentativa de derivar tudo da hereditariedade e do meio ambiente não satisfaz completamente: a romantização da infância, tão ao sabor da nossa época, se desenrola em seus aspectos menos apropriados, para usar uma expressão suave; a explicação a partir da necessidade – falta de dinheiro, doença, etc. – permanece presa aos aspectos externos. A isso sempre se acrescenta ainda algo de irracional, que não pode ser racionalizado, como um *deus ex machina* (um deus que surge pelo efeito de uma máquina) ou um *asylum ignorantiae* (um asilo para a ignorância), que é o modo conhecido de apelar para a ação de Deus. Neste assunto parece que o problema invade um domínio supra-humano, o qual sempre foi designado por um nome divino. Como era evidente, também tive de mencionar essa voz interior, essa designação e considerá-la como um psiquismo objetivo e poderoso, a fim de caracterizá-la de acordo com a maneira pela qual atua na formação da personalidade, apresentando-se também em certos casos, de modo subjetivo. No "Fausto" (de Goethe), Mefistófeles não é personificado apenas porque isso é melhor do ponto de vista dramático ou da técnica do palco, em vez de o próprio Fausto dirigir a si mesmo sermões moralizantes e fazer aparecer na imaginação seu próprio demônio. Já no início da dedicação encontram-se estas palavras: "Vós vos aproximais de novo, vultos vacilantes" – isto significa muito mais do que um mero efeito estético. Como personificação concreta do demônio, representa um reconhecimento da objetividade da experiência psíquica, e é como que uma leve confissão de que *apesar de tudo isso* aconteceu, não surgindo de desejos subjetivos, de temores ou pareceres, mas de qualquer modo apareceu por si mesmo. Certamente só um tolo poderia pensar em fantasmas, mas uma espécie de tolo primitivo existe por toda a parte, oculto sob a aparência de uma consciência lúcida e ajuizada.

313 Persiste assim sempre a dúvida no tocante a saber se esse psiquismo aparentemente objetivo é real ou não; poderia afinal ser apenas uma ilusão. Mas surge então a pergunta: "Será que fantasiei propositalmente para mim mesmo tal coisa, ou isso se formou em mim por influência estranha?" O problema se assemelha ao do neurótico que sofre de um tumor imaginário. Ele mesmo sabe disso e outros já lhe

disseram centenas de vezes que se trata de imaginação; mas mesmo assim me pergunta com timidez: "Mas como é que imagino tal coisa para mim? Pois eu não quero isso". A resposta será: "A ideia do tumor *se formou por si em sua imaginação,* sem seu conhecimento prévio e sem sua permissão. A razão explicativa desse processo é que existe uma espécie de "excrescência psíquica desordenada" em seu inconsciente, que ele próprio não consegue tornar consciente. Ele sente medo dessa atividade interior. Como, porém, está convencido de que dentro de sua alma nada pode existir que *ele* não saiba, então precisa relacionar esse medo com um tumor no corpo, ainda que saiba que tal tumor não existe. E se tiver medo desse tumor, centenas de médicos lhe confirmarão que tal receio carece de fundamento. Deste modo, a neurose é uma proteção contra a atividade interior da alma ou também uma tentativa de esquivar-se à voz interior e à designação, pela qual se paga um preço muito alto. Essa "excrescência doentia" constitui aquela atividade objetiva da alma que, independentemente da vontade consciente, gostaria de comunicar-se com a consciência por meio da voz interior a fim de conduzir o homem de volta à sua totalidade. Por trás da distorção neurótica se oculta a designação, o destino e a formação da personalidade, a realização completa da vontade vital inata em todo o indivíduo. O homem desprovido de amor ao destino (*amor fati*) é o neurótico. Ele se descuida de si mesmo e nunca poderá repetir com Nietzsche: "Jamais se eleva o homem mais alto do que quando não sabe para onde seu destino o conduzirá"[4].

314 Na mesma medida em que alguém se torna infiel à sua própria lei e deixa de tornar-se personalidade, perde também o sentido de sua própria vida. Por sorte a natureza bondosa e indulgente não chega a propor à maioria das pessoas essa pergunta fatal a respeito do sentido da própria vida. E se ninguém pergunta também ninguém precisa dar resposta.

315 O medo de um tumor, sentido pelo neurótico, tem sua razão de ser; não é imaginação, mas a expressão consequente de uma atividade psíquica existente fora do domínio consciente, a qual não pode ser atingida nem pela vontade nem pela inteligência. Se ele fosse sozinho para o deserto e na solidão se pusesse a escutar a voz íntima, talvez pu-

4. Na edição completa anglo-americana esta citação é atribuída a Cromwell.

desse perceber o que diz essa voz interior. Mas geralmente o homem deformado pela cultura é de todo incapaz de perceber essa voz, que não é garantida por parte dos ensinamentos recebidos. Os homens primitivos têm muito maior capacidade para isso, ao menos os curandeiros, porque faz parte de seu aparelhamento profissional poder falar com os espíritos, as árvores e os animais; isto significa que é sob essas formas que se manifesta a eles o psiquismo objetivo, o "não eu" psíquico.

316 Porque a neurose é uma perturbação no desenvolvimento da personalidade, nós, os médicos da alma, nos sentimos obrigados, por necessidade profissional, a ocupar-nos com o problema da personalidade e da voz interior, que parece muito distante. É na psicoterapia prática que estes dados psíquicos, em geral tão vagos e deformados pelo palavreado vazio, se apresentam, ao saírem da escuridão de seu desconhecimento, aproximando-se da visibilidade. Contudo, só muito raramente isto acontece de modo espontâneo, como sucedeu aos profetas do Antigo Testamento; em geral é preciso que, por esforço especial, se tornem conscientes aquelas situações psíquicas que causam a perturbação. Os conteúdos que aparecem de modo mais claro correspondem inteiramente à "voz interior" e significam designações do destino; se forem aceitos e assimilados pela consciência, concorrem para o desenvolvimento da personalidade.

317 Assim como uma grande personalidade atua na sociedade libertando, salvando, modificando e curando, da mesma forma o surgimento da própria personalidade tem ação curativa sobre o indivíduo. É como se um rio, que antes se perdesse em braços secundários e pantanosos, repentinamente descobrisse seu verdadeiro leito. Também se poderia comparar com uma pedra colocada sobre uma semente a germinar; tirada a pedra, o broto retoma seu crescimento normal.

318 A voz interior é a voz de uma vida mais plena e de uma *consciência* mais ampla e abrangente. Por isso, dentro da mitologia, o nascimento de um herói ou seu renascimento simbólico costumam coincidir com o nascer do sol; é que o formar-se da personalidade equivale a um *aumento da consciência*. Pelo mesmo motivo, a maioria dos heróis é designada por atributos do sol, e o instante em que surge sua grande personalidade é chamado de *iluminação*.

319 O temor que a maioria das pessoas sente diante da voz interior não é tão infantil como poderia parecer. Esses conteúdos que se de-

frontam com a consciência limitada não costumam de modo algum ser inofensivos, mas geralmente indicam um perigo específico para o indivíduo atingido; a respeito disso temos o exemplo clássico da vida de Cristo ou também o acontecimento de Mara, igualmente significativo na lenda de Buda. O que a voz interior nos traz costuma geralmente ser algo que não é um bem, podendo até ser um mal. Isso deve acontecer principalmente porque a gente não constuma ser tão inconsciente a respeito de suas virtudes como o é a respeito de suas falhas; e depois, porque se sofre mais por causa do mal do que por causa do bem. Como já expus antes, a voz interior traz à consciência aquilo de que sofre a totalidade, seja o povo ao qual pertencemos, seja a humanidade da qual fazemos parte. Mas ela apresenta esse mal sob uma forma individual, de modo que se poderia pensar que ele representasse apenas uma propriedade individual do caráter. A voz interior apresenta o mal de maneira tentadora e convincente a fim de conseguir que a pessoa sucumba a esse mal. Se a pessoa não sucumbe, nem ao menos parcialmente, então nada desse mal aparente nela penetra, mas também não poderá haver nenhuma renovação ou cura. (Eu chamo de "aparente" o mal da voz interior, o que pode parecer otimista demais.) Se o "eu" sucumbir inteiramente à voz interior, então seus conteúdos atuarão como se fossem outros tantos demônios, e segue-se a catástrofe. Se o "eu" sucumbir apenas em parte e puder salvar-se de ser totalmente devorado, fazendo uso da autoafirmação, então poderá assimilar a voz; e deste modo se esclarece que o mal era apenas uma aparência de mal, sendo na realidade o portador da salvação e da iluminação. "Luciferino", no sentido próprio e menos dúbio da palavra, é o caráter da voz interior; por isso ela coloca o homem diante de decisões morais definitivas, sem as quais ele jamais atingiria a consciência e se tornaria uma personalidade. De modo imperscrutável acontece muitas vezes que se acham misturados na voz interior o mais baixo e o mais alto, o melhor e o pior, o mais verdadeiro e o mais fictício, o que produz um abismo de confusão, ilusão e desespero.

320 Naturalmente será ridículo acusarmos de maldade a voz da natureza, que é sempre boa e sempre destruidora. Se ela se nos afigura de preferência como má, isso provém principalmente daquela antiga verdade de que o bom é sempre inimigo do melhor. Seríamos tolos se

não quiséssemos conservar aquilo que por tradição é considerado bom, enquanto isso nos for possível. Como diz Fausto:

> Se neste mundo conseguirmos o que é bom,
> O que é melhor parece engano e ilusão!

O que é bom não permanece sempre bom, pois de outra forma não haveria o melhor. Para vir o que é melhor, o bom deve ceder o lugar. Por isso dizia Mestre Eckhart: “Deus não é bom, pois senão poderia tornar-se melhor”.

321 Há épocas na história universal (e a nossa poderia ser uma delas), em que algo de bom deve ceder o lugar; então outra coisa destinada a tornar-se algo de melhor se nos afigura inicialmente como mau. Isto mostra como é perigoso tocar nesses problemas; pode até mesmo acontecer que algo de mau se intrometa sorrateiramente sob a simples alegação de ser potencialmente o melhor! O conjunto de problemas ligados à voz interior está cheio de armadilhas escondidas e de abrolhos. É um dos terrenos mais perigosos e escorregadios, como a própria vida que é perigosa e cheia de desvios, quando não se faz uso do corrimão. Mas quem não puder perder a sua vida, também não a ganhará. Exemplos típicos a respeito disso são: as serpentes de Hera que ameaçam Hércules quando este era ainda criança de peito; Píton que queria aniquilar Apolo recém-nascido – o deus da luz; a matança dos meninos de Belém. A formação da personalidade é sempre um risco, e é trágico que justamente o demônio da voz interior signifique simultaneamente o perigo máximo e o auxílio indispensável. Trágico, mas lógico. É assim por natureza.

322 Em vista disso, como condenar a humanidade e todos os pastores de rebanho bem-intencionados e os pais apreensivos de grande número de crianças, quando tentam erguer muralhas protetoras, expor quadros atuantes e recomendar caminhos transitáveis que contornam os abismos?

323 Afinal de contas, também o herói, o líder, o salvador, é certamente aquele que descobre um caminho novo para chegar ao que é mais alto e mais seguro. Tudo poderia ser deixado como estava, se o novo caminho não exigisse de modo absoluto ser descoberto, atormentando a humanidade com todas as pragas do Egito, até ser acha-

do. O caminho por descobrir é como algo psiquicamente vivo, que a filosofia clássica chinesa denomina *Tao*, e comparando-o a um curso de água que se movimenta inexoravelmente para a meta final. Estar dentro do *Tao* significa perfeição, totalidade, desígnio cumprido, começo e fim, e a realização completa do sentido inato da existência. Personalidade é *Tao*.

VIII

O casamento como relacionamento psíquico*

324 Como relacionamento psíquico o matrimônio é algo de complicado, sendo constituído por uma série de dados subjetivos e objetivos que em parte são de natureza muito heterogênea. Visto que pretendo, nesta contribuição, limitar-me ao problema psicológico do matrimônio, deverei excluir principalmente os aspectos de natureza jurídica e social, ainda que estes fatos também influam muito no relacionamento psíquico entre os esposos.

325 Sempre que tratamos do relacionamento psíquico, pressupomos a *consciência*. Não existe nenhum relacionamento psíquico entre dois seres humanos, se ambos se encontrarem em estado inconsciente. Se tomarmos algum outro ponto de vista, por exemplo, o ponto de vista fisiológico, poderíamos dizer que estão relacionados, mas tal relacionamento não poderia ser considerado psicológico. A suposta inconsciência total certamente não ocorre nessa medida; contudo, existe a inconsciência parcial em amplitude nada desprezível. Na medida em que existirem tais inconsciências, também se reduz o relacionamento psíquico.

---

* Apareceu pela primeira vez em *Das Ehe-Buch. Eine neue Sinngebung im Zusammenklang der Stimmen führender Zeitgenossen* (O livro do casamento. Seu novo sentido de acordo com a opinião de contemporâneos eminentes). Editado pelo Conde Hermann Keyserling. Celle: Kampmann, 1925 [Mais tarde como capítulo de: *Seelenprobleme der Gegenwart* (Problemas da alma contemporânea). Zurique: Rascher, 1931. Nova edição (cartonada) 1969].

326 Na criança a consciência emerge das profundezas da vida psíquica inconsciente, formando no começo como que ilhas isoladas, as quais aos poucos se reúnem em um "continente", para formar uma consciência coerente. O processo gradativo do desenvolvimento espiritual significa *ampliações da consciência.* Desde o momento em que aparece a consciência coerente, existe a possibilidade do relacionamento psíquico. Consciência, segundo nossa concepção, é sempre consciência do "eu". Para tornar-me consciente de mim mesmo, devo poder distinguir-me dos outros. Apenas onde existe essa distinção, pode aparecer um relacionamento. Ainda que de modo geral se faça essa distinção, ela é, contudo, normalmente cheia de lacunas, podendo talvez permanecer inconscientes regiões muito amplas da vida psíquica. Quanto aos conteúdos inconscientes não é possível qualquer distinção; e, por isso, nesse campo não pode ser estabelecido nenhum relacionamento; nessa região reina ainda o estado inicial da *identidade primitiva* do "eu" com os outros, e assim ausência completa de relacionamento.

327 Ao atingir a idade adequada para o casamento, já tem o jovem a consciência do "eu" (a moça geralmente mais do que o rapaz), mas só há pouco tempo ele emergiu do nebuloso inconsciente inicial. Tem ainda vastas regiões que permanecem na sombra da inconsciência, as quais ainda não permitem que se estabeleça o relacionamento psíquico no âmbito que alcançam. Isto significa na prática que o jovem tem um conhecimento incompleto tanto de si mesmo como do outro; por isso também conhece de modo insuficiente os motivos do outro como também os próprios. Na maioria das vezes o jovem costuma agir levado apenas por motivos inconscientes. Naturalmente, do ponto de vista subjetivo, ele tem a impressão de estar muito consciente, pois é sempre costume a pessoa exagerar os conteúdos conscientes atuais. Constituirá, pois, grande surpresa a descoberta de que aquilo que se considerava como um pico finalmente alcançado, na realidade é apenas o degrau inferior de uma escada muito grande; e isto se dará sempre de novo. Quanto maior for a extensão da inconsciência, tanto menor se tratará de uma escolha livre no casamento; de modo subjetivo isto se faz notar pela *coação do destino,* claramente perceptível em toda a pessoa apaixonada. Mesmo quando faltar o apaixonamento continua a existir a coação, contudo de forma menos agradável.

328 Os motivos ainda inconscientes são de natureza tanto pessoal como geral. Primeiramente há os motivos provenientes da *influência dos pais.* Neste particular é decisivo para o rapaz o relacionamento com a mãe, e para a moça o relacionamento com o pai. Em primeiro lugar é o grau de ligação aos pais que influencia a escolha do consorte, favorecendo ou dificultando. O amor consciente para com o pai e a mãe favorece a escolha de um consorte semelhante ao pai ou à mãe. Ao contrário, a ligação inconsciente (a qual não precisa de maneira alguma manifestar-se como amor) dificulta a escolha desse consorte e força modificações curiosas. Para compreendê-las deve-se saber antes de mais nada donde provém essa ligação inconsciente com os pais e em que circunstâncias ela força a escolha ou até a impede. *Em regra, a vida que os pais podiam ter vivido, mas foi impedida por motivos artificiais, é herdada pelos filhos, sob uma forma oposta.* Isto significa que os filhos são forçados inconscientemente a tomar um rumo na vida que compense o que os pais não realizaram na própria vida. Assim, pais exageradamente moralistas têm filhos do tipo conhecido como sem moral, e um pai irresponsável e boêmio tem um filho dotado de ambição doentia, e assim por diante. A *inconsistência artificial* dos pais tem as piores consequências. Dá-se isto, por exemplo, no caso de uma mãe que de modo artificial se mantém inconsciente para não perturbar a aparência de um bom matrimônio, mas inconscientemente conserva o filho muito preso a si mesma, quase como um substitutivo do marido. Por esta razão o filho não precisa sentir-se sempre impelido para a homossexualidade, mas apenas para outras modificações na escolha, as quais na verdade não lhe são condizentes. Poderá, por exemplo, casar-se com uma moça que seja evidentemente inferior à mãe dele e assim não esteja em condições de concorrer com ela, ou então tornar-se vítima de uma mulher de índole tirânica e arrogante, que de certo modo deverá desprendê-lo da mãe. A escolha do cônjuge poderá ficar livre de tais influências, se os instintos não estiverem atrofiados, mas cedo ou tarde se manifestarão certos obstáculos. A escolha feita apenas sob o impulso do instinto poderia ser a melhor, do ponto de vista da conservação da espécie; do ponto de vista psicológico, porém, nem sempre é a acertada porque muitas vezes há uma grande distância entre a personalidade meramente instintiva e a personalidade individualmente diferenciada. Em tal caso a raça pode ser renovada ou melhorada pela escolha meramente instin-

tiva, mas destrói-se desse modo a felicidade individual. (O conceito de instinto nada mais é do que um conceito genérico que engloba todos os fatores orgânicos e psíquicos possíveis, cuja natureza desconhecemos em sua maior parte.)

329 Se o indivíduo devesse ser considerado apenas sob a perspectiva da conservação da espécie, certamente a melhor escolha seria a puramente instintiva. Como suas bases são inconscientes, sobre elas apenas se pode estabelecer uma espécie de relacionamento impessoal, tal como se observa de modo interessante entre os povos primitivos. Se é que se pode falar aí de algum "relacionamento", somente seria no sentido de relacionamento apagado e distante, de natureza acentuadamente impessoal, regulado completamente por costumes tradicionais e por preconceitos, enfim um modelo para qualquer casamento convencional.

330 A escolha do parceiro normalmente se realiza por motivos inconscientes e instintivos, desde que o casamento não tenha sido arranjado pela inteligência, pela astúcia ou pelo tal amor providente dos pais; deve-se ainda supor igualmente que não tenha havido deformação do instinto primitivo dos filhos, seja pela educação errada ou pela influência oculta proveniente de complexos que os pais tenham negligenciado em si mesmos ou acumulado. A inconsciência produz falta de diferenciamento ou identidade inconsciente. A consequência prática disso é que cada um pressupõe no outro estrutura psíquica semelhante. A sexualidade normal, por ser uma vivência comum e aparentemente da mesma orientação, fortalece esse sentimento de unidade e de identidade. Este estado é designado como *harmonia* completa e apregoado como constituindo a grande felicidade ("Um só coração e uma só alma"). Há certamente razão para esse julgamento, pois o retorno àquele estado inicial de inconsciência e de unidade inconsciente seria como que uma volta à infância (daí os modos infantis dos enamorados) e, mais ainda, como um retorno ao seio materno, a esse mar repleto de pressentimentos acerca da exuberância criadora ainda inconsciente. Na verdade trata-se de uma vivência genuína e inegável da divindade, cuja força dominadora apaga e absorve tudo o que é individual. É a própria comunhão com a vida e com o destino impessoal. A vontade própria que se afirma a si mesma é dobrada: a mulher torna-se

mãe e o homem torna-se pai; deste modo ambos são privados da liberdade e tornam-se instrumentos da vida que prossegue.

331 O relacionamento se conserva dentro dos limites da finalidade biológica do instinto: a conservação da espécie. Sendo esta finalidade de natureza coletiva, o relacionamento psíquico dos esposos é também essencialmente coletivo e não pode, portanto, ser considerado *relacionamento pessoal* em sentido psicológico. Somente poderemos falar em tal relacionamento quando se tornar conhecida a natureza da motivação inconsciente e quando estiver suprimida em larga escala a identidade inicial. Raras vezes, ou até mesmo nunca, um matrimônio se desenvolve tranquilo e sem crises, até atingir o relacionamento individual. Não é possível tornar-se consciente sem passar por sofrimentos.

331a Vários são os caminhos que levam à conscientização, mas eles obedecem a certas leis. Geralmente a mudança começa com o *início da segunda metade da vida*. O meio da vida é um tempo de suma importância psicológica. A criança começa sua vida psíquica em ambiente acanhado, o ambiente de influência da mãe e da família. À medida que prossegue a maturidade, alarga-se o horizonte e também a esfera da própria influência. A esperança e a intenção visam alargar a esfera pessoal de poder e de posse, e o desejo tenta abranger o mundo em amplidão crescente. A vontade do indivíduo se identifica cada vez mais com as finalidades oferecidas pela natureza dos motivos inconscientes. Até certo ponto a pessoa começa a insuflar assim sua vida nas coisas, até o ponto em que elas finalmente começam também a viver e a expandir-se, ultrapassando a própria pessoa. As mães se sentem ultrapassadas pelos filhos, os homens por suas criações; aquilo que se chamou à vida, inicialmente a custo, talvez mesmo com o máximo esforço, agora já não pode ser contido. De início era paixão, depois se tornou obrigação e por fim vem a ser um peso insuportável, uma espécie de vampiro a sugar a vida de seu criador. O meio da vida é um tempo de desenvolvimento máximo, quando a pessoa ainda está trabalhando e operando com toda a sua força e todo o seu querer. Mas nesse momento tem início o entardecer, e começa a segunda metade da vida. A paixão muda de aspecto e passa a ser dever, o querer transforma-se inexoravelmente em obrigação; as voltas da caminhada, que antes estavam cheias de surpresas e descobertas, agora nada mais são do que rotina. O vinho acabou de fermentar e começa a clarear. Desenvolvem-se tendências conservadoras, se tudo está em ordem. Em vez de se olhar para a frente, muitas vezes, sem querer, se olha agora para o passado; principia-se a prestar contas sobre a maneira pela qual a vida se desenvolveu até o momento. Procura-se encontrar suas motivações verdadeiras e surgem descobertas. O indivíduo consegue conhecer sua peculiaridade por meio da consideração crítica de si próprio e de seu destino. Mas esses conhecimentos não lhe são dados de graça. Chega-se a tais conhecimentos apenas por abalos violentos.

331b Como os escopos visados na segunda metade da vida diferem dos da anterior, pode surgir a desunião da vontade, se alguém permanecer por demasiado tempo numa atitude juvenil. A consciência impele para a frente, de acordo com a inércia que lhe é própria; o inconsciente retém o avanço, porque se esgotaram a força e a vontade internas para uma ulterior expansão. Essa desunião consigo mesmo gera descontentamento e, como a pessoa não está consciente desse seu estado, procura geralmente projetar no outro cônjuge os motivos de tudo isso. Origina-se então uma atmosfera crítica, que é a condição indispensável para a tomada de consciência. Nem sempre tal estado ocorre simultaneamente nos dois esposos. Mesmo o melhor casamento não é capaz de apagar as diferenças individuais e tornar os estados dos esposos absolutamente idênticos. Normalmente um deles resolve seu caso no matrimônio mais depressa do que o outro. Alguém que se baseia num relacionamento positivo com os pais encontrará pouca ou nenhuma dificuldade em relacionar-se com o outro; entretanto o outro cônjuge poderá sentir-se impedido, porque está preso aos pais por uma ligação mais profunda e inconsciente. Por isso apenas mais tarde conseguirá adaptar-se completamente; mas, como atingiu esse estado com maior dificuldade, procurará talvez ater-se a ele por mais tempo.

331c Os fatores que causam dificuldade típica nesse momento crítico são, por um lado, a *desigualdade de tempo* no desenvolvimento, e, de outro, o *alcance da personalidade espiritual*. Não desejo, contudo, dar a impressão de que entendo por "alcance da personalidade espiritual" sempre uma natureza extraordinariamente rica ou generosa. A significação absolutamente não é esta. Prefiro entender a expressão como uma certa *complicação* da natureza espiritual; poderíamos compará-la com uma pedra de inúmeras facetas em contraste com um simples cubo. São naturezas de muitas faces, em geral cheias de problemas, dotadas de unidades psíquicas hereditárias mais ou menos incompatíveis. É sempre difícil a adaptação a essas naturezas, assim como também é difícil que tais naturezas se adaptem a outras mais simples. Essas pessoas, com dotes até certo ponto dissociados, possuem em geral a capacidade de separar por longo tempo os traços irreconciliáveis do caráter e assim se apresentarem como simples na aparência; o fato de possuírem "múltiplas facetas" e um caráter de colorido cambiante lhes confere um encanto todo especial. Ao lidar com naturezas providas de tais labirintos, qualquer outra pode se perder facilmente; encontra-se diante de tal exuberância de vivências possíveis que seu interesse pessoal se acha totalmente ocupado; certamente isso não precisa ocorrer de modo sempre agradável, pois é necessário antes sondar a outra em todos os caminhos secundários e desvios errados. Todavia existe sempre desse modo tantas possibilidades de vivência, que a pessoa mais simples se sente envolvida por elas ou até mesmo presa por elas; essa pessoa como que se dissolve na personalidade mais ampla, não podendo enxergar nada além dela. Isto constitui uma ocorrência quase geral: uma mulher que intelectualmente está contida no marido, ou um marido que emotivamente vive em sua mulher. Isto poderia ser designado como o *problema do envolvente e do envolvido.*

332 O *envolvido* se encontra totalmente dentro do matrimônio, no tocante ao essencial. Sem nenhuma divisão, volta-se inteiramente para o outro, enquanto que em relação ao exterior não existe nenhuma obrigação importante, nem interesse que o prenda. O aspecto desagradável desse estado, aliás "ideal", é a dependência inquietante de uma personalidade muito vasta, que por isso mesmo não pode merecer todo o crédito ou confiança. A vantagem é que ele mesmo não está dividido – fator que não deve ser subestimado na economia psíquica!

333 O *envolvente* precisaria de modo especial, por causa de seus dotes até certo ponto dissociados, conciliar-se consigo mesmo pelo amor indiviso à outra pessoa: mas neste esforço, que lhe é difícil por natureza, vê que a pessoa mais simples lhe toma a dianteira. Ao pro-

curar no outro toda a espécie de sutilezas e complicações para servir de complemento ou de oposto às suas próprias facetas, acaba perturbando a simplicidade do outro. Mas em todas as circunstâncias comuns tem a simplicidade grande vantagem sobre a complicação; por isso quem é complicado logo desistirá de tentar despertar uma natureza mais simples para reações sutis e problemáticas. Também o outro, que de acordo com sua natureza simples procura no parceiro respostas simples, logo lhe imporá muito trabalho, e justamente por esperar dele respostas simples, acaba "constelando" (conforme o termo técnico) suas complicações. O complicado, quer queira quer não, deverá retrair-se diante da força convincente do simples. O que é intelectual (o processo consciente em geral) significa um tal esforço para a pessoa, que ela, em qualquer circunstância, preferirá o que é simples, até mesmo quando isso nem for verdadeiro. E se for ao menos verdadeiro em parte, então a pessoa será como que uma presa disso. A natureza simples atua sobre o complicado como um quarto pequeno demais, que não lhe oferece espaço suficiente. A natureza complicada, entretanto, oferece ao simples espaço demais, de modo que ele nunca sabe direito onde lhe compete ficar. Assim ocorre naturalmente que o complicado contém o simples. O complicado não pode caber no outro, mas o envolve, ao passo que ele mesmo não é envolvido. Mas como ele talvez sinta maior necessidade de ser envolvido do que o outro, sente-se situado fora do matrimônio e desempenha sempre o papel problemático. Quanto mais firmemente se apegar o envolvido, tanto mais se sentirá o envolvente impelido para fora. Por apegar-se, consegue o envolvido penetrar ainda mais e quanto mais penetrar, tanto menos permitirá ao outro que faça o mesmo. O envolvente sempre procura espiar para fora da janela, no início talvez inconscientemente. Ao atingir o meio da vida, desperta nele um desejo mais intenso de tornar-se uno e indiviso, pois disso necessita especialmente por sua natureza dissociada; então geralmente acontecem coisas que o tornam consciente do conflito. Torna-se consciente de que procura aquilo que sempre lhe faltou, isto é, ser complementado, ser abrangido, ser indiviso. Para o envolvido tal acontecimento vem confirmar primeiramente a incerteza dolorosa que sempre sentiu; percebe que nos aposentos que aparentemente sempre lhe pertenceram se encontram ainda outras pessoas, hóspedes que ele não deseja. Desaparece para ele a certeza da segurança desejada, e essa decepção o força a retrair-se para dentro de si mesmo, se não conseguir, por meio de esforços desesperados e violentos, fazer com que o outro lhe caia arrependido e de joelho aos pés, declarando de modo convincente que toda essa procura de unidade não passa de fantasia pueril ou doentia. Se falhar essa tentativa violenta, então a desistência devidamente aceita lhe fará um grande bem; compreenderá então que aquela segurança que sempre procurava no outro terá que ser achada em si mesmo. Assim se encontra a si mesmo e descobre que em sua natureza simples havia todas as complicações que o outro procurava em vão nele.

334 Se o envolvente não entrar em colapso ao ver o que se costuma chamar de casamento errado, mas continuar acreditando que seu anseio de unidade é justificado, então aceitará no momento o fato de *estar sendo dilacerado*. Não se cura a dissociação dividindo-a, mas dilacerando-a. Todas as forças que tendem a unir e tudo o que concorre de modo sadio para querer-se a si mesmo se erguerão contra a dilaceração; isto o tornará consciente de ser possível a união eterna, que ele sempre havia procurado fora. Achará então que é um bem para ele o fato de estar indiviso em si mesmo.

335 É isto o que costuma acontecer na época em que se atinge o meio da vida; a natureza singular do ser humano força deste modo a passagem da primeira metade da vida para a segunda. O estado em que o homem era apenas um instrumento de sua natureza impulsiva se transforma em um estado diverso, no qual o homem já não é instrumento, mas passa a ser ele mesmo – a natureza se torna cultura, e o impulso, espírito.

336 Deve-se ter cuidado de não interromper esse desenvolvimento necessário por meio de violências morais, pois criar uma atitude espiritual por meio da divisão e supressão dos impulsos será uma *falsificação*. Nada inspira mais nojo do que uma espiritualidade secretamente sexualizada; ela é tão impura como a sensualidade superestimada. O caminho da transição é longo, e a maioria das pessoas fica retida a meio caminho. Se fosse possível deixar no inconsciente todo esse desenvolvimento psíquico que ocorre no matrimônio e por meio dele tal como costuma acontecer entre os povos primitivos, então toda essa transfor-

mação se realizaria sem muito atrito e de modo mais completo. Entre aqueles que denominamos primitivos encontramos personalidades espirituais que só podem nos inspirar respeito, por serem frutos completamente amadurecidos de um desígnio que não foi perturbado. Estou falando por experiência própria. Onde podemos encontrar, entre os europeus de hoje, aquelas figuras que não foram deformadas por nenhuma espécie de violência moral? Somos ainda muito bárbaros para podermos acreditar na ascese e no que lhe é oposto. A roda da história não pode ser movida para trás. Tudo o que podemos fazer é avançar e procurar alcançar aquela atitude que nos permite viver de acordo com o desígnio não perturbado do homem primitivo. Apenas deste modo seremos capazes de não perverter as coisas, mudando o espírito em sensualidade e a sensualidade em espírito, pois ambos precisam viver, e cada um tira do outro a vida que tem.

337 O que o relacionamento psíquico no matrimônio encerra de essencial é essa transformação que apresentei de modo conciso. Poderia dizer ainda muita coisa sobre as ilusões que estão a serviço dos fins visados pela natureza e provocam aquelas transformações típicas do meio da vida. A harmonia do casamento, que é própria da primeira metade da vida (se é que de fato se realizou tal adaptação) se fundamenta sobretudo em projeções de certas imagens típicas (como se evidencia na fase crítica).

338 *Cada homem sempre carregou dentro de si a imagem da mulher;* não é a imagem *desta* determinada mulher, mas a imagem de *uma* determinada mulher. Essa imagem, examinada a fundo, é uma massa hereditária inconsciente, gravada no sistema vital e proveniente de eras remotíssimas; é um "tipo" ("arquétipo") de todas as experiências que a série dos antepassados teve com o ser feminino, é um precipitado que se formou de todas as impressões causadas pela mulher, é um sistema de adaptação transmitido por hereditariedade. Se já não existissem mulheres, seria possível, a qualquer tempo, indicar como uma mulher deveria ser dotada do ponto de vista psíquico, tomando como ponto de partida essa imagem inconsciente. O mesmo vale também para a mulher, pois também ela carrega igualmente dentro de si uma imagem inata do homem. A experiência, porém, nos ensina a sermos mais exatos: é uma imagem *de homens,* enquanto que no homem se trata de uma imagem *da mulher.* Visto esta imagem ser in-

consciente, será sempre projetada, inconscientemente, na pessoa amada; ela constitui uma das razões importantes para a atração passional ou para a repulsa. A essa imagem denominei *anima*. Por isso acho muito interessante a questão escolástica: *Habet mulier animam*? (A mulher tem alma?) Na minha opinião essa pergunta é até inteligente, por ser justificada a dúvida. A mulher não tem a *anima*, mas *animus**. A *anima* é de índole erótica e emocional, enquanto que o *animus* é de caráter raciocinador. Por basear-se na projeção da própria *anima*, costuma ser errado a maior parte do que os homens dizem a respeito da erótica feminina, como também sobre a vida emotiva da mulher. As suposições e fantasias espantosas que as mulheres fazem a respeito dos homens se fundamentam na atividade do *animus*, que é de capacidade inesgotável para produzir julgamentos sem lógica e causas falsas.

339 Tanto a *anima* como o *animus* se caracterizam por uma versatilidade enorme. No matrimônio é sempre o envolvido que projeta tal imagem no envolvente, enquanto este último é capaz de projetar apenas em parte essa imagem no outro conjugue. Quanto mais simples e unívoco for o envolvido, tanto menos conseguirá o outro efetuar sua projeção. Neste caso é como se uma imagem extremamente fascinante estivesse pendurada em um aposento vazio à espera de que um ser humano o ocupasse. Existem certamente tipos de mulheres que parecem feitas para receberem as projeções da *anima*. Quase se poderia falar de um tipo determinado. É indispensável o tal caráter de "esfinge", que é ambíguo e até permite muitas interpretações. Não se trata de uma indeterminação vaga, dentro da qual nada se possa colocar, mas de uma indeterminação promissora, com o silêncio eloquente de uma Mona Lisa – não importa se é velha ou jovem, se é mãe ou filha, se é de castidade duvidosa ou infantil, ou de prudência ingênua capaz de desarmar qualquer homem[1]. Não é todo o homem verdadeiro espírito que pode ser *animus*, pois ele precisa menos de boas ideias e muito mais de boas

---

* Jung aproveitou o par de palavras quase sinônimas existente em latim – *anima* e *animus* – para designar esses arquétipos; *anima* é do gênero feminino e *animus* é do gênero masculino, o que se enquadra em sua teoria. Na passagem para o português, de *anima* proveio *alma,* e de *animus* surgiu *ânimo,* com sentidos diferenciados [N.T.].

1. Encontram-se excelentes descrições desse tipo em HAGGARD, R. *She:* A History of Adventure. Londres: [s.e.], 1887. • BENOIT, P. *L'Atlantide*. Paris: [s.e.], 1919.

palavras: palavras bem significativas nas quais caiba ainda a interpretação de muita coisa que não possa ser dita claramente. É preciso que seja um tanto incompreendido ou que pelo menos esteja de certo modo em oposição ao ambiente, para que se torne ainda admissível algo como um oferecer-se em sacrifício. Deve ser um herói ambíguo, alguém dotado de várias possibilidades; mas com tudo isso nunca se pode ter a certeza se alguma projeção do *animus* não acabou muitas vezes descobrindo um verdadeiro herói muito antes do que a lenta razão do homem médio geralmente considerado inteligente[2].

340 Tanto para o homem como para a mulher, se são os envolventes, a realização de tal imagem é sempre um acontecimento cheio de consequências, pois há sempre a possibilidade de que a sua própria complicação encontre resposta em uma multiplicidade de formas. Parece que aí se abrem aqueles amplos recintos nos quais alguém pode sentir-se rodeado e envolvido. Digo expressamente "parece", pois a possibilidade é ambígua. Assim como a projeção do *animus*, por parte da mulher, é capaz de sentir pelo faro um homem importante, desconhecido por parte da grande massa, e até mesmo ajudá-lo a atingir seu desígnio mediante o apoio moral, do mesmo modo o homem, pela projeção da *anima*, também pode despertar para si mesmo uma "mulher inspiradora". Mas muitas vezes talvez trata-se apenas de uma ilusão de efeito destruidor. Houve falta de êxito porque a fé não era suficientemente forte. Aos pessimistas devo dizer que estas imagens arquetípicas encerram valores positivos extraordinários; entretanto, aos otimistas devo indicar cautela para não se iludirem com fantasias ofuscantes e com os desvios mais absurdos, que também são possíveis.

341 Esta projeção, porém, não deve ser entendida como um relacionamento individual e consciente. Em primeiro lugar, não é nada disso. Cria uma dependência forçada, que se baseia em motivos inconscientes, mas que não são biológicos. O livro "*She*", de Rider Haggard, mostra mais ou menos como é o mundo curioso da imaginação que constitui a projeção da *anima*. Trata-se principalmente de conteú-

---

2. Descrição razoavelmente boa do *animus* em HAY, A.B.M. *The Evil Vineyard*. Londres/Nova York: [s.e.], 1923. • WYLIE, E.H. *Jennifer Lorn*: A Sedate Extravaganza. Londres: [s.e.], 1924. • LAGERLÖF, S. *Gösta Berling*: Eine Sammlung Erzählungen aus dem alten Wermland. Leipzig: [s.e.], 1903.

dos espirituais, muitas vezes em disfarce erótico, restos evidentes da mentalidade mitológica primitiva, que é formada de arquétipos e em seu conjunto constitui o que se denomina *inconsciente coletivo*. De acordo com isso, tal relacionamento é propriamente coletivo e não individual. (Benoit, que em sua *"L'Atlantide"* criou uma figura de fantasia que coincide com a de *"She"* até nos pormenores, se defende de haver plagiado Rider Haggard.)

342 Se tal projeção ocorrer em um dos cônjuges, então um relacionamento coletivo espiritual substitui o relacionamento coletivo biológico existente até então; o efeito resultante será aquela dilaceração do envolvente descrita acima. Se este conseguir manter-se sem sucumbir, justamente através desse conflito acabará por encontrar-se a si mesmo. Neste caso a projeção, que é perigosa por si mesma, prestou-lhe ajuda para passar de um relacionamento coletivo para um relacionamento pessoal. Isto equivale à consciência completa do relacionamento no matrimônio. Como o escopo deste meu trabalho era dissertar sobre a psicologia do matrimônio, fica excluída a psicologia do relacionamento projetivo. Contento-me em ter indicado aqui o fato existente.

343 É quase impossível tratar do relacionamento psíquico no matrimônio sem ao menos mencionar a natureza das transições críticas, mesmo que exista o perigo de mal-entendidos. É sabido que ninguém compreende alguma coisa do ponto de vista psicológico, se não a tiver experimentado em si mesmo. Esta verdade não impede a ninguém de conservar a convicção de que seu julgamento é o único verdadeiro e legítimo. Este fato estranho provém da superestima necessária do conteúdo atual da consciência. (Sem tal acúmulo de atenção ele nem poderia ser consciente.) Daí resulta que cada idade tem sua verdade psicológica própria, uma verdade que lhe serve de programa, como acontece em cada etapa do desenvolvimento psíquico. Há mesmo etapas que pouquíssimos conseguem atingir – depende de raça, família, educação, talento e paixão. A natureza é aristocrática. O homem normal é apenas uma ficção, ainda que existam certas regularidades válidas para quase todos. A vida psíquica é um desenvolvimento que pode estacionar nas etapas iniciais. É como se cada indivíduo tivesse um peso específico próprio, e de acordo com ele subisse ou descesse, até encontrar o ponto de equilíbrio onde encontrasse

seu limite. Também os conhecimentos e as convicções do indivíduo correspondem a esse estado. Não é, pois, de admirar que a grande maioria dos casamentos atinja seu limite psicológico superior ao realizar a finalidade biológica, sem que daí se origine qualquer dano para a saúde mental e moral. Relativamente poucos entram em um estado mais profundo de desunião consigo mesmos. Onde houver muita necessidade externa, esse conflito interior não atingirá nenhuma tensão dramática por falta da energia requerida. Na proporção em que cresce a segurança social, aumenta igualmente a insegurança psíquica. Acontece isso primeiro de modo inconsciente, e produz neuroses; depois se torna consciente e ocasiona separações, brigas, divórcios ou qualquer outro "erro matrimonial". Em etapa mais elevada ainda, chega-se ao conhecimento de novas possibilidades de desenvolvimento psíquico; entra-se então na esfera religiosa, onde termina o julgamento crítico.

344 Em todas essas etapas pode ocorrer estacionamento permanente, com inconsciência total do que aconteceria na etapa seguinte. Normalmente o acesso à etapa seguinte se acha até barrado por preconceitos muito fortes e por temores supersticiosos; isto cumpre certamente uma finalidade importantíssima, pois toda pessoa que por acaso fosse tentada a viver em uma etapa superior à sua própria se tornaria um tolo prejudicial.

345 A natureza não é apenas aristocrática, mas também esotérica. Nenhuma pessoa inteligente será por isso levada a ocultar segredos, pois sabe perfeitamente que o segredo do desenvolvimento psíquico jamais pode ser traído, simplesmente porque o desenvolvimento depende da capacidade de cada um.

Referências

ADLER, A. *Studie über Minderwertigkeit von Organen*. Berlim/Viena: Urban & Schwarzenberg, 1907.

BENOIT, P. *L'Atlantide*. Paris: [s.e.], 1919.

BREUER, J. & FREUD, S. *Studien über Hysterie*. Leipzig/Viena: F. Deuticke, 1895.

BERNHEIM, H. *Die Suggestion und ihre Heilwirkung*. Leipzig: F. Deuticke, 1888 [Edição alemã autorizada por Sigmund Freud].

DU PREL, C. *Das Rätsel des Menschen* – Einleitung in das Studium der Geheimwissenschaften. Leipzig: [s.e.], 1892.

FREUD, S. *Das Unbehagen in der Kultur*. Viena: [s.e.], 1930.

_____. *Analyse der Phobie eines fünfjährigen Knaben*. Viena: [s.e.], 1924.

_____. *Sammlung kleiner Schriften zur Neurosenlehre*. Leipzig/Viena: [s.e.], 1909.

FROBENIUS, L. *Das Zeitalter des Sonnengottes*. Berlim: [s.e.], 1904.

GOETHE, J.W. von. *Werke*. Vollständige Ausgabe letzter Hand. 30 vols. Cotta/Stuttgart/Tübingen: [s.e.], 1827-1835.

HAGGARD, H.R. *She*: A History of Adventure. Londres: [s.e.], 1887 [e numerosas reedições].

HAY, A.B.M. *The Evil Vineyard*. Londres/Nova York: [s.e.], 1923.

JORDAN, P. *Anschauliche Quantentheorie*: Einführung in die moderne Auffassung der Quantenerscheinungen. Berlim: [s.e.], 1936.

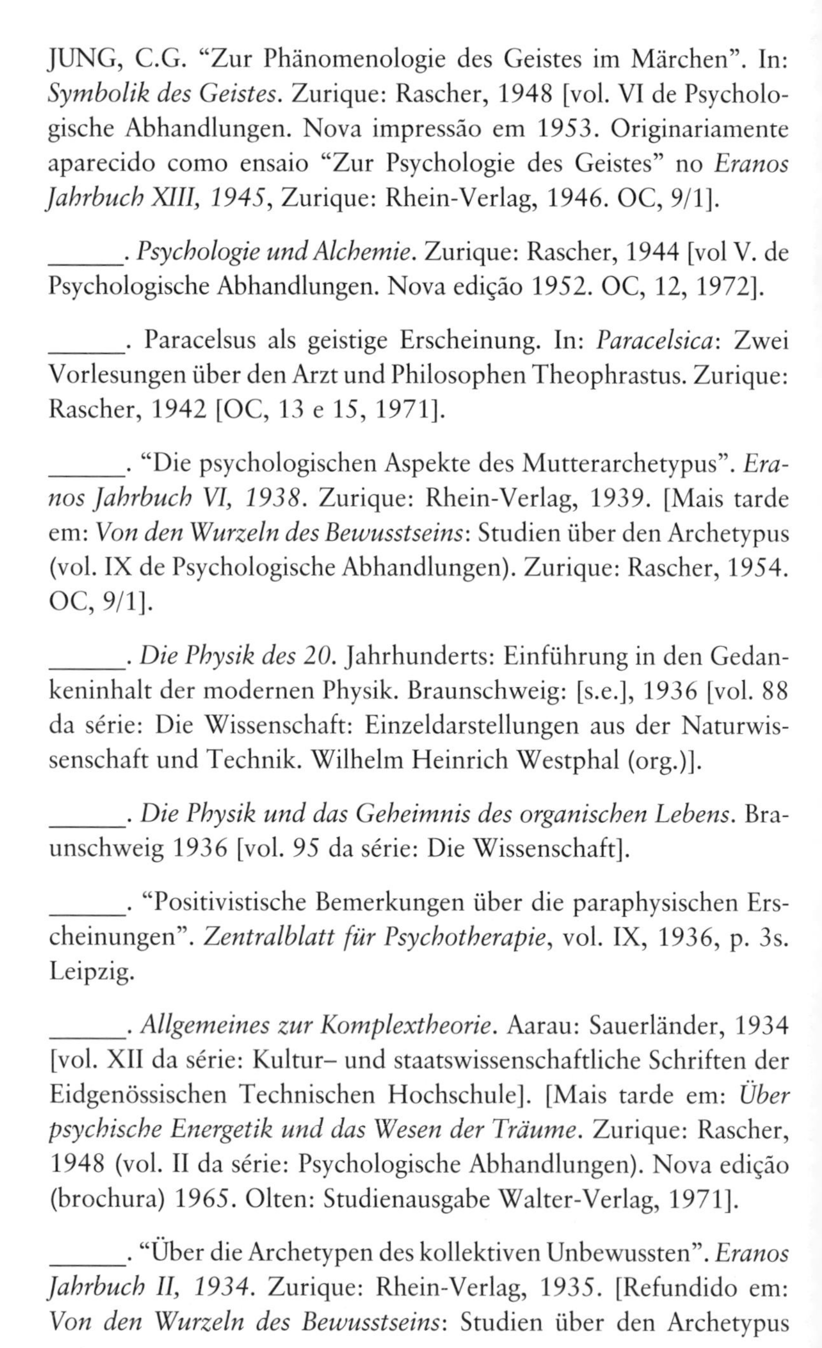

JUNG, C.G. "Zur Phänomenologie des Geistes im Märchen". In: *Symbolik des Geistes*. Zurique: Rascher, 1948 [vol. VI de Psychologische Abhandlungen. Nova impressão em 1953. Originariamente aparecido como ensaio "Zur Psychologie des Geistes" no *Eranos Jahrbuch XIII, 1945*, Zurique: Rhein-Verlag, 1946. OC, 9/1].

_____. *Psychologie und Alchemie*. Zurique: Rascher, 1944 [vol V. de Psychologische Abhandlungen. Nova edição 1952. OC, 12, 1972].

_____. Paracelsus als geistige Erscheinung. In: *Paracelsica*: Zwei Vorlesungen über den Arzt und Philosophen Theophrastus. Zurique: Rascher, 1942 [OC, 13 e 15, 1971].

_____. "Die psychologischen Aspekte des Mutterarchetypus". *Eranos Jahrbuch VI, 1938*. Zurique: Rhein-Verlag, 1939. [Mais tarde em: *Von den Wurzeln des Bewusstseins*: Studien über den Archetypus (vol. IX de Psychologische Abhandlungen). Zurique: Rascher, 1954. OC, 9/1].

_____. *Die Physik des 20.* Jahrhunderts: Einführung in den Gedankeninhalt der modernen Physik. Braunschweig: [s.e.], 1936 [vol. 88 da série: Die Wissenschaft: Einzeldarstellungen aus der Naturwissenschaft und Technik. Wilhelm Heinrich Westphal (org.)].

_____. *Die Physik und das Geheimnis des organischen Lebens*. Braunschweig 1936 [vol. 95 da série: Die Wissenschaft].

_____. "Positivistische Bemerkungen über die paraphysischen Erscheinungen". *Zentralblatt für Psychotherapie*, vol. IX, 1936, p. 3s. Leipzig.

_____. *Allgemeines zur Komplextheorie*. Aarau: Sauerländer, 1934 [vol. XII da série: Kultur– und staatswissenschaftliche Schriften der Eidgenössischen Technischen Hochschule]. [Mais tarde em: *Über psychische Energetik und das Wesen der Träume*. Zurique: Rascher, 1948 (vol. II da série: Psychologische Abhandlungen). Nova edição (brochura) 1965. Olten: Studienausgabe Walter-Verlag, 1971].

_____. "Über die Archetypen des kollektiven Unbewussten". *Eranos Jahrbuch II, 1934*. Zurique: Rhein-Verlag, 1935. [Refundido em: *Von den Wurzeln des Bewusstseins*: Studien über den Archetypus

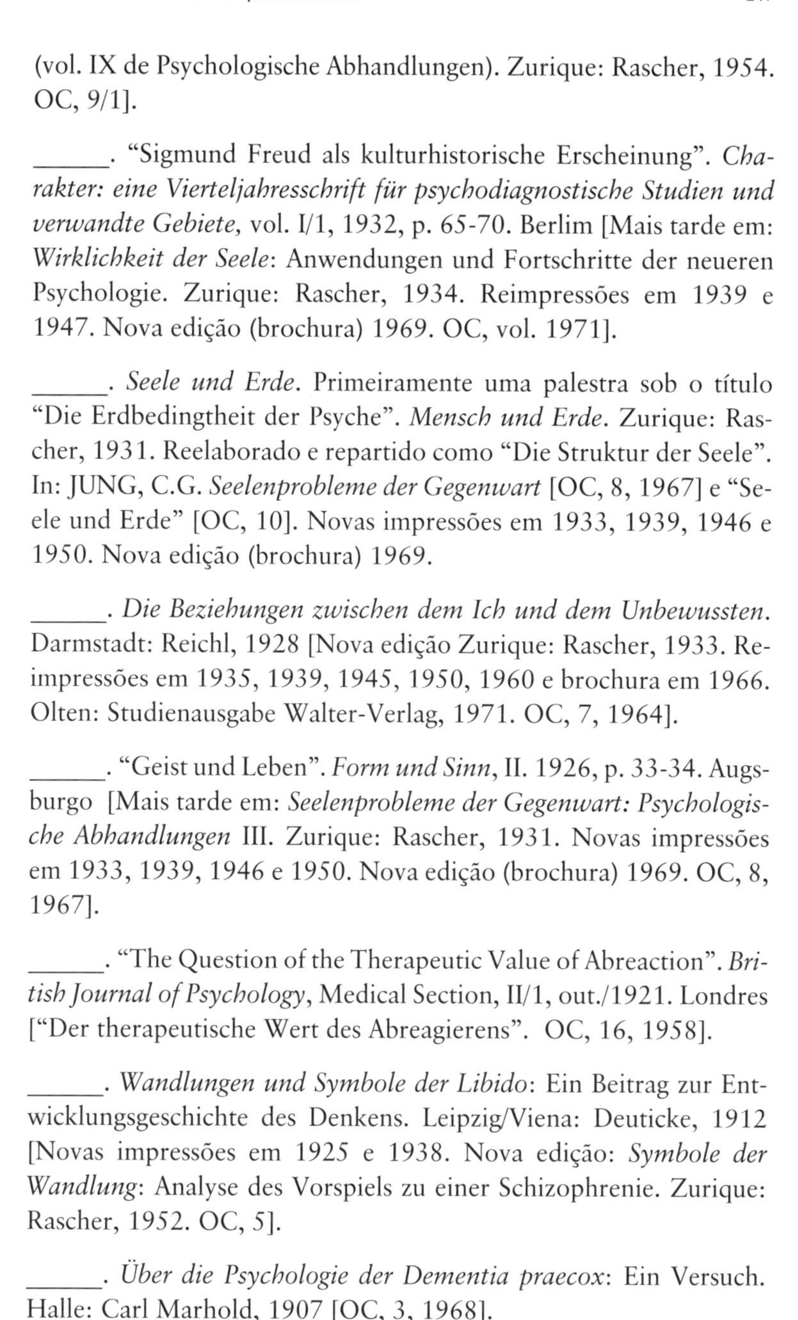

(vol. IX de Psychologische Abhandlungen). Zurique: Rascher, 1954. OC, 9/1].

______. "Sigmund Freud als kulturhistorische Erscheinung". *Charakter: eine Vierteljahresschrift für psychodiagnostische Studien und verwandte Gebiete*, vol. I/1, 1932, p. 65-70. Berlim [Mais tarde em: *Wirklichkeit der Seele*: Anwendungen und Fortschritte der neueren Psychologie. Zurique: Rascher, 1934. Reimpressões em 1939 e 1947. Nova edição (brochura) 1969. OC, vol. 1971].

______. *Seele und Erde*. Primeiramente uma palestra sob o título "Die Erdbedingtheit der Psyche". *Mensch und Erde*. Zurique: Rascher, 1931. Reelaborado e repartido como "Die Struktur der Seele". In: JUNG, C.G. *Seelenprobleme der Gegenwart* [OC, 8, 1967] e "Seele und Erde" [OC, 10]. Novas impressões em 1933, 1939, 1946 e 1950. Nova edição (brochura) 1969.

______. *Die Beziehungen zwischen dem Ich und dem Unbewussten*. Darmstadt: Reichl, 1928 [Nova edição Zurique: Rascher, 1933. Reimpressões em 1935, 1939, 1945, 1950, 1960 e brochura em 1966. Olten: Studienausgabe Walter-Verlag, 1971. OC, 7, 1964].

______. "Geist und Leben". *Form und Sinn*, II. 1926, p. 33-34. Augsburgo [Mais tarde em: *Seelenprobleme der Gegenwart: Psychologische Abhandlungen* III. Zurique: Rascher, 1931. Novas impressões em 1933, 1939, 1946 e 1950. Nova edição (brochura) 1969. OC, 8, 1967].

______. "The Question of the Therapeutic Value of Abreaction". *British Journal of Psychology*, Medical Section, II/1, out./1921. Londres ["Der therapeutische Wert des Abreagierens". OC, 16, 1958].

______. *Wandlungen und Symbole der Libido*: Ein Beitrag zur Entwicklungsgeschichte des Denkens. Leipzig/Viena: Deuticke, 1912 [Novas impressões em 1925 e 1938. Nova edição: *Symbole der Wandlung*: Analyse des Vorspiels zu einer Schizophrenie. Zurique: Rascher, 1952. OC, 5].

______. *Über die Psychologie der Dementia praecox*: Ein Versuch. Halle: Carl Marhold, 1907 [OC, 3, 1968].

_____. *Zur Psychologie und Pathologie sogenannter occulter Phänomene*: Eine psychiatrische Studie. Leipzig: Oswald Mutze, 1902 [Dissertação. OC, 1, 1966].

_____ (org.). *Diagnostische Assoziationsstudien*. Beiträge zur experimentellen Psychopathologie. 2 vols. Leipzig: J.A. Barth, 1906/1910 [OC, 2] [Novas edições por volta de 1911 e 1915].

JUNG, C.G. & KERÉNYI, K. *Einführung in das Wesen der Mythologie*: Das göttliche Kind/Das göttliche Mädchen. Zurique: Rhein-Verlag, 1951 [Colaboração de Jung em OC, 9/1]. [Apareceu originariamente sob o título "Zur Psychologie des Kind-Archetypus". Amsterdã/Leipzig: Pantheon, Akademische Verlagsanstalt, 1940 (vols. VI/VII de Albae Vigiliae VI/VII); e "Zum psychologischen Aspekt der Kore-Figur" (vols. VIII/IX de Albae Vigiliae)].

KEYSERLING, G.H. *Südamerikanische Meditationen*. Stuttgart: [s.e.], 1932.

_____. (org.). *Mensch und Erde*. Darmstadt: [s.e.], 1927.

_____. *Ehe-Buch, Das. Eine neue Sinngebung im Zusammenklang der Stimmen führender Zeitgenossen*. Celle: Niels Kampmann Verlag, 1925.

LAGERLÖF, S. *Gösta Berling*: Eine Sammlung Erzählungen aus dem alten Wermland. Leipzig: [s.e.], 1903.

MEIER, C.A. "Moderne Physik – Moderne Psychologie". In: Psychologischer Club Zürich (org.). *Die kulturelle Bedeutung der Komplexen Psychologie*. Em comemoração ao 60° aniversário de C.G. Jung. Berlim: [s.e.], 1935.

RIKLIN, F. *Wunscherfüllung und Symbolik im Märchen*. Viena: H. Heller, 1908 (Edição 2 de *Schriften zur angewandten Seelenkunde*).

SCHILLER, F. von. *Sämtliche Werke*. Stuttgart/Tübingen: Cotta, 1822/1826.

WIEKES, F.G. *The Inner World of Childhood*: A Study in Analytical Psychology. Nova York/Londres: [s.e.], 1927. [Com introdução de C.G. Jung. Em alemão: *Analyse der Kindesseele*: Untersuchung und

Behandlung nach den Grundlagen der Jungschen Theorie. Stuttgart: [s.e.], 1931. Nova edição (brochura) Zurique: Rascher, 1968].

_____. *The Inner World of Man*. Nova York/Toronto: [s.e.], 1938. [Em alemão: *Von der inneren Welt des Menschen*. Zurique: Rascher, 1953. Com prefácio de C.G. Jung].

WOLFF, T. "Einführung in die Grundlagen der Komplexen Psychologie". In: WOLFF, T. *Studien zu C.G. Jungs Psychologie*. Zurique: Daimon-Verlag, 1959.

WYLIE, E.H. *Jennifer Lorn*: A Sedate Extravaganza etc. Londres: [s.e.], 1924.

WYSS, W.H. von. *Psychophysiologische Probleme in der Medizin*. Basel: [s.e.], 1944.

Índice onomástico*

* Os números referem-se aos parágrafos, e os elevados às notas de rodapé.

Índice analítico*

* Os números referem-se aos parágrafos, e os elevados às notas de rodapé.

Reflexões Junguianas

Corpo e individuação
Elisabeth Zimmermann (org.)

As emoções no processo psicoterapêutico
Rafael López-Pedraza

O feminino nos contos de fadas
Marie-Louise von Franz

Introdução à psicologia de C.G. Jung
Wolfgang Roth

O irmão – Psicologia do arquétipo fraterno
Gustavo Barcellos

A mitopoese da psique – Mito e individuação
Walter Boechat

Paranoia
James Hillmann

Puer-senex – Dinâmicas relacionais
Dulcinéa da Mata Ribeiro Monteiro (org.)

Re-vendo a psicologia
James Hillmann

Suicídio e alma
James Hillmann

Sobre eros e psique
Rafael López-Pedraza

Sonhos – A linguagem enigmática do inconsciente
Verena Kast

Viver a vida não vivida
Robert A. Johnson, Jerry M. Ruhl

Conecte-se conosco:

facebook.com/editoravozes

@editoravozes

@editora_vozes

youtube.com/editoravozes

+55 24 2233-9033

www.vozes.com.br

Conheça nossas lojas:

www.livrariavozes.com.br

Belo Horizonte – Brasília – Campinas – Cuiabá – Curitiba
Fortaleza – Juiz de Fora – Petrópolis – Recife – São Paulo

Vozes de Bolso

EDITORA VOZES LTDA.
Rua Frei Luís, 100 – Centro – Cep 25689-900 – Petrópolis, RJ
Tel.: (24) 2233-9000 – E-mail: vendas@vozes.com.br